Précieuses confidences

———————

Un troublant espoir

MAUREEN CHILD

Précieuses confidences

éditions HARLEQUIN

Collection : PASSIONS

Titre original : GILDED SECRETS
Titre original bonus : THE HIGHEST BIDDER : THE GOLD HEART, PART 1

Traduction française de EDOUARD DIAZ

HARLEQUIN®
est une marque déposée par le Groupe Harlequin
PASSIONS®
est une marque déposée par Harlequin S.A.

Photo de couverture
Enfant : © RENEE KEITH / GETTY IMAGES / ROYALTY FREE
Réalisation graphique couverture : L. SLAWIG (Harlequin SA)

© 2012, Harlequin Books S.A. © 2013, Harlequin S.A.
83-85, boulevard Vincent-Auriol, 75646 PARIS CEDEX 13.
Service Lectrices — Tél. : 01 45 82 47 47
www.harlequin.fr
ISBN 978-2-2802-8288-8 — ISSN 1950-2761

- 1 -

Planté devant l'hôtel des ventes qui portait le nom de sa famille, Vance Waverly leva les yeux vers l'imposante façade. Depuis qu'il avait été bâti, il y a cent cinquante ans, le vieil édifice avait subi des rénovations, mais il avait conservé tout son caractère. Plus qu'une simple structure de pierre et de ciment, c'était un écrin dédié à la beauté, aux trésors de l'histoire et aux objets d'art uniques.

Esquissant un sourire, il laissa son regard glisser sur les sept étages de l'édifice. Sept, le numéro de la chance. Sur la rue, deux cyprès jumeaux montaient silencieusement la garde de part et d'autre de l'entrée. Les vitres du bâtiment scintillaient dans la lumière de ce début d'été. Le balcon du premier étage était orné d'une balustrade en fer forgé. La pierre grise conférait un air de dignité au vieux bâtiment. Sur la grande fenêtre en arc au-dessus de l'entrée était gravé un nom : Waverly's.

Face à ce bâtiment construit par son arrière-grand-oncle, Vance se sentit envahi par un sentiment d'immense fierté. Windham Waverly n'était plus de ce monde depuis longtemps, mais, à sa manière, il avait atteint l'immortalité en laissant derrière lui cet hôtel des ventes, devenu aujourd'hui une institution renommée dans le monde entier.

Vance était l'un des derniers Waverly, et avait donc un intérêt direct à ce que l'hôtel des ventes conserve tout son prestige. En tant que membre le plus influent du conseil d'administration, il s'impliquait dans toute l'activité de l'hôtel des ventes, de la mise en pages du catalogue à la recherche d'objets. Il se sentait chez lui ici, pas comme dans son luxueux appartement en terrasse avec une vue imprenable sur le fleuve Hudson. Son appartement n'était que le lieu où il dormait.

Chez Waverly's, il avait l'impression de vivre.

— Bonjour.

Tiré de ses réflexions, Vance tourna la tête et vit son demi-frère s'avancer vers lui. Roark venait rarement à New York, et il n'était en ville que pour quelques rendez-vous avec ses contacts. Il était aussi grand que Vance — plus d'un mètre quatre-vingts —, avec des cheveux bruns et des yeux verts, mais là s'arrêtait la ressemblance familiale. Les deux hommes avaient le même père, mais ignoraient leur existence mutuelle jusqu'à la mort de leur géniteur, Edward Waverly, cinq ans plus tôt.

Ces cinq dernières années, une solide amitié était née entre les deux hommes, et Vance s'en réjouissait, même si, à la demande de son frère, il avait toujours gardé le secret sur leurs liens de sang. Roark, en effet, n'était toujours pas convaincu qu'Edward Waverly ait réellement été son père. L'unique preuve de cette filiation consistait en une lettre qu'Edward avait laissée avec son testament. Pour Vance, c'était amplement suffisant, mais pas pour Roark, et Vance avait choisi de respecter le souhait de son frère.

— Merci d'être venu.

— Tu as intérêt à ce que ce soit important, répondit Roark en lui emboîtant le pas vers un petit café au coin de la rue. Je me suis couché très tard et je ne suis pas encore officiellement réveillé.

Il portait des lunettes sombres pour protéger ses yeux du soleil, une veste de cuir un peu râpée, un T-shirt, un jean et des bottes. L'espace d'une seconde, Vance envia son frère. Lui aussi aurait préféré porter un jean, mais son complet et sa cravate étaient la tenue de rigueur chez Waverly's. C'était l'image qu'on attendait de lui, et Vance mettait toujours un point d'honneur à faire ce qu'il fallait.

— Oui, répondit-il en prenant place à une table en terrasse sous un grand parasol aux couleurs vives. C'est important. Ou, en tout cas, cela pourrait l'être.

— Ah ? fit Roark, intrigué.

Il attendit que la serveuse leur ait versé du café et ait pris leur commande.

— Alors ? reprit-il. Qu'as-tu de si important à me dire ?

Vance serra la grande tasse de porcelaine entre ses mains et fixa la surface sombre de son café, s'efforçant de remettre de l'ordre dans ses idées. Il n'était pas homme à prêter l'oreille aux ragots et n'avait aucune patience pour ceux qui les colportaient, mais lorsqu'il était question de Waverly's, il ne pouvait se permettre de courir le moindre risque.

— As-tu entendu certaines rumeurs au sujet d'Ann ?

— Ann Richardson ? Notre P.-D.G. ?

— Oui, bien sûr, grogna Vance. Qui d'autre ?

Roark ôta lentement ses lunettes de soleil et les posa sur la table, puis jeta un rapide coup d'œil circulaire aux tables voisines. Il se tourna de nouveau vers son frère.

— Des rumeurs ? Quel genre de rumeurs ?

— Pour être plus précis, des rumeurs à son sujet et au sujet de Dalton Rothschild. Qui, comme tu le sais sûrement, dirige l'hôtel des ventes Rothschild. Notre principal concurrent.

Roark le dévisagea un instant, puis il secoua la tête.

— Jamais de la vie.

— Moi non plus, je ne veux pas le croire, reconnut Vance.

Ann Richardson, P.-D.G. de Waverly's, était une brillante professionnelle, une femme intelligente qui avait gravi un à un tous les échelons et s'était imposée par la seule force de son talent. Elle était le plus jeune P.-D.G. de tout temps d'une salle des ventes aussi prestigieuse.

— Quelles rumeurs as-tu entendues au juste ? s'enquit Roark en s'adossant à sa chaise.

— Tracy m'a appelé hier soir pour me signaler un article qui doit paraître dans le *New York Post* d'aujourd'hui.

— Tracy ? répéta Roark, fronçant les sourcils. Oui, je me souviens d'elle. Tracy Bennett, la journaliste avec qui tu es sorti l'année dernière.

— Elle-même. Selon elle, l'affaire va éclater au grand jour aujourd'hui.

— Quelle affaire ?

— Ann aurait, paraît-il, une aventure avec Dalton.

— Ann est bien trop intelligente pour se laisser prendre aux bobards de Dalton, rétorqua Roark, balayant cette idée d'un revers de la main.

Vance lui aussi aurait bien aimé le croire, mais il savait par expérience que les gens prenaient sans cesse des décisions stupides. Pour justifier ces erreurs, ils se réfugiaient généralement derrière l'excuse de l'amour, mais, en vérité, l'amour n'était qu'un paravent qui leur permettait de faire exactement ce qui leur plaisait. Une fable colportée par les fabricants de cartes postales et les organisatrices de mariages.

— Tu as raison, admit-il. Mais si cette histoire est vraie...

— Même si c'est le cas, qu'y pouvons-nous, toi ou moi ?

— Pas grand-chose, reconnut Vance. Je vais parler à Ann, et l'avertir de la parution imminente de l'article.

— Et ensuite ?

— Ensuite, répondit Vance, fixant son frère sans ciller, j'ai besoin que tu gardes tes yeux et tes oreilles ouverts. J'ai confiance en Ann, mais je me méfie de ce Dalton comme de la peste. Il a toujours rêvé d'être débarrassé de Waverly's. S'il ne peut pas nous racheter, il essaiera de nous enterrer par tous les moyens.

Vance but une gorgée de son café et, lorsqu'il se tourna de nouveau vers son frère, son regard avait la dureté du silex.

— Et nous n'allons pas nous laisser faire, n'est-ce pas ?

— Bonjour, monsieur Waverly. J'ai préparé du café, et vous trouverez votre agenda de la semaine sur votre bureau. Ah ! Il y a aussi une invitation pour la garden-party du sénateur Crane. Elle a été portée par coursier hier soir, juste après votre départ.

Vance s'arrêta sur le seuil pour tourner son regard vers sa nouvelle assistante. Charlotte Potter était petite, avec des courbes féminines et de longs cheveux blonds attachés en queue-de-cheval à la base de son cou gracile. Elle avait des yeux bleus lumineux, des lèvres sensuelles et une énergie débordante.

Il l'avait engagée pour faire plaisir à un membre du conseil d'administration qui partait à la retraite et qui s'était pris d'affection pour elle lorsqu'elle était son assistante. Mais Charlotte n'était avec lui que depuis une semaine, et il savait déjà que cela ne fonctionnerait jamais entre eux.

Elle était trop jeune, trop jolie, trop…

Elle se détourna au même instant et se pencha pour ouvrir le tiroir inférieur d'un classeur, et, malgré lui, Vance se surprit à fixer l'arrondi adorable de ses hanches. Il secoua lentement la tête. Charlotte était trop… *tout*.

Lorsqu'elle se redressa pour lui tendre une épaisse enveloppe, il décida que la seule solution était de la muter à un autre poste dans la société. Il ne pouvait tout de même pas la licencier parce qu'elle l'empêchait de se concentrer sur son travail, mais cette situation ne pouvait plus durer.

Même si c'était politiquement incorrect, Vance préférait avoir pour assistante une femme d'un certain âge. Claire, son ancienne assistante, avait pris sa retraite à l'âge de soixante-cinq ans. Elle était calme, méthodique, et totalement dévouée à son travail. Avec elle, un ordre sévère avait toujours régné dans son bureau. Vance lui faisait confiance, car il savait que rien n'échappait à son regard d'aigle.

Avec Charlotte, en revanche…

Il parcourut d'un regard désapprobateur le grand ficus dans le coin de la pièce, les fougères en pots sur une étagère près de la fenêtre, les violettes africaines sur le coin de sa table de travail. Il y avait aussi des photos encadrées, prenant inutilement de la place sur la table, mais il ne les avait jamais vraiment examinées, trop occupé qu'il était à se désoler de ce joyeux désordre. Elle rangeait ses stylos dans une tasse arborant le logo des New York Jets, son équipe de football préférée, et il y avait toujours une soucoupe de bonbons au chocolat près de son téléphone.

Il n'aurait jamais dû accepter de rendre ce service à son ancien collègue. Comme disait son père avec son humour grinçant, une bonne action ne reste jamais impunie. Le vieil homme avait raison.

Même dans ses meilleurs moments, Vance préférait éviter toute distraction susceptible de le détourner de son travail. Et, en l'occurrence, avec les signes avant-coureurs de problèmes sérieux entre les salles des ventes Waverly's et Rothschild, il y était d'autant plus déterminé. Et tant pis si cela faisait de lui un rabat-joie !

En tant que l'un des derniers représentants de la famille Waverly impliqués dans l'activité de la salle des ventes, il aimait à ce que ses heures de bureau soient consacrées strictement au travail. Le moins qu'on puisse dire, c'est que la proximité d'une jolie femme ne favorisait pas la concentration.

— Merci, Charlotte, répondit-il en se dirigeant vers

son bureau sans ralentir. Ne me passez aucun appel avant la fin de la réunion du conseil.

— Pas de problème, répondit-elle d'un ton joyeux. Et vous pouvez m'appeler Charlie.

Vance s'arrêta net et, lorsqu'il tourna la tête par-dessus son épaule, elle lui décocha un sourire qui le laissa tout ébloui. Puis elle retourna à son bureau pour trier le courrier, et sa longue chevelure glissa sur son épaule comme une coulée de soie pour aller caresser sa poitrine.

Il sentit quelque chose palpiter au plus profond de lui. Il détestait l'admettre, mais il lui était impossible d'ignorer cette femme…

Tout en se disant qu'il avait tort, il s'adossa au montant de la porte et l'observa tout en sirotant le café qu'elle lui avait préparé. Elle chantonnait à mi-voix, comme il l'avait surprise à le faire la semaine précédente. Dieu du ciel ! Elle chantait abominablement faux.

Il secoua la tête d'un geste las. Il devait passer quelques coups de fil à leur branche de Londres afin de s'informer des ventes qui devaient s'y dérouler prochainement. Dans un recoin de son esprit, il songeait toujours aux rumeurs qui couraient sur Ann et à leurs conséquences possibles sur Waverly's. Il n'était pas d'humeur pour la réunion du conseil d'administration prévue pour l'après-midi.

Charlotte se redressa et se retourna vers lui, et elle sursauta violemment, portant une main à sa poitrine.

— Vous m'avez fait peur, dit-elle en riant. Je vous croyais parti dans votre bureau.

C'était bien là, en effet, qu'il aurait dû se trouver s'il avait eu deux doigts de bon sens, songea-t-il, consterné. Or il s'était laissé distraire. Ce qui ne lui ressemblait pas.

— Avez-vous eu le temps de me faire une copie de l'ordre du jour du conseil d'aujourd'hui ? demanda-t-il d'un ton aussi normal que possible. J'ai besoin de prendre quelques notes avant la réunion.

— Bien sûr.

Elle se tourna vers son bureau pour y prendre un dossier dans une pile et le lui tendit.

— Voilà, dit-elle. Je vous ai aussi imprimé la liste que vous aviez préparée des collections privées susceptibles de faire l'objet d'une vente aux enchères publiques dans les prochaines semaines.

Il ouvrit le dossier, impressionné par la netteté de sa présentation, et il tourna lentement les pages, s'arrêtant brusquement à la dernière.

— Qu'est-ce que c'est que cela ?

— Oh ! ce n'est pas grand-chose, répondit-elle en souriant. La mise en pages du prochain catalogue m'avait paru un peu lourde, et j'ai pris la liberté de retravailler quelques-unes des photos.

Il étudia attentivement son travail et dut admettre que le résultat était excellent. Les vases de la dynastie Ming étaient à présent très bien mis en valeur sur un fond qui faisait ressortir leur beauté.

— Je sais que je n'aurais pas dû, mais…

— Vous avez fait un excellent travail, l'interrompit-il, refermant le dossier.

Il plongea son regard dans ses doux yeux bleus.

— Vraiment ? répondit-elle, retrouvant instantanément son sourire lumineux. Merci beaucoup. J'avoue que j'étais un peu nerveuse à l'idée que vous désapprouviez le fait que je me mêle de la conception du catalogue, mais j'adore mon travail et j'ai envie de le faire aussi bien que possible.

Face à l'enthousiasme sincère qu'il lisait dans le regard de Charlotte, il sentit un étrange sentiment de culpabilité l'envahir, et il eut honte d'avoir songé à la faire muter ailleurs.

Après tout, pourquoi ne pas lui laisser sa chance ? Il lui suffirait d'ignorer qu'elle était une jolie femme.

Mais un seul regard à sa silhouette gracieuse suffit à reléguer cette solution aux oubliettes.

Le téléphone sonna, et elle tendit la main pour décrocher.

— Bureau de Vance Waverly.

Sa voix était grave et sensuelle. Ou alors, songea-t-il avec irritation, c'était seulement son impression.

— Pourriez-vous patienter une seconde, s'il vous plaît ?

Elle appuya sur un bouton et se tourna vers lui.

— C'est Derek Stone, annonça-t-elle. Du bureau de Londres.

— Oh ! Très bien.

Heureux de cette opportunité de se remettre au travail, il ramassa le dossier et battit en retraite dans son bureau.

— Passez-le-moi, s'il vous plaît, Charlotte. Et ensuite, ne me passez plus aucun appel ; prenez les messages.

— Comptez sur moi, monsieur Waverly.

Il referma la porte derrière lui et traversa la vaste pièce au parquet verni pour prendre place derrière son bureau. Sur les murs ivoire du bureau, des œuvres d'artistes prometteurs côtoyaient quelques toiles de maître. Un long sofa d'inspiration contemporaine était disposé contre un des murs, et des fauteuils de même style lui faisaient face de l'autre côté d'une élégante table basse. Derrière son bureau, l'immense baie vitrée offrait une vue fabuleuse du centre de Manhattan.

Décrochant le téléphone, il tourna le dos à ce spectacle et se laissa tomber dans son fauteuil de cuir.

— Bonjour, Derek. Je suis heureux que vous ayez appelé.

Vidée, Charlie laissa échapper un soupir de soulagement et retourna vers son bureau d'un pas mal assuré. Ses joues étaient douloureuses à force de sourire, et elle espérait du fond du cœur que Vance Waverly n'avait pas remarqué combien elle se sentait nerveuse en sa présence.

Pourquoi fallait-il qu'il sente si bon ? Elle devait absolument se reprendre, même si c'était difficile, car ses hormones entraient en ébullition chaque fois qu'il s'approchait d'elle. Cette situation était franchement humiliante. Comment pouvait-elle se sentir ainsi attirée par cet homme qui terrifiait une bonne moitié des employés de l'immeuble ?

Mais c'était ainsi. Il était très grand, avec de larges épaules et des cheveux bruns toujours un peu en désordre. Ses yeux bruns étaient parsemés de paillettes d'or, et ses lèvres ne souriaient pratiquement jamais. Il était très professionnel, et elle sentait qu'il la surveillait de près, à l'affût de la moindre excuse pour la licencier.

Ce qu'elle était bien déterminée à empêcher.

Ce travail était ce qu'elle avait de plus important dans sa vie — ou plutôt, corrigea-t-elle mentalement avec un coup d'œil à la photo d'un bébé souriant sur son bureau, il venait en bon second. Sur le plan professionnel, en tout cas, son poste d'assistante de Vance Waverly, l'un des vice-présidents d'un prestigieux hôtel des ventes, était la chance de sa vie, et elle n'entendait pas la laisser passer.

Prenant une profonde inspiration, elle redressa les épaules, tournant de nouveau son regard vers la photo de son fils Jake. Elle avait peut-être été engagée pour faire plaisir à un vieil ami, mais elle était parfaitement qualifiée pour ce poste. Elle n'allait donc pas se laisser intimider, mais rester positive et souriante quoi qu'il lui en coûte.

Lorsque son téléphone sonna, elle décrocha aussitôt.

— Bureau de Vance Waverly.

— Comment t'en sors-tu ? chuchota une voix féminine familière à l'autre bout du fil.

Elle jeta un coup d'œil rapide à la porte fermée du bureau

de son patron pour s'assurer qu'il ne pouvait l'entendre, avant de répondre :

— Pour l'instant, tout va bien.

— Qu'a-t-il pensé de ton projet de mise en pages pour le nouveau catalogue ?

— Tu avais raison, Katie, répondit-elle.

Elle imaginait le sourire de sa meilleure amie, quelques étages plus bas, au service comptabilité. C'était Katie qui lui avait suggéré de montrer à Vance ce travail qu'elle avait accompli de son propre chef sans croire vraiment qu'on tiendrait compte de son point de vue.

— Il m'a dit que j'avais fait un excellent travail.

— Tu vois ? Je te l'avais bien dit. Je savais qu'il apprécierait tes idées. Vance est un homme intelligent. Il est normal qu'il remarque que tu fais un travail fabuleux.

— Cette semaine, il a surtout passé son temps à me surveiller comme s'il attendait que je commette une erreur, dit-elle, posant de nouveau le regard sur le visage souriant de son bébé.

— Il te regarde peut-être parce que tu es ravissante.

— Je ne crois pas.

Toutefois, cette idée la fit frissonner de plaisir malgré elle. Mais cela ne dura pas, car elle se rappela aussitôt sévèrement qu'elle n'était pas ici pour flirter, mais pour construire un avenir meilleur pour son bébé et pour elle. Et ce nouveau poste, avec son augmentation de salaire conséquente, était un élément crucial de son projet. Il lui restait seulement à convaincre son patron qu'elle lui était indispensable.

— T'es-tu seulement regardée dans un miroir ? répliqua Katie. Si j'étais attirée par les femmes, moi aussi je te trouverais irrésistible.

Charlie pouffa de rire. Katie jonglait avec de si nombreux petits amis qu'elle n'avait plus une minute à elle. Mais ce que disait son amie n'était peut-être pas entièrement faux. Avec ses cheveux blonds, ses grands yeux bleus et une poitrine à faire pâlir de jalousie n'importe quelle Barbie, Charlie attirait le regard des hommes. Mais ceux-ci s'empressaient d'en conclure qu'elle n'avait aucune cervelle. C'était l'histoire de sa vie. Elle avait passé tout son temps à les convaincre qu'ils avaient tort.

L'unique fois où elle avait écouté son cœur plutôt que son cerveau...

— Il n'est pas du tout ce genre d'hommes, dit-elle, jetant un nouveau coup d'œil en direction de la porte fermée.

— Ma chérie, tous les hommes sont « ce genre d'hommes ».

— Je sais qu'il ne m'a engagée que pour rendre service à Quentin, remarqua Charlie en baissant la voix.

— Et alors ? Peu importe la façon dont tu as obtenu ce poste. Ce qui compte, c'est qu'il est à toi maintenant. Et tu as déjà prouvé que tu étais une collaboratrice parfaite.

— En attendant, cette collaboratrice parfaite va faire un peu de classement. Je te parlerai plus tard.

Souriant toujours, elle raccrocha.

Deux heures plus tard, Vance froissait rageusement le journal avant de le jeter à la corbeille. Comme Tracy le lui avait dit, l'article suggérant l'existence d'une liaison entre Ann Richardson et Dalton Rothschild était paru ce jour-là. Certes, il était noyé en page vingt-six parmi les annonces publicitaires, et, l'espace d'une seconde, Vance se laissa aller à espérer que personne ne le remarquerait.

Mais il savait que son espoir était vain. Le public était friand de scandales, et celui-ci promettait d'alimenter la chronique durant des semaines. Ce qui l'inquiétait, ce n'était pas uniquement une éventuelle liaison amoureuse entre deux dirigeants de sociétés concurrentes, mais la possibilité d'une collusion entre eux. Il espérait que ces rumeurs étaient infondées, car, dans le cas contraire, on pouvait s'attendre à des enquêtes internes, des représailles. Il n'était pas sûr que la salle des ventes Waverly's y survivrait.

Il décrocha brusquement son téléphone et composa rapidement un numéro.

— Pourquoi, Tracy ? gronda-t-il dès qu'il entendit que sa correspondante décrochait.

— Je n'y suis pour rien, répondit la journaliste d'un ton détaché. Ma rédactrice en chef a appris l'histoire par un informateur, et nous avons fait notre métier. Au moins, j'ai pris la peine de t'avertir avant tout le monde.

— Ton journal a-t-il des preuves concrètes de la véra- cité de cette histoire ? demanda-t-il, se campant face à la fenêtre, le regard sur les piétons qui foulaient les trottoirs brûlants de Madison Avenue.

— Tu sais bien que je ne peux pas répondre à ta question.

— Très bien. Mais si votre « informateur » se manifeste de nouveau, appelle-moi avant l'impression du journal, d'accord ?

— Aucune promesse, rétorqua-t-elle.

Elle marqua une pause, avant d'ajouter :

— Cela te rappelle quelque chose, peut-être ?

Elle raccrocha sans attendre sa réponse.

Vance réprima une grimace. Un an plus tôt, Tracy et lui avaient eu une aventure qui avait duré deux mois. Puis, au moment de leur rupture, il lui avait rappelé qu'il n'avait jamais été question de promesses dans leur relation.

Cet avertissement, il le donnait à chacune des femmes qui entraient dans sa vie. Il n'était pas à la recherche d'une relation stable ni durable. Vance n'avait pas oublié ce que la mort de sa mère et de sa sœur aînée avait provoqué chez son père. Un père qui n'était plus que l'ombre de lui-même, un homme brisé, une coquille vide. Si l'amour avait un tel pouvoir, il n'en voulait à aucun prix. Il n'avait jamais eu envie de fonder une famille, ni de se marier. Dès lors, pourquoi faire semblant ? Ne valait-il pas mieux afficher honnêtement ses intentions dès le départ ?

Secouant lentement la tête, il raccrocha le combiné et fourra les mains au fond de ses poches. Waverly's était tout ce qu'il avait de bon dans sa vie, et il n'était pas prêt à y renoncer sans combattre. Sa famille avait fondé cette salle des ventes, et il ne reculerait devant rien pour assurer sa survie.

Pivotant sur ses talons, il pressa le bouton de l'intercom.

— Charlie, voulez-vous venir dans mon bureau une minute, s'il vous plaît ?

Quelques secondes plus tard, la porte s'ouvrit, et la jeune

femme apparut sur le seuil. Elle avait rassemblé ses longs cheveux blonds le long de son cou, et ses grands yeux d'azur le fixaient d'un air interrogateur. Une nouvelle fois, Vance ressentit une sorte de choc qui l'ébranla jusqu'au plus profond de son être, et il fit un effort pour se reprendre.

— Un problème ?

— Je le crains, marmonna-t-il en lui faisant signe d'entrer. Asseyez-vous, je vous en prie, dit-il en lui désignant le canapé.

Elle prit place, intimidée, sur le bord du canapé, tandis qu'il s'asseyait à l'autre bout.

— Détendez-vous, dit-il en remarquant sa nervosité. Je n'ai pas l'intention de vous licencier.

— Je me réjouis de l'entendre, répondit-elle, retrouvant son sourire. Dans ce cas, comment puis-je vous être utile ?

— Vous pourriez commencer par me répéter toutes les rumeurs que vous avez entendues au sujet d'Ann Richardson, suggéra-t-il en la fixant droit dans les yeux.

— Pardon ?

— S'il y a des histoires qui circulent, je veux les connaître, précisa-t-il d'un ton uniforme. Vous êtes sûrement au courant de cet article dans le journal.

Il la vit détourner les yeux une seconde, puis son regard revint se poser sur lui.

— Le téléphone n'arrête pas de sonner depuis une demi-heure. Beaucoup de gens ont demandé à vous parler.

— Bien, dit-il. Qui ?

— J'ai toute une pile de messages sur mon bureau, mais il s'agit principalement des autres membres du conseil d'administration. Il y a aussi quelques journalistes. Et une chaîne câblée d'informations économiques qui sollicite une interview avec vous.

S'adossant aux coussins du canapé, il secoua lentement la tête.

— Attendez-vous à ce que cela empire encore, dit-il en soupirant.

Il devait parler de toute urgence avec Ann, comprendre ce qui s'était passé, de façon à organiser une bonne défense. Il riva de nouveau son regard à celui de Charlie.

— Je sais que les gens parlent de cette histoire ici même, dans les services. Qu'avez-vous entendu ?

La jeune femme fronça les sourcils.

— Je n'ai pas l'habitude de prêter l'oreille aux ragots.

— En temps ordinaire, c'est un excellent principe. Mais, aujourd'hui, j'ai besoin de savoir ce qui se raconte dans la maison.

Elle demeura silencieuse un instant, comme si elle s'efforçait de décider si elle allait obtempérer, puis elle se lança :

— Les gens ont peur. Ils craignent que Waverly's mette la clé sous la porte et de se retrouver sans travail. Franchement, je suis un peu inquiète, moi aussi. L'article mentionnait une collusion possible…

— Oui, je sais, grogna-t-il.

— Et qu'en dit Mme Richardson ?

— Je ne lui ai pas encore parlé, répondit-il, réprimant une grimace. On m'avait prévenu que cet article allait paraître aujourd'hui, mais sans me laisser le temps de trouver une parade. Je suis sûr que le sujet sera abondamment commenté au cours de la réunion du conseil.

— Que croyez-vous qu'il se soit passé ? s'enquit-elle, sentant qu'en lui demandant son opinion, il avait entrouvert une porte entre eux.

Une semaine plus tôt, sa nouvelle assistante, nerveuse et timide, n'aurait jamais osé lui poser une telle question. Mais, aujourd'hui, quelque chose semblait avoir changé entre eux. Et, curieusement, cela ne le dérangeait pas du tout. Elle était une interlocutrice attentive, et il était agréable de pouvoir discuter de cette histoire avec quelqu'un qui en connaissait les tenants et les aboutissants, mais qui n'avait aucun intérêt majeur dans son issue.

— Je l'ignore, reconnut-il à contrecœur, peu habitué à avouer ses faiblesses. J'aime beaucoup Ann. Elle m'a toujours donné l'impression d'être une femme raisonnable et honnête. Elle a accompli un travail fabuleux chez Waverly's…

— Mais ?

Il réprima un sourire. Sa nouvelle assistante n'était pas seulement une interlocutrice attentive. Elle avait aussi l'esprit vif. Elle avait immédiatement senti son hésitation.

— Mais en réalité, je ne la connais pas très bien, poursuivit-il. Aucun de nous ne sait grand-chose d'elle. Elle fait très bien son travail, mais elle est assez solitaire.

— Cela semble être la norme, par ici, murmura-t-elle.

— Que voulez-vous dire ? demanda-t-il, intrigué.

— Je suis désolée. Je… je n'avais pas l'intention de… Enfin, vous aussi êtes un solitaire, et…

Elle s'interrompit, embarrassée, avant de conclure avec un profond soupir :

— Oh et puis zut ! Licenciez-moi si vous voulez.

Pour la première fois depuis bien longtemps, il éclata de rire. Il lisait la surprise dans les grands yeux azur de son assistante, et il savait que la même expression devait se refléter sur son visage. Il avait passé une semaine à regretter d'avoir engagé Charlotte Potter, mais, en cet instant, il avait totalement oublié pourquoi. Elle était intelligente, compétente, et elle lui avait rendu sa capacité de rire.

Si seulement elle ne sentait pas aussi bon…

— Comme je vous l'ai déjà dit, déclara-t-il, je n'ai pas l'intention de vous licencier.

Irrité par la direction qu'avaient prise ses pensées, par cette sensation de chaleur qui avait envahi son être, il se

leva et s'efforça de se reprendre, reprenant un ton directorial
pour s'adresser à elle.

— Si vous entendez quelque chose, je veux que vous
veniez immédiatement me faire votre rapport.

Elle se leva lentement à son tour et, lui faisant face, elle
releva le menton dans une attitude de défi.

— Il n'est pas question que j'espionne mes amis.

Sans le savoir, elle venait de monter d'un nouveau cran
dans son estime. Il avait toujours admiré la loyauté.

— Je ne vous demande pas de les espionner, précisa-
t-il. Seulement d'écouter.

— Cela, je peux le faire.

— Très bien, dit-il en consultant la montre en or à son
poignet. Maintenant, je dois assister à la réunion du conseil.
Je devrais être de retour vers 16 heures. Occupez-vous de
ces rapports d'expertise sur les vases Ming. Je veux qu'ils
soient prêts aujourd'hui.

— Oui, monsieur.

Il entendit dans le ton de sa voix qu'elle aussi avait repris
ses distances, et il se surprit à le regretter. Mais cela ne
dura qu'une seconde. C'était bien mieux ainsi. Plus facile.
Et beaucoup plus logique. Il sortit de son bureau sans se
retourner et prit le chemin de la salle de réunion pour
assister à un conseil d'administration qui allait probablement
secouer Waverly's jusque dans ses fondations.

Charlie s'aperçut qu'elle retenait sa respiration, aussi
expira-t-elle lentement, relâchant l'air de ses poumons.
Durant quelques brefs instants, Vance et elle avaient
conversé… comme des amis. Elle avait entrevu l'homme
qu'il était vraiment derrière la façade lisse de son personnage public. Et ce qu'elle avait entrevu l'avait intriguée
au plus haut point et lui avait donné envie d'en apprendre
davantage à son sujet.

Très mauvais, tout cela. Vance n'était pas pour elle. Il était son patron, et elle était son assistante. Souhaiter autre chose était comme espérer passer l'après-midi à Paris. Aucune chance que cela se produise.

Fronçant les sourcils, elle retourna s'asseoir à son bureau. Elle vivait dans un célibat total depuis plus de deux ans. Aucun homme ne l'avait attirée, pas même en pensée. Jamais, depuis qu'elle avait commis l'énorme erreur d'accorder sa confiance à un homme qui ne la méritait pas.

Aujourd'hui cependant, pour la première fois depuis bien longtemps, elle venait de ressentir un tout petit début… d'intérêt ? d'attirance ?

— Et comme la première fois, pesta-t-elle à mi-voix, tu as choisi un homme qui n'est pas pour toi.

Pour des raisons très différentes, bien sûr, mais…

Non, décidément, elle ne mettrait pas en danger son job, sa toute nouvelle sécurité, pour un flirt passager. Rien de bon ne pouvait en résulter. Que lui prenait-il de se laisser aller à ces fantasmes concernant son patron ? Ce qu'elle devait faire, c'était l'impressionner par son profession- nalisme, comme elle s'était appliquée à le faire toute la semaine. Si elle voulait conserver son emploi, elle devait de toute urgence maîtriser ses impulsions et se concentrer sur son travail.

Chaque échelon qu'elle gravirait dans l'organisation la rapprocherait de son but. Car elle avait de grands projets. Elle ne resterait pas toujours une simple assistante. Elle allait continuer à apprendre tous les rouages de la profes- sion, terminer son mastère en histoire de l'art et poursuivre sa carrière ici même, chez Waverly's. Exactement comme Ann Richardson, leur P.-D.G., l'avait fait à ses débuts.

Plus elle s'élèverait dans la hiérarchie de l'entreprise, et mieux elle serait à même d'offrir une vie confortable à son fils. Jake était sa priorité. Son bébé comptait sur elle, et elle n'avait pas l'intention de le décevoir.

Cette certitude fermement ancrée dans son esprit, elle chassa toutes ses pensées concernant Vance Waverly et se remit au travail. Elle prit quelques documents sur le coin de son bureau et se dirigea vers la salle d'exposition de joaillerie, au second étage.

L'épaisse moquette étouffait ses pas dans le long couloir qui conduisait aux ascenseurs. Elle entendait en passant le doux cliquetis des claviers d'ordinateurs et le son de conversations tranquilles. Une atmosphère raréfiée régnait au septième étage. C'était ici que les cadres dirigeants de Waverly's travaillaient, qu'ils prenaient les décisions qui maintenaient cette institution au plus haut niveau dans la profession, d'un bout à l'autre de la planète.

C'était ici qu'elle laisserait son empreinte, décida-t-elle en entrant dans la cabine et en pressant le bouton du second étage.

Les portes se refermèrent. Des enceintes invisibles diffusaient en sourdine de la musique classique. Charlie sourit à son reflet dans les portes de laiton poli. Lorsqu'elles se rouvrirent de nouveau, elle sortit dans un couloir au parquet étincelant sur lequel ses talons claquaient.

Les deux premiers étages de la vénérable bâtisse étaient occupés par des salles d'exposition. Chacun était différent. Chacun était magnifique à sa façon.

Les parquets de chêne poli semblaient s'étendre à l'infini. Des tableaux et des sculptures étaient alignés le long des murs. Çà et là, d'énormes vases de fleurs fraîches parfumaient l'atmosphère de leurs subtiles fragrances.

Un silence de cathédrale régnait à cet étage. Comment s'en étonner ? C'était ici que les trésors du monde entier venaient pour être admirés, puis vendus pour renaître dans une autre maison.

Elle traversa la salle et s'apprêtait à pousser les grandes portes lorsqu'une voix masculine derrière elle la fit se retourner :

— Charlie !

Justin Dawes, le directeur du département des pierres précieuses, s'avançait rapidement dans sa direction. Agé d'une quarantaine d'années, il était un peu chauve, beaucoup trop mince, avec un regard bleu bienveillant.

Cependant, en cet instant, il semblait avoir quelque peu oublié ses manières affables. Il paraissait stressé. Sa cravate était desserrée, il avait renoncé à son veston, et ses manches de chemise étaient retroussées jusqu'aux coudes.

— Avez-vous les documents d'authentification ?

— Les voici, répondit-elle en lui tendant le dossier.

— Parfait. Formidable.

Il les feuilleta rapidement, puis releva les yeux vers elle.

— Ont-ils été vérifiés ?

— A de multiples reprises, affirma-t-elle en souriant. Justin, vous avez personnellement examiné chaque pierre, l'avez-vous oublié ? Avant même que ces certificats ne soient arrivés. Cessez de vous inquiéter. Tout va bien.

— C'est une collection importante, rappela-t-il, ouvrant la porte de la salle où la vente aurait lieu le surlendemain. Aimeriez-vous y jeter un coup d'œil ?

— Oui, j'adorerais.

Il la prit par le bras et la guida jusqu'au centre de la salle. Dans une salle des ventes, l'éclairage est un aspect déterminant, et Waverly's n'avait reculé devant aucune dépense pour que le résultat soit spectaculaire. Tout autour de l'immense salle aux lambris de chêne, dans des vitrines de cristal éclairées par de discrets projecteurs, de fabuleux bijoux scintillaient comme des fragments d'étoile ou des éclats d'arc-en-ciel. Muette d'admiration, elle se laissa conduire autour de la pièce, passant en revue ces merveilles, puis Justin désigna l'une des vitrines.

— Venez, il y a une pièce en particulier que je veux vous montrer. C'est un bijou fabuleux.

Elle suivit Justin jusqu'à une vitrine, et le spectacle qui s'offrit à ses yeux lui coupa le souffle.

Dans son écrin de verre, sur un tapis de velours noir, était exposé le collier le plus extraordinaire qu'elle ait jamais vu.

C'était du fil d'or, mince et fragile comme un cheveu, ruisselant de rubis et de diamants. Les pierres elles-mêmes étaient entourées de fil et flottaient librement comme autant de rêves sur la mince chaîne qui constituait la base du bijou. Les rubis luisaient comme des gouttes de sang, et les diamants…

— Il est magnifique !

— N'est-ce pas ? murmura Justin, fixant amoureuse-ment les pierres précieuses. La reine de Cadria l'a porté il y a plus de cent ans. Il a été créé tout spécialement pour elle, et l'on raconte qu'il est l'œuvre de Fabergé lui-même.

Il soupira, avant d'ajouter :

— Bien sûr, nous ne pouvons pas le prouver, car même la famille royale de Cadria n'en a plus la certitude aujour-d'hui. Mais quelle merveille, n'est-ce pas ?

Elle acquiesça en silence, fascinée. Elle aurait tout donné pour pouvoir le toucher, mais, en même temps, elle n'osait même pas respirer trop près de lui.

— C'est une pièce fabuleuse, Justin. Mais pourquoi le roi de Cadria souhaite-t-il se séparer de tous ces bijoux ?

— Ah ! fit Justin avec un clin d'œil complice. Il se trouve que le roi actuel a décidé d'honorer sa grand-mère en créant une œuvre caritative en son nom. Les bénéfices de la vente de la collection seront versés intégralement à cette fondation. Il espère ainsi que d'autres généreux donateurs suivront son exemple et soutiendront l'œuvre de sa grand-mère.

— C'est tout de même dommage de se défaire de bijoux aussi magnifiques…

— Ne vous inquiétez pas pour cette famille royale, mon petit. Ils ont plus d'or et de pierres précieuses qu'il ne leur en faut. Ils ne remarqueront même pas l'absence de ces babioles.

— Un collier comme celui-ci me manquerait sûrement, murmura-t-elle. Je n'oserais jamais le porter, de crainte de le casser ou de le perdre, mais il me manquerait.

— Vous êtes une romantique, Charlie, remarqua Justin en souriant. Vous allez adorer la légende de ce collier.

— Une légende ?

— Oui, bien sûr ! Les plus belles pierres ont toujours une légende. On dit que le roi de Cadria avait fait créer ce collier pour l'offrir en cadeau de noces à la femme qu'il aimait. La légende veut que ces rubis soient porteurs d'un charme et qu'ils détiennent le secret du bonheur éternel dans le mariage.

Elle répondit par un sourire, mais quelque chose se serra au creux de sa poitrine. Que ressentirait-elle si un homme l'aimait à ce point ? Elle songea à cette reine qui l'avait porté à son cou, à ce roi qui avait adoré sa femme. Parfois, la vie réelle dépassait la fiction.

— C'est une merveilleuse légende.

— Oui, dit Justin avec un nouveau clin d'œil de conspirateur. Et elle devrait faire s'envoler le prix du collier. Les acheteurs adorent qu'une pièce raconte une histoire.

— Vous êtes un véritable filou ! s'exclama-t-elle, éclatant de rire malgré elle.

— Vous m'avez démasqué, répondit-il en souriant modestement.

Elle tendit une main hésitante vers la vitrine, puis suspendit son geste, laissant retomber son bras.

— Cela ne fait rien, la rassura Justin. Les systèmes d'alarme sont hors service pour le moment. Tenez, je vais vous montrer.

Il souleva le couvercle de la vitrine, et le collier scintilla librement dans la lumière.

— Il est encore plus beau ainsi, murmura-t-elle dans un souffle.

— N'aimeriez-vous pas le toucher ?

— Le toucher, l'essayer, l'emporter à la maison et m'endormir avec, avoua-t-elle en cachant précipitamment ses mains dans son dos pour ne pas poser les doigts sur ces pierres scintillantes.

— Je vous comprends, dit Justin. D'autant plus que ces pierres conviennent merveilleusement à votre teint. Ce collier serait parfait sur vous.

C'était aussi son avis. A vrai dire, elle croyait presque sentir la fraîcheur du fil d'or glisser sur son cou, la sensation glacée de chaque pierre trouvant sa place sur sa peau. Il serait merveilleux et en même temps terrifiant de posséder un bijou aussi… magique. Puis elle imagina l'expression du beau visage de Vance Waverly en train d'attacher avec des gestes tendres le fil d'or autour de son cou, et…

Stop ! Qu'est-ce qu'il lui arrivait encore ? Elle chassa fermement ces pensées dérangeantes.

— Oui, eh bien, lorsque j'épouserai un prince, répondit-elle d'un ton léger, je saurai quel genre de collier il doit faire créer pour moi.

— A la bonne heure ! dit Justin en riant. J'aime les femmes qui ont de grands projets.

Tandis qu'il rabattait le couvercle de la vitrine, elle parcourut la grande salle du regard. Demain, elle serait occupée par de multiples rangées de chaises recouvertes de velours rouge. Une estrade serait dressée au fond de la salle, et les micros seraient installés. Le jour suivant, ce lieu grouillerait d'une foule d'acheteurs venus du monde entier, chacun espérant rapporter chez lui une petite partie de la collection d'une reine depuis longtemps disparue.

Elle s'était déjà engagée à travailler à l'organisation de la vente dans la mesure de ses capacités, mais elle n'envierait pas les acheteurs. Justin avait dit vrai : elle avait de grands projets. Mais ceux-ci n'incluaient pas les diamants et les rubis. Elle allait s'élever jusqu'au sommet dans l'univers des salles des ventes et se donner les moyens d'acquérir une maison avec un jardin où son fils pourrait jouer. Si possible, avant qu'il ait grandi et que le jeu ne l'intéresse plus.

Charlie Potter n'était pas le genre de femme que les hommes couvrent de diamants, et cela lui convenait très bien. Ces bijoux étaient certes un plaisir pour les yeux, mais ils étaient les symboles d'un monde qui n'était pas le sien.

Elle n'avait rien de commun avec ces gens qui venaient ici et repartaient avec les bijoux d'une reine. Et cela signifiait qu'elle n'avait rien de commun avec Vance Waverly. Que quelques minutes de conversation détendue ne constituaient pas un encouragement ni une invitation d'aucune sorte.

D'ailleurs, songea-t-elle, elle serait mieux inspirée de se rappeler ce qui était arrivé la dernière fois où elle avait écouté son cœur.

Charlie prit une profonde inspiration et s'efforça de sourire.

— Vous avez accompli un travail magnifique, Justin, déclara-t-elle.

— Merci, répondit ce dernier, parcourant la salle d'un regard de connaisseur. Je le pense aussi. Je crois que cette vente restera dans les annales de la profession. Vous serez avec nous sur le pont, n'est-ce pas ?

— Oh ! oui, ne craignez rien. Je serai là.

Depuis qu'elle travaillait chez Waverly's, elle avait fait en sorte de ne jamais manquer les ventes aux enchères. Elle s'y intéressait depuis l'université, depuis que sa colocataire l'avait presque traînée de force à une vente d'objets de collection du cinéma. Ce jour-là, une passion était née.

Le rythme effréné des enchères, les trésors du passé, l'excitation perceptible parmi les participants l'avaient stimulée comme rien auparavant. Elle avait adoré chaque seconde. Elle avait observé attentivement l'interaction des acheteurs et du commissaire-priseur, et l'enthousiasme qu'elle avait ressenti ce jour-là avait suffi à la lancer sur la trajectoire qui devait la conduire à Manhattan pour solliciter un emploi chez Waverly's.

Depuis, elle n'avait pas manqué une occasion d'apprendre et avait étudié le fonctionnement de Waverly's et d'autres prestigieuses maisons. Elle avait rêvé de faire partie de ce monde merveilleux, et chaque fois qu'elle entrait dans cet immeuble vénérable, elle avait l'impression d'avoir réalisé son rêve. Ou, tout du moins, sa première partie.

Elle mettait un point d'honneur à participer à toutes les ventes aux enchères, à se montrer utile chaque fois qu'elle le pouvait, tout en améliorant sans cesse ses connaissances sur une profession qui semblait évoluer de jour en jour. Dès l'instant où elle avait franchi les portes de Waverly's, elle avait su avec certitude qu'elle avait trouvé sa place. Et depuis ce jour, ce sentiment n'avait fait que se renforcer.

— Vous me connaissez, ajouta-t-elle d'une voix douce, parcourant du regard ce lieu à la fois familier et excitant. Je ne raterais cela pour rien au monde.

— A la bonne heure ! En coulisses, nous avons besoin de toutes les bonnes volontés.

— Pas de problème.

Heureusement, Waverly's disposait d'une crèche pour les enfants de ses employés, et Jake adorait jouer avec les autres enfants.

— Je dois vous quitter, Justin, dit-elle en jetant un coup d'œil à sa montre. Merci pour cette visite guidée.

— Tout le plaisir a été pour moi, répondit-il en feuilletant déjà le dossier qu'elle lui avait apporté. A samedi.

— D'accord.

Elle détourna les yeux de ces fabuleux bijoux et, reprenant l'ascenseur, laissa derrière elle le monde des chimères pour se concentrer sur la réalité qu'elle désirait construire, pour son enfant et pour elle.

— Je ne vais pas m'abaisser à répondre à ces rumeurs absurdes, déclara Ann Richardson d'une voix ferme, adressant aux membres du conseil d'administration assis autour de la grande table de merisier poli. Et j'espère pouvoir compter sur votre soutien à tous.

Certains de ses voisins remuèrent sur leurs sièges, mais

Vance demeura totalement immobile, le regard fixé sur la femme qui se tenait face à eux dans une attitude de jeune reine. Ann était grande et mince, avec des cheveux d'un blond platine parfaitement coiffés et des yeux d'un bleu de glace qui affrontaient sans ciller le regard des autres membres du conseil. Elle portait l'un de ses habituels tailleurs stricts et élégants — aujourd'hui, il était noir avec de fines rayures grises — et faisait face au groupe d'un air d'autorité, comme si elle les mettait au défi de la contredire.

Vance avait toujours admiré Ann Richardson, mais jamais autant qu'à cet instant. Avec la parution de cet article, toute la ville devait bruire de rumeurs et de spéculations à son sujet, mais elle avait visiblement choisi la voie de l'indifférence. Et Vance ne pouvait que l'applaudir. Si elle s'était défendue avec véhémence contre ces allégations, sa réponse n'aurait fait qu'alimenter les rumeurs. Et elle ne pouvait pas non plus reconnaître qu'elles étaient vraies — même si c'était le cas. Sa seule réponse possible était : « Pas de commentaire. » La faire d'abord ici, devant le conseil, lui permettrait d'évaluer la réaction des membres et de se faire une idée plus précise de la façon dont cette réponse serait reçue ailleurs.

Les visages autour de la table exprimaient le mécontentement et l'inquiétude, et Vance devina que tous songeaient aux possibles répercussions de la situation. Si l'on n'y prenait garde, les rumeurs se transformeraient en soupçons, et les soupçons deviendraient des faits. Coupable ou pas, Ann pourrait bien voir détruire sa carrière et sa réputation — en même temps que celle de Waverly's.

Les secondes s'égrenèrent, et le silence dans la pièce devint assourdissant. La salle du conseil d'administration, au septième étage, était un modèle d'élégance discrète. Sur les murs d'un beige pâle étaient exposées des toiles de maître. Une sculpture de bronze du géant Atlas portant le monde sur ses épaules trônait dans un coin de la pièce.

Vance garda le silence, préférant entendre les réactions de chacun avant de prendre la parole à son tour. Il savait qu'il n'aurait pas longtemps à patienter.

Son attente dura exactement dix secondes.

— Toute cette histoire est scandaleuse ! tonna George Cromwell.

— Les rumeurs en question sont totalement infondées, insista Ann d'un ton serein. Je ne compromettrais jamais la réputation de Waverly's, et j'espère que vous le savez tous.

— Oui, Ann, bien sûr, répliqua George Cromwell. Nous apprécions tous votre dévotion à l'entreprise, mais cet article montre clairement que nous avons un problème.

Cette fois, Ann ne parvint pas totalement à dissimuler une légère crispation de sa mâchoire. Vance l'avait remarqué, mais il était prêt à parier que personne d'autre ne s'en était aperçu.

— Cet article n'est qu'un tissu de ragots et d'insinuations.

— Mais c'est de la fumée, s'entêta George. Et les gens s'empresseront de conclure qu'il n'y a pas de fumée sans feu.

Vance leva les yeux au ciel. George était une source intarissable de clichés et de lieux communs. A soixante-quinze ans, il avait depuis longtemps dépassé l'âge de la retraite, mais le vieux renard n'entendait pas renoncer à son siège au conseil d'administration. Il adorait le pouvoir. Il adorait avoir son mot à dire sur tous les sujets. Et, à cet instant précis, il paraissait éprouver une satisfaction toute particulière à soumettre Ann à un interrogatoire en règle.

— Comment pourrions-nous nous contenter de votre parole ? Ce journaliste disposait visiblement de preuves suffisantes pour écrire son article.

— Ce genre de journaliste n'a pas besoin de preuves, rétorqua Ann d'un ton hautain. Vous le savez tous.

Elle n'avait pas vraiment tort, songea Vance, continuant d'observer leur P.-D.G. d'un air songeur. Il regrettait de ne pas mieux la connaître. Ann donnait l'impression d'être une personne agréable et chaleureuse, mais elle avait toujours veillé à garder ses distances avec les autres, refusant de se faire des amis — et, de toute évidence, cette stratégie était sur le point de lui éclater au visage.

— Les gens croient ce qu'ils lisent, déclara George d'un air sombre. Vous savez tous que j'ai raison.

— George, en voilà assez ! protesta Edwina Burrows, à l'autre bout de la table. Vous tairez-vous enfin ?

Vance profita que les deux membres les plus âgés du conseil se lancent dans une joute verbale pour observer Ann. Sa mâchoire était crispée comme si elle grinçait des dents. Ce devait être une dure épreuve que de faire face à tous ces gens pour se défendre de ce qui n'était, à ce stade, qu'une simple rumeur.

— Et vous, Vance ? s'enquit-elle enfin en se tournant vers lui. Qu'en pensez-vous ? Vous êtes le dernier Waverly siégeant à ce conseil, et j'attache une grande importance à votre opinion. Me croyez-vous ?

Il la dévisagea en silence durant une longue minute. Vance savait que les autres attendaient sa réponse, et que ce qu'il dirait pourrait faire basculer le sentiment général en faveur d'Ann ou contre elle. Son premier devoir était envers l'entreprise, et envers les milliers de gens de par le monde qui avaient besoin de Waverly's pour faire vivre leurs familles.

Mais il était aussi de son devoir de soutenir Ann dans cette épreuve. Elle s'était élevée au poste de P.-D.G. par son seul mérite, et elle avait rempli sa mission de manière irréprochable. C'était une personne intelligente et talentueuse, et elle ne lui avait jamais donné aucune raison de douter de sa loyauté.

Malgré tout, il n'était toujours pas convaincu qu'elle ait dit toute la vérité. George n'avait pas complètement tort. Ce reporter devait avoir eu vent de ragots qui circulaient en ville avant d'écrire son article. Mais, même s'il était vrai que Dalton et Ann entretenaient une liaison secrète, Vance restait persuadé qu'elle était incapable de trahir Waverly's.

Il aurait préféré avoir toutes les informations en sa possession avant de prendre position dans cette affaire, mais, à l'évidence, il n'allait pas avoir ce loisir. La question était simple : faisait-il confiance à son instinct ? Il décida que oui.

— Moi, je vous crois, déclara-t-il, suffisamment fort pour être entendu de toute l'assistance.

Vance lut le soulagement sur le visage de leur P.-D.G., et il se réjouit de l'avoir soutenue publiquement. Mais il n'avait pas terminé.

— Cela dit, poursuivit-il, rivant son regard à celui d'Ann, si ce journaliste s'entête à vouloir traîner Waverly's dans la boue, nous devons préparer une réponse.

Le message qu'il lui envoyait était clair : *Si je me suis trompé sur vous, prenez garde, car s'il s'agit de sauver Waverly's, je n'hésiterai pas à vous sacrifier.*

Elle lui adressa un hochement de tête presque imperceptible, et il fut certain qu'elle l'avait bien compris.

— Je suis tout à fait de cet avis, dit-elle en tournant le regard vers le reste de l'assistance. Dalton Rothschild est un homme dont nous devons nous méfier. S'il sent la moindre faille dans notre cuirasse, c'est là qu'il nous attaquera.

— Et de quelle façon ? demanda Edwina.

— On peut s'attendre à tout de sa part, répondit Ann d'un air sombre. Y compris à une OPA hostile.

Des cris indignés s'élevèrent autour de la table, et Vance ne put s'empêcher de se demander pourquoi, jusqu'à cet instant, personne ne semblait avoir envisagé cette éventualité. Lui, en tout cas, y avait pensé depuis longtemps. Rothschild savait que toute tentative pour entrer dans le capital de Waverly's se heurterait à un refus massif. Mais, s'il réussissait à détruire la réputation de la maison et à faire fuir sa clientèle, il n'aurait plus qu'à racheter l'entreprise pour une bouchée de pain.

Ce n'était pas un mauvais plan, songea Vance, qui se sentit gagné par une détermination glacée. Mais Vance ne laisserait pas Dalton Rothschild mener à bien son plan. Il y veillerait personnellement. Au bout de la table, Ann attendait visiblement que le tumulte cesse. Comme le silence ne revenait pas assez vite, elle frappa quelques coups impatients sur la table, comme une institutrice s'efforçant de ramener le calme dans une classe d'enfants indisciplinés. Le silence revenu, elle prit la parole d'une voix claire et posée :

— J'ai besoin que vous restiez tous en permanence sur vos gardes. Si Dalton songe sérieusement à s'en prendre à nous, il a peut-être déjà trouvé parmi vos collaborateurs un informateur qui monnaye nos secrets. Nous ne pouvons écarter aucune hypothèse pour l'instant. Waverly's a besoin de nous — de nous *tous* — pour traverser cette mauvaise passe.

Vance réprima une grimace. Il n'aimait pas du tout l'idée qu'un espion puisse se dissimuler parmi eux. Il connaissait personnellement la plupart de ces gens, avec qui il travaillait depuis des années. Bon nombre d'entre eux l'avaient vu grandir. Comment pourrait-il les soupçonner ? D'ailleurs, pourquoi chercherait-on à trahir Waverly's ? Cette maison avait toujours été un employeur modèle, qui prenait grand soin de son personnel, et avait même mis en place une crèche au troisième étage pour les enfants de ses collaborateurs.

Les enfants.

Une image resurgit dans son esprit. La photo encadrée d'un bébé sur le bureau de Charlie. Un petit garçon qui souriait à l'objectif, exhibant deux dents minuscules.

Un sentiment de malaise indéfinissable l'envahit, alors que la séance du conseil d'administration reprenait autour de lui. Durant un bref instant, il se demanda s'il devait soupçonner Charlie.

En temps ordinaire, Vance n'aurait pas eu besoin d'écouter les arguments autour de la table pour savoir ce qui se disait. Les deux seules femmes siégeant au conseil, Veronica Jameson et Edwina Burrows — toutes deux issues de la haute société et âgées de plus de soixante-dix ans — protégeaient férocement Ann. Solidarité féminine ? Quoi qu'il en soit, ces deux femmes étaient les plus bruyantes alliées d'Ann.

— Je suis certaine que vous saurez gérer au mieux ce problème, Ann, déclara Veronica de sa voix grêle d'oisillon.

— Merci. J'apprécie votre soutien.

— J'imagine, grogna Simon West, mécontent. Je suis sûr que vous l'appréciez beaucoup.

— Je comprends parfaitement le sérieux de la situation, assura Ann, sa voix s'élevant brièvement au-dessus du brouhaha. Mais si nous faisons front ensemble, je suis sûre…

— Faire front ensemble ? coupa Simon. Et contre quoi ? Contre quelque danger temporaire ? Ou contre vous ?

Simon, un vieillard noueux qui devait être au moins centenaire, frappa violemment la table du bout de sa canne, et tous les regards se tournèrent vers lui. Vance lui-même fut tiré de ses pensées.

Simon semblait avoir toujours fait partie de la maison. Certains chuchotaient même qu'il était déjà là à l'inauguration de l'immeuble, cent cinquante ans plus tôt. Se rappelant cette boutade, Vance eut un petit sourire.

Simon était si furieux qu'il paraissait au bord de l'apoplexie. Il s'étouffait littéralement de rage.

— Rien de semblable ne s'était jamais produit avant que vous ne nommiez une femme au poste de président ! hurla-t-il d'une voix chevrotante.

Vance réprima un soupir las. Quelquefois, la vieille garde était en place depuis si longtemps qu'elle en venait à oublier que le monde avait changé, et que, désormais, les femmes ne restaient au foyer que si elles en avaient envie.

— De tels propos ne nous aident pas à avancer, Simon, remarqua Ann d'une voix posée.

Vance admirait sa patience. A sa place, il lui aurait arraché sa canne et l'aurait jetée à l'autre bout de la pièce. Immédiatement, Veronica et Edwina se jetèrent dans la bataille pour défendre leur P.-D.G. Excédé, Vance tourna le regard vers le fauteuil vide en face de lui, regrettant amèrement l'absence de son oncle.

Rutherford Waverly aurait dû assister à toutes les réunions, mais il détestait la maison Waverly's et tout ce qui s'y rattachait depuis qu'il s'était fâché à mort avec son frère Edward, le père de Vance, un quart de siècle plus tôt. Vance lui-même avait à peine parlé à son oncle depuis des années, mais, en cet instant, il aurait tout donné pour entendre un avis calme et objectif.

— Que cela nous plaise ou non, déclara Ann, faisant taire les derniers murmures mécontents, le problème est là, et nous devons y faire face et ouvrir l'œil. Si Dalton Rothschild prépare une prise de contrôle hostile, je regrette de vous le rappeler, il a probablement déjà recruté un espion parmi nous.

Une nouvelle fois, l'image de sa nouvelle assistante surgit dans l'esprit de Vance. Que savait-il réellement d'elle ?

*
* *

Au sein du vénérable hôtel des ventes, le quatrième étage était si différent des autres qu'on aurait pu croire se trouver sur une autre planète.

Alors qu'ailleurs tout était élégance raffinée, discrétion et silence de cathédrale, c'était ici le royaume des couleurs vives, des fous rires d'enfants, des crayons de couleur, des gâteaux.

Chaque fois que Charlie y entrait, elle était reconnaissante à Waverly's de prendre ainsi soin de ses employés. S'il lui avait fallu payer de sa poche une crèche pour son fils, elle n'aurait pas eu les moyens d'emménager dans le trois pièces où elle vivait aujourd'hui avec son petit Jake. Sans compter qu'elle aurait passé ses journées à se faire du souci pour la sécurité de son fils et pour son bien-être. Mangeait-il bien ? Quelqu'un le prenait-il dans ses bras pour le consoler s'il lui arrivait de tomber ?

Chez Waverly's, elle n'avait pas de telles inquiétudes. Cet étage avait été entièrement conçu pour accueillir de très jeunes enfants en toute sécurité. Encadrés par un personnel diplômé et hautement compétent, les enfants bénéficiaient de soins attentifs, et ce pour une somme minime dont Charlie était heureuse de s'acquitter chaque mois.

Elle traversa une salle meublée de tables et de chaises ainsi que de deux ordinateurs, où les enfants les plus âgés viendraient faire leurs devoirs après l'école, et jeta un coup d'œil dans la salle de sieste qui comptait une demi-douzaine de berceaux et deux confortables fauteuils à bascule. Elle resta un instant en silence sur le seuil de la salle de jeux des tout-petits.

Ici aussi, les murs étaient ornés de fresques aux couleurs vives représentant des jardins de conte de fées que les petits adoraient. Il y avait des animaux en peluche et des étagères remplies de livres de contes. Une multitude de tapis de jeux et de coussins de toutes les couleurs de l'arc-en-ciel recouvraient le parquet de bois verni.

Un cri de joie l'accueillit, et Charlie se précipita dans la pièce pour soulever son petit garçon et le serrer tendrement dans ses bras. Jake sentait le shampooing et la banane. Elle sourit aux anges lorsqu'il noua ses petits bras autour de son cou en babillant « maman ».

Elle éprouvait un bonheur infini à entendre ce babil qui définissait celle qu'elle était aujourd'hui. L'ancienne Charlie s'était effacée à la seconde où elle avait appris qu'elle était enceinte. Cette femme qui s'était nourrie de rêves flous de réussite, qui se déclinaient en voitures de luxe et demeures somptueuses, était devenue *une mère*. Aujourd'hui, ses rêves étaient faits de projets pour son fils, de stratégies pour assurer son bonheur, d'espoirs pour son avenir. En berçant son petit corps tiède tout contre elle, elle se jura que Jake n'aurait jamais à se demander s'il était désiré. Qu'il n'aurait jamais peur.

Elle plongea son regard dans ses yeux bleu nuit, héritage d'un père qu'il n'avait jamais connu, et tout ce qui ne concernait pas son bébé s'effaça instantanément de son esprit.

— As-tu été sage ?

Jake répondit par un sourire, et elle sentit son cœur fondre.

— Jake est un petit garçon merveilleux, et vous le savez, déclara Linda Morrow en arrivant derrière elle. Le plus gentil bébé du monde.

— C'est aussi mon avis, reconnut Charlie en déposant un gros baiser sur la joue de l'enfant avant de le reposer sur le tapis de jeux. J'étais au second pour jeter un coup d'œil à la salle d'exposition où doit avoir lieu la vente de samedi, et je n'ai pas pu résister à l'envie de m'arrêter un instant ici pour embrasser mon fils.

— C'est l'avantage de travailler dans la maison, remarqua

Linda en parcourant du regard la pièce où jouaient une dizaine de jeunes enfants. On peut venir voir son bébé à tout moment de la journée pour se rassurer.

— Suis-je à ce point transparente ?

— Toutes les bonnes mères le sont, répondit Linda avec un sourire indulgent. Vous savez que votre enfant est en sécurité ici, mais votre cœur insiste pour que vous le vérifiiez de temps à autre de vos propres yeux.

— J'aimerais le voir encore plus souvent, reconnut Charlie d'un ton mélancolique, suivant des yeux son bébé qui rampait frénétiquement vers un ours en peluche violet géant.

Dans un monde idéal, elle aurait aimé être une mère au foyer entourée d'une douzaine d'enfants. Elle avait toujours caressé l'idée de fonder une famille nombreuse. Dans la réalité, cependant, elle devait travailler, et elle se réjouissait simplement d'avoir trouvé un emploi dans un domaine qui la passionnait. A l'idée de faire partie de cet univers palpitant qu'était un prestigieux hôtel des ventes, elle avait l'impression que tous ses rêves s'étaient réalisés. Sauf, bien sûr, qu'il ne lui restait plus suffisamment de temps pour son fils.

— Jake a fait quelques pas tout seul, ce matin.

— Vraiment ?

Charlie sentit son cœur se serrer. Elle n'avait pas été là pour assister à ces premiers pas hésitants. Elle avait manqué ce merveilleux événement, et ce souvenir n'appartenait à présent qu'à Linda. Mais elle chassa vite sa déception : ces quelques instants manqués ne faisaient pas toute une vie, et elle aurait encore d'innombrables occasions d'assister à des « premières » dans la vie de son fils, de se constituer le trésor de souvenirs qu'elle savourerait lorsqu'elle serait devenue une très vieille dame aux cheveux blancs.

— Il progresse rapidement, dit Linda en souriant. Avant longtemps, on le verra galoper partout.

— Tout va tellement vite…

Charlie se tourna vers son petit garçon, qui étreignait le gros ours en peluche en riant aux éclats. Dans un avenir pas si lointain, il entrerait à l'école, puis à l'université, il se marierait, fonderait une famille à son tour, et…

— Je dois retourner au travail, déclara-t-elle, riant du tour qu'avaient pris ses pensées.

Son fils avait à peine treize mois, et elle le voyait déjà presque à la retraite. Un peu à contrecœur, elle se dirigea vers la porte et se retourna une dernière fois sur le seuil.

— A-t-il mangé la tranche de pastèque que j'avais mise avec son goûter ?

— Non, répondit Linda, mais il s'est jeté sur sa banane.

Certaines choses ne changeaient jamais. Si on lui laissait le choix, Jake se nourrirait exclusivement de bananes !

— Très bien, alors. A plus tard.

Charlie posa un dernier regard sur son fils comme pour se rappeler pourquoi elle travaillait, puis quitta rapidement la salle de jeux.

De retour dans son bureau, elle s'occupa du courrier de Vance, des demandes d'expertise et des documents concernant la prochaine grande vente de Waverly's : des porcelaines de la dynastie Ming. Elle étudia attentivement chaque pièce sur l'écran de son ordinateur avant d'imprimer des copies. Elle était fascinée par l'histoire de ces artistes, depuis longtemps disparus, mais qui avaient laissé derrière eux ces trésors fragiles pour traverser les siècles.

Qu'avaient-ils ressenti en créant ces pièces ? Désiraient-ils que leur art continue à vivre après eux, ou ces vases n'étaient-ils qu'un travail rémunéré destiné simplement à nourrir leurs familles ? Personne ne le saurait jamais,

mais Charlie adorait imaginer ce qu'avait pu être leur vie. Qu'auraient-ils pensé en voyant leurs œuvres exposées dans un hôtel des ventes au xxiᵉ siècle ?

Alors que l'imprimante laser se mettait à cliqueter discrètement, Charlie entendit un bip annonçant qu'elle venait de recevoir un message. Elle ouvrit sa messagerie, jeta un coup d'œil à l'écran, et son cœur cessa de battre.

Une froide terreur l'envahit lentement.

Vance quitta la salle de réunion, réfléchissant encore aux déclarations d'Ann. Il désirait de tout son cœur croire qu'il n'y avait rien entre Dalton Rothschild et elle. Il désirait tout autant croire qu'aucune OPA hostile ne les menaçait. L'idée que l'un des employés de Waverly's puisse travailler secrètement pour l'ennemi lui était difficilement supportable.

Mais plus dérangeante encore était l'idée qu'il ne pouvait chasser de son esprit. S'il lui fallait suspecter une personne d'avoir trahi leur confiance, il devait commencer par examiner très attentivement le cas de Charlotte Potter. Elle était relativement nouvelle dans l'entreprise, et sa toute récente accession au poste d'assistante lui donnait accès à toutes sortes d'informations sensibles concernant Waverly's.

Il retourna à grandes enjambées vers son bureau, fronçant les sourcils d'un air féroce, au point que, dans le couloir, les gens s'écartaient prudemment de son chemin. Mais il ne le remarqua pas. Une seule idée occupait son esprit : Charlie était-elle une espionne ? Ou était-elle aussi innocente qu'elle en avait l'air ?

Il s'arrêta net sans prêter attention aux employés qui faillirent le heurter. Si un complot était en marche, ici, il devait découvrir qui tirait les ficelles.

*
* *

Charlie contempla fixement ces quelques lignes de texte :

Je sais qui vous êtes vraiment. Faites parvenir à cette adresse les archives de toutes les opérations financières de Waverly's concernant ces cinq dernières années. Si vous refusez, vous serez poursuivie comme une mère indigne que vous êtes.

Mère indigne ? Tout à coup, elle ne parvenait plus à respirer. Le petit monde tranquille qu'elle s'était si soigneusement bâti s'écroulait avec fracas.

Elle n'était pas une mère indigne, se dit-elle, la gorge nouée par l'angoisse. Elle aimait son fils et mettait n'importe qui au défi de prétendre le contraire. Mais la colère et la peur qui bouillonnaient dans ses veines comme un torrent brûlant ne parvenaient pas à faire taire une autre voix, celle de sa conscience : *Le passé est toujours là, Charlie. Tu ne peux pas le changer. Tu ne peux pas le cacher. Si quelqu'un le découvrait…*

Quelqu'un l'avait découvert. Mais qui ? Elle sentit un long frisson la parcourir. Comment était-ce possible ? A New York, personne ne savait rien d'elle — où elle avait grandi, qui était sa famille. Absolument personne, à l'exception de…

Soudain, la vérité l'accabla. Une seule personne connaissait son passé : le père de Jake. Un homme qu'elle n'avait plus revu depuis le jour où elle lui avait annoncé qu'elle était enceinte.

Un homme qui n'existait même pas, du moins sous ce nom, comme elle devait le découvrir lorsqu'elle avait tenté de le rechercher.

Elle s'était conduite comme une idiote. Trop jeune et trop naïve, trop désireuse de faire confiance aux autres. Elle venait de débarquer de sa petite ville rurale du nord de l'Etat et venait de trouver un premier emploi chez

Waverly's. Elle avait l'impression d'incarner le cliché de la petite provinciale débarquant dans une grande ville où elle ne connaît personne, éblouie par les possibilités d'un monde dont elle ignorait tout.

Elle avait trouvé un petit appartement dans le Queens, et se rendait à Manhattan en métro tous les matins. Elle aimait l'idée de faire partie de cette métropole trépidante, de cet univers excitant. Une proie parfaite pour l'homme qui l'avait séduite.

Soudain, la scène lui revint. Elle ressentit de nouveau l'émotion qui l'avait saisie lorsqu'elle avait laissé tomber son téléphone portable et qu'un homme très grand et incroyablement séduisant l'avait galamment ramassé pour le lui rendre. Il lui avait suffi de plonger le regard au fond de ses yeux bleu sombre pour que le bon sens que sa grand-mère avait passé des années à lui inculquer s'évanouisse instantanément.

Et cela, sans qu'il ait à déployer des efforts extraordinaires pour la conquérir, songea-t-elle, honteuse d'avoir autant prêté le flanc à la flatterie. De s'être montrée aussi sensible aux petites attentions.

Il l'avait éblouie et, en l'espace de quelques semaines, il l'avait attirée dans son lit et convaincue qu'elle vivait une grande histoire d'amour. Charlie ne parvenait pas à croire qu'un grand architecte comme Blaine Andersen s'intéresse à une jeune fille ordinaire comme elle. Il était son prince charmant, et elle avait cru en lui.

Mais un jour, elle lui avait annoncé qu'elle était enceinte, et il s'était volatilisé. Et lorsqu'elle avait essayé de le retrouver, elle avait découvert qu'il n'existait aucun architecte du nom de Blaine Andersen. Dans son besoin pitoyable d'être aimée, acceptée, elle s'était laissé aveugler par des mensonges.

Soudain, elle se sentit furieuse. L'auteur de ce message

anonyme ne pouvait être que Blaine. Il était le seul à en savoir autant sur elle.

Hors de question qu'elle se laisse abuser une nouvelle fois, décida-t-elle, posant les doigts sur le clavier pour taper une réponse :

Qui êtes-vous ?

La réponse lui parvint presque immédiatement :

Aucune importance. Je vous connais. Et je ferai en sorte qu'on vous retire votre bébé.

Une nouvelle vague de terreur monta en elle à la lecture de ces lignes. Son mystérieux correspondant avait inclus un lien dans son message. Redoutant ce qu'elle allait trouver, elle cliqua dessus.

Un vieil article de journal apparut sur l'écran. L'histoire de son père, incluant les circonstances de sa mort. Elle ferma précipitamment le fichier, comme si elle craignait que l'article se grave de façon permanente sur son écran, où chacun pourrait le lire.

Elle serra les mains si fort que ses jointures blanchirent. Elle ne savait plus que faire. Si elle devait aller devant un tribunal pour garder son fils, elle savait qu'elle perdrait la bataille. Charlie n'avait pas les moyens d'engager un avocat. D'ailleurs, que pourrait-elle dire pour sa défense ? Elle ne pouvait pas même nommer le père de Jake. Elle n'avait aucune idée de son véritable nom. Et si le tribunal se penchait sur son passé, s'il découvrait qui était sa famille…

— Oh ! Seigneur !

— Un problème ?

Réprimant un sursaut, elle se retourna vivement et se retrouva face à Vance Waverly, qui l'observait depuis le seuil de son bureau. Avait-elle l'air aussi coupable qu'elle se sentait ? Pouvait-il lire la panique dans ses yeux ?

Depuis combien de temps était-il planté là ? Qu'avait-il vu ? Qu'avait-il entendu ?

Il fit un pas dans la pièce, paraissant remplir tout l'espace de sa stature imposante et de ses larges épaules. Son regard pénétrant semblait lire tous les secrets de son âme.

— Non, assura-t-elle dès qu'elle eut retrouvé sa voix. Aucun problème.

Ce mensonge lui était venu facilement, mais il avait un goût amer. Elle n'avait aucune envie de lui mentir. Elle n'avait pas envie de vivre une vie où le mensonge était nécessaire. Mais quelle autre solution avait-elle ?

— Parfait, dit-il sans cesser de la fixer. Les documents concernant les vases Ming sont-ils prêts ?

— Oui. Je vous les apporte tout de suite.

— Etes-vous certaine que tout va bien ? insista-t-il en la considérant d'un air songeur.

Reprends-toi, Charlie. Elle ne pouvait lui révéler à quel point elle était bouleversée. Ni que quelqu'un, quelque part, tentait d'exercer un chantage sur elle. Elle ne pouvait risquer que quiconque l'apprenne — tout du moins jusqu'à ce qu'elle ait trouvé un moyen de se sortir de ce pétrin. Elle le trouverait. Elle avait seulement besoin d'un peu de temps.

— Absolument, déclara-t-elle, hochant énergiquement la tête. Je vous apporte les documents dans une seconde.

Sitôt qu'il fut entré dans son bureau, elle perdit toute sa superbe. Qu'allait-elle faire ? Si elle obéissait au maître chanteur, elle pourrait perdre son emploi. Si elle refusait ce chantage, elle pourrait perdre *son fils*. Mais si elle lui envoyait ces informations et qu'elle se faisait prendre, elle irait en prison, et elle perdrait son fils de toute façon.

Des larmes brûlantes montaient à ses paupières, mais elle les refoula avec détermination. Elle ne verserait pas une seule larme. Elle n'était plus la jeune fille naïve qui s'était laissé berner par le père de Jake. Elle avait grandi, et elle avait perdu ses illusions. Elle avait appris sa leçon. Aujourd'hui, il ne s'agissait plus simplement de se protéger elle-même. Elle était une mère. Et personne ne lui prendrait son fils.

Personne.

Dans les jours qui suivirent, Vance surveilla discrètement sa nouvelle assistante. Certes, il ne la connaissait pas très bien, mais même lui pouvait constater que quelque chose avait changé en elle. Elle était agitée. Nerveuse. Lorsqu'elle consultait ses e-mails, on eût dit qu'elle s'attendait à ce que l'ordinateur lui explose au visage.

— Quelque chose la tracasse, remarqua-t-il.

— Et alors ? répliqua Roark. Débrouille-toi pour découvrir ce que c'est.

— Brillante idée. Pourquoi n'y ai-je pas pensé moi-même ?

Ignorant le sarcasme, Roark haussa les épaules. Sur les trottoirs de la Cinquième Avenue, une foule dense se hâtait sous le soleil brûlant de l'été. Le ciel était d'un bleu profond, et la chaleur accablante.

Sous le grand parasol, Vance avait trop chaud dans son veston, mais c'était lui qui avait insisté pour déjeuner sur la terrasse de ce café afin d'éviter les oreilles indiscrètes. La cacophonie de la rue lui garantissait que personne ne pourrait espionner leur conversation.

— Hier encore, lorsque je suis entré dans mon bureau, j'ai trouvé Charlotte devant mon bureau. Elle a sursauté si violemment que j'ai cru qu'elle allait s'évanouir.

— Cela ne prouve rien, dit Roark en souriant. Tu as une tête à faire peur !

Vance fronça les sourcils. Il ne s'était jamais considéré comme un homme particulièrement intimidant, mais, à bien y réfléchir, la plupart des gens se dispersaient rapidement lorsqu'il faisait son entrée dans une pièce. Etait-ce là l'explication ? Charlie se sentait-elle simplement nerveuse en sa présence ?

Il secoua vigoureusement la tête.

— Non, il y a autre chose, déclara-t-il. Elle n'avait pas l'air effrayée. Elle avait l'air *coupable*.

Roark poussa un soupir et, se tournant vers son frère, il repoussa ses lunettes de soleil sur le sommet de sa tête.

— Si tu tiens vraiment à savoir ce qui se passe, fais-lui la cour. Elle te parlera.

— Que veux-tu dire ?

— Un petit dîner, quelques tours sur la piste de danse, un peu de vin…

Il haussa de nouveau les épaules, avant de conclure :

— C'est le moyen le plus rapide de découvrir le fin mot de l'histoire.

— Cela ne me paraît pas très éthique, rétorqua Vance.

— Espionner son patron ne l'est pas non plus.

— Une liaison avec mon assistante ? Impossible !

— Aucune loi ne l'interdit.

— Il existe des lois interdisant le harcèlement sexuel.

— Je n'ai jamais dit que tu devais lui faire l'amour ! s'exclama Roark en riant.

Non, bien sûr, mais c'est dans cette direction que l'esprit de Vance s'était aussitôt égaré malgré lui. Depuis des jours, il ne cessait de penser à Charlie. Et ces pensées n'étaient pas *toutes* faites de soupçons.

Les cheveux de la jeune femme, en particulier, étaient devenus une sorte d'obsession chez lui. Il rêvait de glisser ces doigts dans cette masse de boucles blondes et de sentir leur fraîcheur soyeuse contre sa peau. Et puis, il y avait aussi son parfum — une subtile note florale qui semblait flotter dans l'air de son bureau même lorsqu'elle en était absente. Le son de sa voix, le galbe de ses longues jambes dans ces escarpins à talons absurdement hauts qu'elle affectionnait…

Oui, décidément, Charlotte Potter occupait un peu trop ses pensées depuis quelque temps.

— Et si je découvre qu'elle est *réellement* coupable ? remarqua-t-il, refoulant fermement ces images.

— Dans ce cas-là, tu la mets à la porte. Ou, mieux, tu la transformes en agent double pour désinformer Rothschild.

— Je me sers d'elle, puis je m'en débarrasse ? ironisa Vance. C'est cela, ton idée ?

Roark n'avait même pas été élevé au sein de la famille Waverly, mais il pensait exactement comme eux. Peut-être était-ce dans les gènes. Leur père, après une longue période de deuil ayant suivi la mort de son épouse et de sa fille, avait eu de si nombreuses femmes dans sa vie que la maison familiale était devenue un carrousel peuplé de visages féminins inconnus.

Vance avait grandi dans un vide émotionnel, dans un monde totalement dépourvu d'amour. Son père n'avait jamais plus pris le risque d'aimer, et Vance avait appris à adopter la même attitude que lui. Roark, quant à lui, avait été élevé par une mère célibataire, et il n'avait peut-être pas non plus reçu beaucoup de preuves d'amour. C'était autre chose que son demi-frère et lui avaient en commun.

— Ecoute, reprit Roark d'un ton patient, si elle est coupable, tu ne lui dois rien. Et si elle est innocente, tu n'as absolument rien à faire. C'est un plan gagnant, gagnant.

— Je vais y réfléchir.

— Très bien, répondit Roark, replaçant ses lunettes de soleil sur son nez. Tiens-moi au courant, d'accord ?

Il se leva, prit son blouson de cuir sur le dossier de la chaise et l'enfila.

— Je dois y aller, annonça-t-il. Je m'envole pour Dubaï

demain matin, et j'ai encore un tas de choses à faire avant mon départ.

— Dubaï ? répéta Vance, qui savait que Roark avait un talent incroyable pour dénicher dans le monde entier les trésors qui faisaient la réputation des ventes de Waverly's.

— Oui, dit son frère. Je suis sur une affaire si extra-ordinaire que, si je la réussis, Rothschild n'aura plus qu'à aller se rhabiller. La vente du siècle.

— De quoi s'agit-il ? s'enquit Vance, intrigué.

— C'est une surprise, répondit Roark d'un air mystérieux. Mais, fais-moi confiance, cela vaut la peine d'attendre.

Vance lui faisait totalement confiance. Curieusement, même s'ils n'avaient pas été élevés ensemble, il se sentait plus proche de Roark que de toute autre personne dans sa vie. Il voyait clairement la ressemblance dans leurs deux visages, et n'avait pas encore tout à fait pardonné à leur père de ne pas lui avoir dévoilé l'existence de ce frère. Et, plus que tout, il regrettait profondément qu'Edward Waverly n'ait pas tenté de renouer le contact avec son second fils avant de mourir.

Roark avait été élevé seul par sa mère, qui avait toujours refusé de lui révéler le nom de son père. A l'époque où Vance l'avait retrouvé et lui avait appris leurs liens de parenté, Roark était devenu un homme jaloux de son indépendance. Il n'avait pas pris les propos de Vance pour argent comptant : il avait exigé une preuve. Qui aurait pu l'en blâmer ? Malheureusement, tout ce dont Vance dispo-sait, c'était d'une lettre que leur père avait écrite juste avant sa mort. Et, pour Roark, cette lettre n'était pas suffisante.

Néanmoins, une relation solide s'était nouée entre eux, et même si son jeune frère refusait encore de le reconnaître, ils étaient une famille.

Vance jeta quelques billets sur la table et se leva à son tour. Des taxis klaxonnaient. Dans le lointain, on entendait la plainte d'une sirène d'ambulance. Une odeur de hot dogs flottait sur les trottoirs surchauffés.

— Prends soin de toi, dit Vance.

— C'est ce que je fais toujours, assura Roark en le gratifiant d'une tape amicale sur l'épaule. Je ne resterai pas absent très longtemps. Et puis, j'ai un téléphone satellite. Si tu as besoin de moi, appelle-moi.

— Oui, je n'y manquerai pas.

Vance suivit son frère des yeux jusqu'à ce qu'il soit avalé par la foule. L'aventurier, le chasseur de trésors s'était lancé dans une nouvelle quête. Lui aussi s'apprêtait à se lancer dans une quête d'un tout autre genre : faire la cour à son assistante. Le front barré d'un pli soucieux, il se mêla à la foule des piétons et traversa la rue. Il avait le pressentiment que la mission de Roark allait être beaucoup moins intéressante que la sienne.

Lorsque le week-end arriva enfin, Charlie était épuisée.

— Lot 32 ! appela le commissaire-priseur, la faisant violemment sursauter.

Elle s'était sentie affreusement tendue toute la semaine. Prenant une profonde inspiration, elle entra dans la salle des ventes, portant une tiare incrustée de diamants et de saphirs sur un plateau de teck. Oubliant un instant son mystérieux maître chanteur, qui l'avait harcelée tous les jours au moyen d'e-mails de plus en plus menaçants, elle s'efforça de se concentrer sur sa tâche. Elle ne pouvait pas se permettre de trébucher et de se couvrir de ridicule en laissant tomber ce plateau et son précieux contenu. Le commissaire-priseur se tourna vers elle et lui lança un regard impatient.

Elle l'ignora et s'arrêta près de l'estrade, en penchant légèrement le plateau pour permettre à toute l'assistance de bien voir la tiare. Les articles trop volumineux ou trop fragiles pour être apportés dans la salle des ventes étaient exposés sur un écran de presque deux mètres de large derrière le commissaire-priseur. Mais il était de tradition d'apporter tous les autres dans la salle afin que le public puisse les examiner plus commodément.

Bien entendu, les acheteurs avaient déjà eu l'occasion d'examiner les objets mis en vente. La vente avait été précédée d'un cocktail qui avait laissé le temps aux acquéreurs potentiels de réfléchir aux enchères tout en sirotant du champagne.

En cet instant, Charlie faisait face au public dans son élégant tailleur noir, et un murmure parcourut la salle alors que chacun se penchait pour mieux voir le fabuleux bijou. Sous les projecteurs, chaque diamant scintillait comme une étoile. Les saphirs étaient si sombres qu'ils paraissaient presque noirs, jusqu'à ce que la lumière vienne les caresser. Ils laissaient alors apparaître un bleu si profond qu'on avait l'impression de contempler le cœur de l'océan.

En toute autre occasion, Charlie aurait savouré chaque moment. Elle aurait souri à la foule en arpentant l'allée centrale d'un pas tranquille, heureuse et fière de prendre part à la tradition de Waverly's.

Mais aujourd'hui, c'était tout juste si elle parvenait à marcher droit.

Elle aurait dû prendre un jour de maladie, et s'éviter ainsi ce surcroît de travail, mais elle était payée en heures supplémentaires, et elle avait besoin de cet argent. Et, plus important encore, elle ne souhaitait pour rien au monde changer ses habitudes. Elle refusait d'avoir peur, alors elle prétendait que tout allait bien. Elle ne voulait pas perdre ce qu'elle avait commencé à bâtir ici, et elle s'accrochait à ce qu'elle avait avec toute l'énergie du désespoir.

— Nous allons donc commencer les enchères à trente-cinq mille dollars…

Le commissaire-priseur se lança dans sa litanie rapide. Au prix d'un gros effort, elle arrivait à se concentrer sur son travail, et elle retourna une nouvelle fois vers le devant de la salle, tenant son plateau de façon à ce que la lumière effleure les pierres précieuses sous le bon angle.

Très vite pourtant, les angoisses revenaient, et elle cherchait désespérément une solution à son problème. Tous les jours, lorsqu'elle ouvrait son courrier électronique, son cœur se serrait d'appréhension. Et, tous les jours, son maître chanteur se montrait un peu plus agressif. Un peu plus dangereux. Il exigeait des informations et ne renoncerait pas avant de les avoir obtenues. Qu'allait-elle devenir ?

La prison ? Le chômage ? Allait-elle perdre son fils ?

Son cœur battait à grands coups dans sa poitrine, et elle se sentit soudain au bord de l'évanouissement. Mais elle serra les dents et redressa bravement les épaules. Les enchères se poursuivaient à un rythme effréné. Un hochement de tête. Une main levée. Une toux. Le téléphone sonnait sans cesse, relayant les enchères d'acheteurs anonymes désireux d'emporter la fabuleuse tiare. Il y avait de l'excitation, de la magie dans l'air, mais elle y restait insensible. Enfin, le marteau du commissaire-priseur s'abattit juste derrière elle, la faisant sursauter.

— Adjugée à soixante-quinze mille dollars.

C'était le signal qu'elle attendait pour rapporter la tiare dans la chambre forte, où son nouveau propriétaire viendrait la chercher à la fin de la vente.

Justin lui prit le plateau des mains dès son arrivée.

— Merci, mon petit. Vous avez un peu de temps pour vous asseoir et vous détendre. Mais j'aurai besoin de vous pour les lots 41 et 46.

— Je serai là, assura-t-elle, se forçant à sourire.

— Attendez, dit Justin, fronçant les sourcils. Etes-vous certaine que tout va bien ?

Etait-elle à ce point transparente ? Comment pourrait-elle jamais devenir une espionne et subtiliser des informations confidentielles au nez et à la barbe de Vance Waverly, si même Justin — un homme trop préoccupé par les trésors confiés à sa garde pour prêter attention au reste du monde — s'apercevait immédiatement qu'elle n'était plus elle-même ?

— Tout va très bien, je vous remercie. Je crois que j'ai seulement un peu faim. Je n'ai pas pris de petit déjeuner.

— Dans ce cas, allez vite manger quelque chose, mon petit, dit-il en lui tapotant distraitement l'épaule. Vous trouverez une collation dans la salle de détente.

— C'est ce que je vais faire.

Alors que le reste de l'équipe des ventes continuait à s'affairer dans un chaos parfaitement chorégraphié, elle éprouva le besoin de s'isoler un instant pour réfléchir.

Hélas, elle « réfléchissait » depuis des jours sans avoir trouvé la moindre solution à son problème. Elle ne savait que faire, ni qui appeler à son aide, car personne ici ne savait qui elle avait été avant de venir à Manhattan. Et elle tenait beaucoup à ce qu'ils continuent à l'ignorer.

Elle se laissa tomber sur une chaise près d'une table chargée de sandwichs et de petits gâteaux. Elle ramassa distraitement un sablé à la cannelle et croqua une minuscule bouchée. Aujourd'hui, tout avait un goût de cendre.

Quelques étages plus haut, à la crèche, Jake devait être occupé à jouer. Son petit garçon était heureux et en sécurité. Elle devait tout faire pour que cela continue ainsi. Mais pour y parvenir, elle allait devoir voler des informations à des gens qui lui faisaient confiance. Elle se sentait littéralement déchirée.

— Rien ne peut être aussi grave, dit une voix grave sur le seuil de la porte.

Elle tourna vivement la tête et découvrit Vance Waverly qui l'observait, campé sur le seuil. Elle eut un léger coup au cœur, et une sorte de douce chaleur se diffusa instantanément dans tout son être. Dans les costumes classiques qu'il portait habituellement au bureau, il était l'un des hommes les plus séduisants qu'elle ait jamais vus. Mais aujourd'hui, il portait un jean noir, une chemise blanche ample à manches longues et des bottes un peu éraflées par un long usage. Il n'était pas seulement beau. Il avait l'air dangereux.

Et si terriblement sexy qu'elle faillit s'étouffer avec son sablé à la cannelle.

Elle fut prise d'une quinte de toux et, lorsqu'elle eut repris sa respiration, il était là, près d'elle, et lui tendait une bouteille d'eau minérale. Il attendit qu'elle ait bu une première gorgée, puis il lui sourit.

C'était un sourire à couper le souffle, un sourire absolument dévastateur. Heureusement qu'il ne souriait pas en permanence comme cela : aucune femme au monde n'était immunisée contre ce genre de sourire.

— Je crois que c'est la première fois de ma vie qu'une femme s'étouffe en me voyant.

— Vous m'avez surprise, protesta-t-elle, embarrassée.

— C'est ce que je vois. Cela ira, maintenant ?

— Oui, bien sûr, assura-t-elle, serrant sa bouteille d'eau à deux mains.

— Parfait.

Il tira une chaise et s'assit en face d'elle, croisant nonchalamment les jambes, avant d'ajouter :

— Alors, qu'est-ce qui vous rend aussi nerveuse ?

— Rien, mentit-elle, affrontant courageusement ses irrésistibles yeux bruns parsemés de paillettes d'or.

Il avait des yeux magnifiques sous de longs cils noirs, et un regard qui semblait voir en elle.

— Je suis seulement un peu fatiguée, assura-t-elle. Mon

petit garçon n'a pas très bien dormi, la nuit dernière. Et cela signifie que moi non plus.

— Votre mari ne pouvait-il pas vous aider ?

— Je ne suis pas mariée, répondit-elle en rougissant. Il y a seulement mon fils, Jake, et moi.

— Cela ne doit pas être facile.

— Non, bien sûr, mais je n'échangerais ma place pour rien au monde.

— Jake a bien de la chance, dit-il sans la quitter du regard.

— Alors ? Qu'est-ce qui vous amène ici ?

— C'est ici que je travaille, rappela-t-il, l'ombre d'un sourire étirant ses lèvres sensuelles.

— Mais…, bredouilla-t-elle, se sentant de nouveau rougir, vous n'assistez pas aux ventes, en général.

— J'avais envie de vous voir, dit-il avec un haussement d'épaules nonchalant.

— Vous me voyez tous les jours.

— C'est vrai, reconnut-il, mais dans ce cadre, c'est différent. Nous ne sommes plus au bureau. C'est davantage comme si nous étions… des amis.

— Des amis ? répéta-t-elle en riant nerveusement.

— Qu'y a-t-il d'étrange à cela ?

Si seulement il savait… Ils n'étaient pas des amis. Un ami ne vous fait pas éprouver cette sensation de chaleur, cette nervosité. Un ami n'inspire pas le genre de rêves qui la réveillaient en pleine nuit, cherchant à tâtons son corps près d'elle dans le lit. Et puis, des amis ne s'espionnent pas entre eux. Des amis n'ont pas non plus le pouvoir de se priver mutuellement d'un emploi vital.

— Rien, je suppose, répondit-elle, faute de pouvoir lui énumérer ces arguments.

— Je m'en réjouis. Car j'ai l'intention d'inviter cette « amie » à dîner, ce soir.

— Euh… *pardon ?*

5

Vance n'avait jamais beaucoup aimé les surprises. Il préférait de loin savoir ce qui l'attendait, de façon à s'y préparer.

Son frère Roark était l'exact opposé. Roark vivait sa vie sur toutes les routes du monde, sur le fil du rasoir. Il avait un appartement en ville, mais il n'y dormait pratiquement jamais. Il n'aimait pas faire de projets à l'avance et recherchait continuellement l'excitation de la nouveauté.

Vance ne pouvait imaginer vivre de cette façon. Plus d'une femme lui avait suggéré de « se détendre ». D'oublier de temps à autre les contraintes de son emploi du temps rigide et de prendre un peu de plaisir dans sa vie. Mais il s'amusait énormément dans la vie qui était la sienne. Et son emploi du temps bien organisé lui permettait de maintenir de l'ordre dans son existence quotidienne.

Il fut donc fort étonné en s'entendant lancer cette imprudente invitation à dîner. L'expression qu'il lut sur le visage de Charlie lui indiqua que sa surprise égalait au moins la sienne.

S'il était ici aujourd'hui, ce n'était pas pour veiller aux intérêts de Waverly's, mais pour surveiller discrètement Charlie. Voir ce qu'elle faisait, à qui elle parlait. Il n'avait pas du tout prévu de l'inviter à dîner. Il était parfaitement conscient qu'une relation de ce type avec son assistante ne pouvait, au mieux, que lui causer des problèmes. Et, au pire, elle pouvait s'avérer désastreuse.

Mais la suggestion de Roark lui revenait sans cesse à l'esprit. Passer du temps avec Charlie hors du cadre du bureau était un bon moyen d'approfondir son investigation, et de découvrir si elle était une espionne ou la jeune femme innocente qu'elle paraissait être.

— Dîner ? répéta-t-elle d'une voix qui était montée d'une octave. Avec vous ?

— Oui, bien sûr. Pas avec Justin.

— Je ne pense pas que l'épouse de Justin approuverait, répliqua Charlie en riant.

— En ce qui me concerne, je n'ai aucune épouse qui me l'interdise. Et vous n'êtes pas mariée, vous non plus. Alors, où est le problème ?

— Vous êtes mon *patron*, rappela-t-elle, crispant les mains sur ses genoux.

— Puisque je vous y autorise, tout va bien, non ?

— Je ne sais pas, murmura-t-elle, détournant les yeux comme pour s'assurer qu'ils étaient seuls dans la petite pièce.

— Il ne s'agit que d'un dîner, Charlie, insista-t-il, se demandant pourquoi il déployait de tels efforts pour la convaincre.

Peut-être était-ce parce qu'il n'avait pas l'habitude d'être repoussé par les femmes. C'était même plutôt l'inverse : il veillait à garder ses distances avec elles. Mais Charlotte Potter n'était pas une femme comme les autres.

— Vous devez bien vous alimenter, non ?

— Je vous remercie, répondit-elle en soupirant. Mais mon petit garçon est là-haut, à la crèche, et…

— Pourquoi ne pas l'emmener avec nous ?

Il ne parvenait pas à croire qu'il venait de lui faire pareille proposition. La présence d'un bébé n'avait pas fait partie de son plan. D'ailleurs, quand avait-il même *vu* un bébé pour la dernière fois ? Mais il avait senti venir un refus, et il n'était pas question de baisser les bras aussi facilement.

Il était de taille à gérer la situation. Ce ne pouvait tout de même pas être très difficile.

— Vous envisagez réellement de dîner en compagnie d'un bébé ? s'exclama-t-elle en riant. *Vous ?*

Une seconde plus tôt, lui aussi aurait douté de sa santé mentale. Mais, pour une raison qui le dépassait, il s'était senti insulté en la voyant éclater de rire à cette éventualité.

— Je n'ai pas dévoré un enfant depuis au moins dix ans, déclara-t-il d'un ton solennel. Avec moi, votre bébé est en sécurité.

— Lui, oui, admit-elle, esquissant un sourire. Mais vous, allez-vous y survivre ?

— C'est un *dîner*, Charlie. Je crois que je survivrai.

— Monsieur Waverly…

— Vance, corrigea-t-il.

Elle lui adressa un regard horrifié, et Vance sentit monter son irritation.

— Je ne crois pas que je pourrai vous appeler ainsi.

Vance fronça les sourcils. Décidément, elle ne faisait rien pour lui faciliter la tâche. Il n'avait jamais eu à se démener de la sorte pour convaincre une femme d'accepter son invitation. Jamais de toute sa vie. Il s'était attendu à ce qu'elle accepte avec un sourire et au moins quelques marques de gratitude. Il aurait dû se douter que Charlie Potter ne faisait rien comme tout le monde.

— Je suis votre patron, rappela-t-il de nouveau. Si je dis que vous pouvez accepter, il n'y a aucun problème.

— Dans ce cas, d'accord… *Vance*, répondit-elle, encore incrédule. J'apprécie beaucoup votre invitation. C'est seulement que je vous imaginais mal en train de passer volontairement du temps en compagnie d'un bébé.

Il sentit son irritation revenir de plus belle. Il n'était pourtant pas un monstre ! Quelle différence cela faisait-il s'il ne côtoyait jamais d'enfants ? Des millions de gens s'occupaient de bébés tous les jours : ce ne devait pas être très difficile. Et d'ailleurs, n'était-il pas Vance Waverly ? Il se sentait de taille à gérer n'importe quelle situation.

— Je crois me souvenir que, moi aussi, j'ai été un enfant, autrefois.

— N'était-ce pas difficile, à l'époque, de trouver des complets dans votre taille ?

— Seriez-vous en train de vous moquer de moi ? s'enquit-il en lui lançant un regard faussement courroucé.

— Un petit peu, avoua-t-elle.

Il ne se souvenait plus de la dernière fois où quelqu'un s'était permis une telle familiarité avec lui. Et le plus curieux, c'était que cela lui plaisait. Autre détail qu'il n'avait pas anticipé.

— Cela ne fait rien, répondit-il, son regard rivé au sien. Je reste serein.

— Monsieur Waverly… Vance…, j'ignore ce qui se passe, mais…

Elle s'apprêtait à décliner son invitation, songea-t-il. Mais il n'allait pas lui permettre de s'en tirer à si bon compte. Il s'efforçait de se convaincre qu'il agissait dans l'intérêt de Waverly's, mais la réalité était un peu plus compliquée, et il n'avait pas envie de l'examiner de trop près.

Il se pencha vers elle, les coudes sur les genoux, et plongea son regard au fond du sien.

— Charlie, il ne s'agit que d'un dîner, d'accord ? Lorsque vous aurez terminé ici, nous irons chercher votre bébé et nous irons manger quelque chose.

— Cela ressemble à un ordre, remarqua-t-elle en lui lançant un regard scrutateur.

— Suis-je obligé de vous l'ordonner ?

Elle sembla réfléchir un instant, puis acquiesça.

— Je crois que cela faciliterait peut-être ma décision.

Il soupira, refoulant une nouvelle vague d'irritation.

— Pour l'amour du ciel, Charlie ! Je vous propose seulement de dîner, pas de vous emmener à Bali pour un week-end de sexe torride…

Il s'interrompit brusquement. Des images plus sensuelles les unes que les autres défilèrent dans son esprit, allumant un début d'incendie dans son corps. Charlie entièrement nue, sa peau d'ivoire éclairée par les rayons de la lune. Ses longs cheveux blonds étalés sur l'oreiller. Ses beaux yeux bleus fixés sur lui. Ses bras…

Il remua sur sa chaise, et s'aperçut alors qu'elle lui parlait :

— Euh… dans ce cas, j'accepte, dit-elle d'un ton qui trahissait sa nervosité. Un dîner. Pourquoi pas ? Mais je ne pourrai pas partir d'ici avant au moins une heure.

— Très bien, marmonna-t-il, se demandant avec inquiétude d'où ces pensées et ces images avaient bien pu sortir.

Avait-elle les mêmes pensées le concernant ? Imaginait-elle les mêmes scènes ?

— Charlie ! appela la voix de Justin depuis la pièce voisine. J'ai besoin de vous ici !

— J'arrive !

Elle était visiblement reconnaissante que Justin ait interrompu leur tête-à-tête, et ce détail lui apprit tout ce qu'il avait besoin de savoir. L'esprit de Charlie avait suivi les mêmes sentiers de l'imagination que le sien. Elle semblait cependant être en mesure de se reprendre beaucoup plus vite que lui.

Elle se leva vivement et vint se planter devant lui, le dominant de toute sa taille.

— Allez-vous vous rendre dans la salle pour assister à la vente ?

— Oui, répondit-il, aux prises avec une douloureuse vague de désir. Je vous rejoins dans une petite minute. Allez-y.

Elle lui lança un regard perplexe, puis elle haussa les épaules.

— A tout à l'heure.

— Vance, rappela-t-il.

— *Vance*, répéta-t-elle d'une voix douce.

Hochant la tête d'un air songeur, il la suivit des yeux alors qu'elle s'éloignait, s'attardant malgré lui sur la douce cambrure de ses reins sous la jupe serrée, et sur ces escarpins noirs à talons aiguilles qui faisaient paraître ses jambes si longues et fines, et tellement…

Regarde ailleurs, se tança-t-il silencieusement, *ou tu ne seras jamais en mesure de sortir dignement d'ici.*

Soupirant de frustration, il se retourna pour s'emparer d'un cupcake sur la table et le mordit furieusement.

L'intensité dans la salle des ventes monta d'un cran lorsque les pièces les plus remarquables furent apportées devant le public. A n'importe quel autre moment, Charlie eût été aux anges. Mais comment pouvait-elle se concentrer sur son travail alors qu'une menace planait au-dessus de sa tête ?

Pour être honnête, elle devait toutefois avouer que les menaces de son maître chanteur ne l'avaient pas déstabilisée autant que les propos de Vance Waverly.

Un week-end de sexe torride à Bali…

A peine avait-il prononcé ces mots que l'esprit de Charlie s'était mis à imaginer des images plus osées les unes que les autres : elle, allongée avec Vance sur une plage, sous les rayons argentés de la pleine lune… Il la serrait dans ses bras, et ses mains sur sa peau étaient aussi brûlantes que la passion qu'elle voyait briller dans ses yeux.

En une fraction de seconde, il avait cessé d'être son *patron* pour devenir son *amant*. Et le plus étonnant, c'était la facilité avec laquelle cette mutation s'était opérée. Elle n'avait eu aucun mal à l'imaginer dans son lit, et cette constatation suggérait qu'elle avait un sérieux problème.

Son cœur battait la chamade, et elle avait la bouche sèche au seul souvenir de ce bref regard qu'il avait posé sur elle.

Brûlant. Dangereux.

Qu'était-elle censée ressentir ? Quel comportement devait-elle adopter ? Et pourquoi se montrait-il tout à coup aussi gentil avec elle ? Pourquoi ce soudain… intérêt ?

Les emmener dîner, *tous les deux*, Jake et elle ? La plupart des hommes décampaient sans demander leur reste sitôt qu'ils apprenaient qu'ils avaient affaire à une mère célibataire. Et Vance — c'était étrange mais très excitant de l'appeler *Vance* — ne lui donnait pas l'impression de s'intéresser particulièrement aux enfants. Alors, pourquoi ?

— Adjugé pour quarante-sept mille dollars, annonça le commissaire-priseur.

Charlie revint brusquement à la réalité. C'était maintenant son tour, et elle devait se concentrer sur sa tâche.

Elle baissa les yeux vers le présentoir de porcelaine sur lequel était exposé le collier que Justin lui avait montré plus tôt cette semaine-là. Celui-ci avait la forme d'un long cou de femme, et mettait en valeur le somptueux bijou bien mieux que ne l'eût fait un simple coussin de velours. Charlie appréhendait de le porter devant le public, de peur de le laisser tomber, mais, plaquant un sourire sur ses lèvres, elle sortit dans la salle des ventes d'un pas décidé.

— Et maintenant, annonça le commissaire-priseur, voici le dernier article offert à vos enchères, de très loin le plus précieux bijou de cette collection. Mesdames et messieurs, le collier de diamants et de rubis de la reine de Cadria.

Une image agrandie du collier apparut sur le grand écran plat au-dessus de l'estrade, et un murmure d'admiration parcourut la salle.

— Ce magnifique collier a été offert en cadeau de noces

à la souveraine de Cadria il y a plusieurs siècles, poursuivit le commissaire-priseur alors que Charlie parcourait lentement l'allée centrale, serrant le présentoir dans ses bras. La légende veut que la femme qui portera ce somptueux bijou soit assurée de vivre une union heureuse. Les enchères débuteront à cent cinquante mille dollars.

Charlie aperçut Vance assis tout seul au dernier rang, son regard fixé non sur le collier, mais sur *elle*. Instantanément, elle revit en imagination cette plage à Bali, retrouva la sensation de ses mains sur sa peau, et son cœur s'emballa de nouveau. Elle n'était pas habituée à ce que les hommes la fixent avec une telle… intensité. Mais le doute n'était plus permis, c'était bien du désir qu'elle lisait dans ses yeux, et elle eut le pressentiment qu'en acceptant de dîner avec lui, elle avait peut-être entrouvert une porte qu'il eût été plus sage de garder fermée.

Ce regard de feu avait fait grimper la température de son corps, et elle savait désormais avec certitude qu'elle ouvrirait cette porte, même si sa raison lui intimait le contraire. Une flamme sombre brûlait dans les yeux bruns de Vance, mais l'expression de son visage demeurait lointaine et sereine. En le regardant, personne n'aurait deviné ce qu'il pensait. Mais elle le *savait*.

Elle lui offrit un sourire timide — qu'il ne lui rendit pas — tout en continuant son chemin dans l'allée centrale pour prendre sa place près de l'estrade.

Les enchères commencèrent à un rythme effréné, mais Charlie avait l'esprit ailleurs, et elle était à peine consciente de la bataille qui se livrait autour d'elle. Elle ne voyait rien, n'entendait rien, hormis le flot de son sang à ses oreilles et les battements précipités de son cœur. Comment sa vie avait-elle pu prendre un tel virage en l'espace d'une semaine ? Non seulement elle était la victime d'un maître chanteur, mais elle se laissait aller à des fantasmes érotiques concernant un homme qui, à peine quelques jours plus tôt, la terrifiait par sa seule présence.

Peut-être était-elle sous le coup d'une dépression nerveuse. Voilà qui expliquerait beaucoup de choses.

Refoulant ce tourbillon de pensées dérangeantes, elle baissa les yeux vers le collier, et se surprit à espérer que son acheteur l'apprécie pour sa beauté, non pas pour l'investissement qu'il représentait. Un bijou aussi merveilleux méritait d'être porté. Caressé.

— Je vous remercie, mesdames et messieurs, lança le commissaire-priseur. Ceci conclut notre vente d'aujourd'hui, merci à tous d'être venus. Ceux qui le souhaitent sont invités à un cocktail au champagne dans le grand salon de réception. Et pour ceux d'entre vous qui ont eu la chance de conquérir l'objet de leurs rêves, nous conclurons nos affaires dans l'antichambre. Une nouvelle fois, merci à tous.

Il y eut quelques applaudissements, et Charlie sortit de sa rêverie pour s'apercevoir que ses pensées avaient été si loin de cette salle qu'elle n'avait même pas entendu l'enchère gagnante. Elle reprit le chemin de l'antichambre, serrant précautionneusement le présentoir du collier contre elle. Son interlude dans la peau d'une Cendrillon moderne était terminé. Il était temps de rendre les bijoux de la reine et de retrouver sa vie et ses citrouilles.

— C'était extraordinaire ! s'exclama Justin alors qu'elle lui remettait le collier royal.

— A quel prix s'est-il vendu ?

— N'avez-vous pas entendu ? s'écria Justin, scandalisé. L'enchère finale est arrivée par téléphone. Je déteste les enchères par téléphone. J'aime *connaître* les personnes qui achètent nos objets.

Elle ne put s'empêcher de sourire. S'agissant des trésors confiés à sa garde, Justin avait une attitude férocement protectrice.

— Quoi qu'il en soit, poursuivit-il d'un ton léger, le collier a été adjugé à trois cent soixante-quinze mille dollars.

— *Trois cent soixante-quinze mille dollars ?* répéta Charlie d'un air abasourdi.

— Je vous avais bien dit qu'il s'agissait d'une pièce d'exception, dit Justin en se rengorgeant.

Elle tourna son regard vers le collier, de retour sur son présentoir, avec ses pierres précieuses venues du fond des âges qui semblaient scintiller rien que pour elle. Elle poussa un long soupir.

— Je suis contente de n'avoir pas deviné sa valeur lorsque je le tenais entre mes mains.

— Merci de nous avoir aidés aujourd'hui, mon petit.

L'heureux acquéreur devait être en train de payer sa nouvelle acquisition à cet instant même. Ensuite, le collier serait emballé et il s'en irait pour toujours. Comment rapportait-on un tel trésor chez soi en toute sécurité ? Etait-il nécessaire de se faire accompagner par des gardes du corps ? Mais, au fond, ce n'était pas son problème.

— Vous savez, Justin, j'adore participer à ces ventes, dit-elle en consultant sa montre. Mais je dois filer. Mon bébé m'attend.

— Bien sûr, bien sûr.

— Etes-vous prête ?

La voix grave de Vance derrière elle provoqua un frisson involontaire dans tout son corps. Cette réaction l'inquiétait. C'était stupide de sa part de se mettre dans de tels états pour son patron. Mais son corps ne voulait rien entendre.

— Oui, répondit-elle en se retournant face à lui.

— Prête pour quoi ? s'enquit Justin d'un ton soupçonneux.

Elle cessa de respirer. Elle adorait Justin, mais elle savait qu'il n'avait jamais été capable de tenir sa langue. Et Vance devait le savoir aussi. Lui était-il indifférent que tout le monde sache qu'ils allaient dîner ensemble ? Et, dans ce cas, s'agissait-il seulement d'une sorte de dîner d'affaires ? Devait-elle continuer à l'appeler « Vance » ?

Mais, s'il l'invitait à un simple dîner professionnel, pourquoi cette remarque au sujet de Bali ?

Et, surtout, pourquoi ne pouvait-elle cesser d'y penser ?

Vance demeura silencieux. Justin attendait, son regard intrigué allant de l'un à l'autre. Elle se résigna enfin à lui répondre :

— Vance… je veux dire M. Waverly a gentiment proposé de nous raccompagner, Jake et moi.

— Hum…

— Mais d'abord, nous allons dîner ensemble, précisa Vance. Ensuite seulement, je vous raccompagnerai chez vous.

Elle réprima un gémissement.

— Je vois, dit Justin, l'œil brillant de curiosité.

Les dés étaient jetés. La tournure d'esprit romantique de Justin et son amour des ragots feraient le reste. Bientôt, tout l'immeuble aurait vite fait d'en conclure qu'il y avait quelque chose entre Vance et elle.

Elle récupéra son sac dans un fauteuil et passa la bandoulière à son épaule avant de lever les yeux vers son patron.

— Si nous y allions ?

Sitôt qu'ils furent hors de portée de voix, elle se tourna vers Vance.

— Vous comprenez, n'est-ce pas, que dès demain matin, tout le personnel de Waverly's sera informé que nous avons dîné ensemble ?

— Oui, bien sûr, répondit-il tranquillement. Je connais Justin depuis longtemps.

— Dans ce cas, pourquoi avoir parlé devant lui ?

— Aviez-vous l'intention de garder notre dîner secret ?

— Pas exactement secret, répliqua-t-elle alors qu'ils

entraient dans l'ascenseur pour monter à la crèche. Mais tout de même...

— Est-ce un problème ? coupa-t-il, esquissant un sourire.

— N'est-ce pas aussi votre avis ?

En réalité, elle ne savait plus que penser. Il était son patron, mais aussi son cavalier pour la soirée. Il ne paraissait pas s'inquiéter que tout le monde le sache, alors que la situation continuait à la troubler. Il lui faisait ressentir des sensations dérangeantes et en même temps extrêmement agréables. Mais le fait demeurait que sa famille avait fondé Waverly's, tandis qu'elle subissait les pressions d'un maître chanteur bien décidé à la forcer à le trahir, lui et cette institution qu'elle adorait.

Sa vie était devenue affreusement compliquée.

— Je suis d'avis que vous réfléchissez trop, répondit-il en prenant sa main dans la sienne.

Une merveilleuse chaleur l'envahit au contact de sa paume tiède contre la sienne. Lorsqu'ils ressortirent de l'ascenseur à l'étage de la crèche, toujours main dans la main, elle sut avec certitude qu'elle se trouvait face à un sérieux problème.

Et le pire, c'était que cela ne l'inquiétait pas du tout.

Vance était en enfer.

Il le savait à cause des hurlements.

Lorsqu'il avait invité Charlie à dîner, il songeait à un certain type de restaurant, ni trop chic ni trop ordinaire. Un restaurant de moyenne gamme avec un service efficace et une atmosphère paisible, où ils pourraient bavarder tranquillement. Le but étant de découvrir si elle était ou non une ennemie.

Ce qu'il n'avait pas prévu, c'était de se retrouver dans un établissement de type familial à la salle décorée sur le thème du zoo, où les enfants étaient plus nombreux que les adultes et où la spécialité de la maison était les macaronis au fromage.

— Vous paraissez mal à l'aise.

— Comment ? cria-t-il pour se faire entendre au-dessus des hurlements du bébé à la table derrière la leur.

— J'ai dit que vous avez l'air malheureux, comme si vous préféreriez vous trouver à des kilomètres d'ici.

— Ce n'est pas ce que vous avez dit.

— D'accord, j'ai seulement dû en penser la plus grande partie, mais vous avez vraiment l'air de souffrir.

De son côté, elle semblait parfaitement à son aise, songea Vance. Son fils était installé à leur table sur une chaise haute pour bébé. Vance n'était pas un grand expert en matière de bébés, mais le fils de Charlie n'était pas désagréable à regarder, et il se tenait mieux que le reste des petits tyrans qui se poursuivaient en criant dans la salle.

— C'est seulement un peu bruyant, ici.

— Vraiment ? le taquina-t-elle en riant.

Ce rire cristallin lui coupa littéralement le souffle. Lorsqu'elle souriait, Charlie était belle. Lorsqu'elle riait, elle devenait magnifique. Tout son visage s'éclairait, ses yeux brillaient, et son rire lui-même n'était pas un de ces petits rires contrôlés qu'on entend en société. C'était un rire clair et spontané, et il se surprit à sourire en retour.

— Je suis vraiment désolée, Vance. Vous n'êtes pas du tout dans votre milieu, ici, n'est-ce pas ?

Il secoua la tête. Tout à coup, sa situation ne lui paraissait plus si mauvaise.

— Cela ne me dérange pas du tout, affirma-t-il.

— Vous avez pourtant l'air d'un ours pris au piège.

Il fronça les sourcils.

— Ce n'est pas ce que je ressens.

— Dans ce cas, vous devriez sourire pour me rassurer.

Il s'exécuta, et elle lui rendit son sourire.

— Vous devriez sourire plus souvent, déclara-t-elle. Vous êtes beaucoup moins intimidant quand vous souriez.

— J'aime peut-être avoir l'air intimidant.

— En tout cas, vous y parvenez de façon très convaincante.

Elle se pencha pour déposer un baiser sur le front de son fils, qui lui répondit en brandissant un lambeau de poulet dans sa petite main grasse, et Vance en profita pour parcourir la salle d'un rapide regard circulaire. Il refusait de donner à cet endroit le nom de « restaurant ». Les serveuses portaient des uniformes décorés de zèbres, de lions ou de tigres, et l'établissement comportait une aire de jeux où d'autres employés en costumes d'animaux sauvages étaient assiégés par une armée de petits barbares. Il ne pouvait imaginer métier plus pénible au monde.

Mais il était ici avec Charlie, et elle semblait gaie et détendue. Il décida donc de tirer le meilleur parti possible de la situation. Profitant qu'elle baissait sa garde, il serait en meilleure position pour lui soutirer toutes les informations dont il avait besoin.

Et, avant la fin de cette soirée, il saurait si Charlotte Potter était une ennemie — ou une amante potentielle.

6

Vance se pencha vers elle pour ne pas avoir à élever la voix au-dessus du tumulte de la salle de restaurant.

— Alors ? Qu'avez-vous pensé de la vente d'aujourd'hui ?

— C'était merveilleux ! s'exclama-t-elle, les yeux brillants d'excitation. Cela l'est toujours, bien sûr, mais ces bijoux royaux ! L'idée de toucher des joyaux portés par une reine disparue depuis des siècles était… terrifiante.

— Terrifiante ?

— Savez-vous à quel prix ce collier a été adjugé ? Et si j'avais brisé le fil d'or ? Si j'avais perdu l'une des pierres ?

— Quelle imagination débordante !

— Vous avez raison, je me fais toujours les idées les plus folles. Maintenant que vous le savez, vous avez le droit de partir.

— Je n'en ai pas l'intention.

— Vraiment ? Je me demande bien pourquoi.

Le visage penché sur le côté, elle le dévisageait et, dans ce geste, ses longs cheveux blonds avaient coulé sur son épaule comme une cascade de lumière. Lui aussi se posait la même question. Elle n'était pas le type de femme qui retenait en général son attention, et pourtant elle le fascinait suffisamment pour qu'il accepte de rester dans ce chaos pour le seul plaisir d'être assis en face d'elle.

— Quoi qu'il en soit, reprit-elle d'un ton animé, j'adore travailler durant ces ventes, participer à cette atmosphère d'excitation, même si c'est dans un rôle modeste.

— Je vous comprends parfaitement. Mon père m'a emmené à ma première vente aux enchères lorsque j'avais dix ans. Ce jour-là, j'ai éprouvé les sentiments que vous décrivez. J'ai adoré l'idée que ces objets du passé puissent avoir une chance de vivre une seconde vie.

— Exactement ! s'écria-t-elle, posant sa main sur la sienne sans s'en rendre compte. Comme ces bijoux aujourd'hui. Justin faisait remarquer que la collection était probablement enterrée au fond d'un coffre à Cadria. Aujourd'hui, tous ces merveilleux joyaux ont été exposés à la lumière. Admirés. Les gens les ont achetés afin qu'ils soient portés de nouveau.

— Vous avez vraiment apprécié ces bijoux, n'est-ce pas ?

— Quelle femme ne les aurait pas appréciés ? Je pense tout spécialement à ce fabuleux collier, et pas uniquement pour ses pierres précieuses. Son histoire est merveilleusement romantique. Le cadeau de mariage d'un roi à une reine. La légende selon laquelle il est un gage de bonheur conjugal. Les diamants et les rubis ne sont que des parties d'un ensemble. J'en suis encore toute rêveuse.

Derrière Vance, un enfant de trois ans enragé réclamait du gâteau avec des hurlements à déchirer les tympans. Vance se pencha vers Charlie pour ne pas avoir à crier.

— Comment êtes-vous venue à vous intéresser aux ventes aux enchères ? Dans mon cas, c'est évident, car je suis né dans ce milieu. Mais vous ?

La serveuse apparut à leur table avec deux cafés et une soucoupe de fruits frais. Charlie entreprit de découper la tranche de melon en petits cubes pour son fils, avant de répondre :

— Lorsque j'étais à l'université, j'ai assisté à quelques ventes aux enchères avec des amies. Rien d'aussi haut de gamme que Waverly's, bien sûr. Il ne s'agissait que de petites ventes de campagne. Du bric-à-brac, des meubles et quelques antiquités. Mais l'esprit est le même. Les gens espèrent découvrir l'objet de leurs rêves. Peut-être rafler une toile de maître oubliée de tous pour quelques dollars.

Il éclata de rire à cette idée.

— J'adorais tout, dans ces ventes, poursuivit-elle en haussant les épaules. La voix du commissaire-priseur, la foule, les enchères. Lorsque ma grand-mère est décédée…

— Votre grand-mère ?

Il lut l'hésitation dans ses yeux, et il comprit qu'elle n'avait pas eu l'intention de lui révéler ce détail. Sa curiosité s'éveilla.

— C'est ma grand-mère qui m'a élevée, précisa-t-elle, embarrassée. C'est après son décès que je suis venue m'installer à New York. Il y a deux ans, j'ai décroché un emploi chez Waverly's. J'ai commencé aux ressources humaines, puis j'ai grimpé les échelons, et me voilà assistante du patron.

— En tout cas, de l'un des patrons, corrigea-t-il en riant.

— Pourquoi nous avez-vous invités à dîner, Jake et moi ? demanda-t-elle tout à coup.

Elle repoussa une mèche de cheveux sur le front de son fils.

— Je ne peux pas croire que vous ayez eu envie de dîner au milieu d'une foule d'enfants déchaînés, reprit-elle. Je vois bien que vous souffrez.

— Cela semble énormément vous amuser.

— Est-ce mal ?

— C'est très mal, répondit-il.

— Dans ce cas, je ne rirai plus. C'est absolument affreux, ce qui vous arrive.

Il lui offrit un sourire mélancolique. Cela faisait une éternité qu'aucune femme n'avait osé le taquiner. Elles le traitaient toutes avec une extrême prudence, comme s'il avait été une grenade prête à exploser. Mais pas Charlie.

Bien entendu, il ne voulait plus revoir ce restaurant de toute sa vie, mais, à sa grande surprise, il passait une excellente soirée.

C'était tout à fait inattendu. En l'invitant à dîner, son but principal avait été de lui tirer les vers du nez. De l'inciter à lui dévoiler ses secrets, si elle en avait. Mais, si ces secrets existaient, elle veillait bien encore à les garder sous clé. Ce qui signifiait qu'il allait devoir passer davantage de temps en sa compagnie.

Une perspective qui ne le chagrinait pas du tout.

Lorsque Jake commença à se frotter les yeux avec ses petits poings, elle déclara qu'elle devait rentrer.

— Mais il n'est que 20 heures, remarqua-t-il.

— Les bébés se couchent plus tôt que nous.

Bien sûr. Comment n'y avait-il pas songé ? Réprimant un soupir, il sortit son portefeuille pour régler l'addition pendant qu'elle débarbouillait le visage de son fils. Lorsqu'ils furent prêts, il se leva, et elle souleva le petit Jake de sa chaise haute.

Instantanément, le bébé tendit ses petits bras dodus vers Vance.

Vance fixa l'enfant durant un long moment. Sur son T-shirt portant l'inscription « J'adore ma maman », il y avait encore des traces de nourriture, et ses yeux bleu nuit étaient fixés sur lui comme s'il avait été le père Noël en personne. Vance avait peu côtoyé de bébés, et cette expérience ne lui avait jamais vraiment manqué. A vrai dire, les bébés ne l'avaient jamais intéressé. Jusqu'à ce soir.

Ce bébé-ci semblait… différent, même si Vance eût été bien en peine d'expliquer pourquoi. Certainement moins bruyant que les autres petits monstres de ce restaurant. Plus jeune aussi, plus doux. Et il avait une fossette sur la joue gauche, comme sa maman.

— Jake…

Charlie était visiblement surprise par le geste de son fils, et Vance l'était tout autant. Mais comment résister? Il prit le petit garçon dans ses bras et, le serrant contre lui, il se dirigea tranquillement vers la sortie, Charlie lui emboîtant le pas.

Le bébé posa la tête sur son épaule et, en dépit de toutes ses réticences, Vance sentit quelque chose fondre en lui.

— Il a fallu que je l'apprenne par Justin, soupira Katie. Tu aurais tout de même pu m'appeler. Mais, bien sûr, tu étais trop occupée à faire la fête avec ton patron.

Charlie se contenta de rire. En réalité, elle était aussi étonnée que son amie par les événements de la veille.

En sortant du restaurant, Vance avait hélé un taxi pour la ramener chez elle avec son fils. La surprise, c'était qu'il était monté dans la voiture avec eux.

Jake s'était endormi sur le chemin du retour, confortablement installé sur sa large poitrine. Bien qu'elle lui eût proposé de le lui reprendre, Vance avait insisté pour garder le bébé dans ses bras jusqu'à leur arrivée à l'appartement. Et, après une minute ou deux, Charlie avait commencé à envier son fils.

Ce trajet avec Vance dans le silence ouaté de la voiture avait été… très agréable. Ils avaient bavardé comme de vieux amis tandis que la ville défilait derrière la vitre en un torrent confus de bruits assourdis et de néons multicolores. A leur arrivée devant le petit appartement qu'elle appelait son chez-elle, il l'avait accompagnée jusqu'à sa porte, avait placé le bébé dans ses bras et lui avait souhaité une bonne nuit.

— Je n'arrive pas à le croire, déclara Katie d'un ton respectueux. Tu dois te douter qu'on ne parle que de cela à tous les étages.

— Grâce à Justin, dit Charlie avec un soupir.

— Peut-être, mais tu sais bien que, même sans lui, tu n'aurais pas pu garder un tel secret très longtemps.

— Je suppose que tu as raison. C'est curieux, mais Vance ne semble pas s'inquiéter que tout le monde le sache.

— Vance ? répéta Katie d'un air abasourdi. Tu l'appelles *Vance* ?

— « M. Waverly » me paraissait un peu trop guindé pour un dîner en ville.

— Un dîner en ville, répéta son amie, secouant lentement la tête. Avec ton patron.

Elle demeura un instant silencieuse, avant de demander, le regard brillant d'excitation :

— Est-ce qu'il t'a embrassée ?

Charlie se remémora la soirée de la veille. La porte de son appartement était ouverte, et la lumière de l'entrée éclairait le visage de Vance. Son regard était fixé sur elle, et tous deux gardaient le silence. Il avait penché la tête, elle s'était rapprochée, et, durant une seconde d'éternité, elle avait cru qu'il allait l'embrasser. Puis Jake s'était réveillé en geignant, et l'instant était passé. C'était probablement mieux ainsi. Elle était certaine que Vance ne l'inviterait plus jamais, alors, pourquoi se bercer d'illusions ?

— Non, répondit-elle.

— C'est dommage, dit Katie, une rousse petite et menue, avec d'extraordinaires yeux verts. Sortir avec son patron, ce doit être vraiment sexy. Sauf, bien sûr, s'il s'agit du mien.

— Je crois que Vance cherchait seulement à se montrer gentil avec moi.

— Bien sûr, ironisa Katie. Il t'invite à dîner avec ton fils, puis il te raccompagne jusqu'au fin fond du Queens, tout cela pour être gentil.

Fronçant les sourcils, Charlie sirota une gorgée de son thé et tourna son regard vers la foule qui se pressait sur la Cinquième Avenue. Katie et elle descendaient souvent ici pour déjeuner. Il faisait chaud et humide, mais, même au cœur de la chaleur de l'été, il était agréable de sortir un instant de l'immeuble et de profiter du spectacle de la ville.

Et aujourd'hui était l'occasion rêvée d'oublier son maître chanteur. Elle venait de recevoir un autre e-mail menaçant le matin même, et le message semblait gravé dans sa mémoire :

> N'essayez plus de gagner du temps. Procurez-moi
> ces dossiers ou vous risquez de perdre votre fils.

Le temps lui était compté, et elle n'avait toujours pas trouvé de solution. Elle ne pouvait pas voler les dossiers en question. Elle allait perdre son emploi ou perdre son fils. C'était un cercle vicieux dont elle ne pouvait se sortir.

— Katie, dit-elle tout à coup, se tournant vers son amie. As-tu entendu circuler des rumeurs au sujet de Dalton Rothschild, ces temps derniers ?

— Quelle sorte de rumeurs ?

— N'importe lesquelles.

Katie haussa les épaules.

— Quelques mauvaises langues commentent cet article dans le journal. On se demande si Mme Richardson et Dalton Rothschild ont réellement une liaison secrète. Mais quelle importance, même si c'est vrai ? Mme Richardson est totalement dévouée à Waverly's. Elle ne ferait rien qui mette l'entreprise en danger… en tout cas, je ne le crois pas. Pas toi ?

Le problème, c'était que Charlie ne connaissait pas suffisamment Ann pour en être sûre. Et à l'évidence, Vance non plus, sinon il ne lui aurait pas demandé de rester attentive aux rumeurs. Mais il y avait de quoi s'inquiéter. Le fait que cet article ait été publié le jour même où elle avait reçu le premier e-mail du maître chanteur ne pouvait être une coïncidence. Le mystérieux expéditeur était probablement aussi l'auteur de l'article.

Mais elle n'était pas plus avancée de le savoir.

— Tu ne devrais pas en faire une affaire personnelle, dit Katie, la tirant de sa rêverie. Tu sais, ces grandes entreprises sont sans cesse confrontées à un problème ou à un autre. Ils trouveront bien une solution.

— Tout cela ne t'inquiète pas ?

— Mon seul souci, à l'heure actuelle, c'est de terminer les audits pour le dernier trimestre avant que mon patron ne décide de succomber à une crise cardiaque dans mon bureau.

Charlie sourit à sa plaisanterie, mais le cœur n'y était pas. Par chance, Katie ne remarqua rien. Charlie aurait tout donné pour avoir l'insouciance de son amie.

— Je dois retourner travailler, déclara soudain Katie, consultant l'écran de son téléphone. On se retrouve tout à l'heure pour rentrer ensemble... à moins, bien sûr, qu'on ne te fasse une proposition plus alléchante.

— J'en doute fort, répondit Charlie. A tout à l'heure.

Charlie disposait encore de vingt minutes avant la fin de sa pause déjeuner, et elle n'était pas très pressée de se retrouver face à son ordinateur et à cet e-mail qui l'avait tant effrayée. Elle décida de terminer tranquillement son thé, puis de passer voir Jake à la crèche avant de retourner au bureau.

— Vous attendez quelqu'un ? s'enquit la voix de Vance juste derrière elle.

— Seriez-vous en train de me surveiller ? répliqua-t-elle en se retournant vers lui.

— Je préfère le terme « admirer », répondit-il en s'asseyant près d'elle sur le banc de pierre, étirant nonchalamment ses longues jambes devant lui. J'ai vu votre amie repartir au bureau, et j'ai eu envie de venir vous rejoindre. Quelle belle journée, n'est-ce pas ?

— Il fait chaud.

— C'est vrai, admit-il, mais c'est tout de même une très belle journée. Qu'est-ce qui vous tracasse, Charlie ?

— Rien, assura-t-elle précipitamment. Tout va bien.

— Vous semblez un peu nerveuse.

— Non. Je réfléchissais, c'est tout.

— A quoi ?

— A beaucoup de choses.

— Aimeriez-vous préciser ? insista-t-il.

— Pas vraiment.

Elle n'aurait pas su par où commencer. Et d'ailleurs, comment aurait-elle pu lui avouer que quelqu'un la faisait chanter ? Ou que, lorsqu'elle ne pensait pas à ces mystérieuses menaces, c'était lui qui occupait toutes ses pensées ?

— Votre amie travaille-t-elle chez nous ?

— Oui, répondit Charlie. Au service comptabilité.

— A-t-elle mentionné l'affaire Rothschild ?

— Elle ne sait rien, répondit Charlie en soupirant. Et, d'ailleurs, cela ne l'inquiète pas outre mesure. Elle est persuadée que tout finira par s'arranger.

— J'aimerais en être aussi sûr qu'elle, remarqua-t-il avec un rire sans joie. La vérité, c'est que nous n'avons aucune idée de ce que Dalton peut bien comploter.

— Mme Richardson ne vous a-t-elle appris rien de plus ?

— Non, dit-il, fronçant les sourcils.

Devant eux, une foule animée se pressait sur les trottoirs de la Cinquième Avenue, et elle se demanda comment le monde pouvait continuer à tourner tranquillement alors qu'elle était prise au piège d'une situation incontrôlable. Dans les grandes jardinières de béton, les fleurs avaient toujours des couleurs aussi vives. Les voitures klaxonnaient. Un jeune homme promenait en laisse six chiens.

— J'ai passé une très bonne soirée, hier soir, déclara-t-il d'une voix douce.

Elle rit, mais sans se détourner du spectacle de la rue. C'était moins dangereux que de plonger son regard dans ses yeux bruns pailletés d'or.

— Vous savez bien que ce n'est pas vrai.

Il tendit la main et lui saisit le menton pour l'obliger à se tourner face à lui. Puis il lui sourit, et l'expression qu'elle lut dans ses yeux lui coupa le souffle. Cet homme avait un charme dévastateur lorsqu'il se donnait la peine de sourire.

— C'est fou, je sais, murmura-t-il. Mais c'est la stricte vérité. J'avoue que je ne suis pas très pressé de retourner dans cette espèce de zoo, mais j'ai passé un très bon moment en votre compagnie.

Elle réprima un frisson. Il serait très facile de tomber sous son charme lorsqu'il la regardait ainsi. Le seul contact de ses doigts sur sa peau lui faisait désirer davantage. Ce doux sourire sur son visage lui donnait envie d'embrasser sa bouche sensuelle. Il était l'homme le plus dangereux qu'elle ait jamais rencontré.

— Vance, pourquoi faites-vous cela ?

— Que voulez-vous dire ?

— Tout ceci, répondit-elle, rivant son regard au sien. Pourquoi êtes-vous aussi… gentil avec moi ?

— Dois-je avoir une raison spéciale pour être gentil ?

— C'est seulement…

Elle hésita une seconde, avant de conclure en soupirant :

— Vous me traitez comme si vous éprouviez de l'intérêt pour moi, et je ne suis pas sûre de ce que vous attendez en retour.

Il lui saisit la main et la garda quelques secondes dans la sienne. Suffisamment longtemps pour qu'elle sente son pouls grimper en flèche. Puis il la serra doucement avant de la relâcher.

— Je vous aime bien, dit-il. Est-ce si étrange ?

— Je suppose que non, répondit-elle, pensant très fort le contraire.

Elle n'était que son assistante. Elle n'était pas riche. Elle avait un bébé. Elle était à des années-lumière des femmes qu'il fréquentait habituellement. Pour avoir souvent vu des photos de lui dans les journaux, elle savait que les femmes dans sa vie étaient toutes de riches héritières ou de jeunes divorcées menant grand train. Pourquoi s'intéressait-il à elle ?

— Très bien, dit-il en se levant. C'est la fin de la pause déjeuner, et j'ai entendu dire que votre patron est très à cheval sur les horaires.

— C'est vrai, admit-elle en se levant à son tour. Vous ne croiriez pas toutes les histoires qui circulent à son sujet.

Il s'arrêta net.

— Ah ? fit-il. Des histoires ?

— Des millions d'histoires, répondit-elle en riant. Mais je n'ai pas l'habitude de colporter les ragots.

— Je tâcherai de m'en souvenir.

Elle sentit quelque chose d'indéfinissable derrière ces paroles. Un non-dit. De l'attirance, certes, mais ce n'était pas tout. Il y avait autre chose… qui la mettait mal à l'aise. Il avait confiance en elle, et elle n'avait pas l'intention de le trahir. Mais la menace qui planait au-dessus de sa tête mettait en péril tout ce qu'elle avait dans sa vie.

Soudain, elle eut envie de tout lui avouer. De lui demander son aide. Mais elle avait trop peur de ce qu'il pourrait en conclure. De ce qu'il pourrait faire. Elle ne pouvait pas se permettre de perdre son emploi. Ni de perdre son fils.

Tiraillée entre confusion et indécision, elle prit le parti de cesser de réfléchir.

— Je vous verrai au bureau, déclara-t-elle.

Elle jeta son gobelet de thé dans la plus proche corbeille, puis s'éloigna seule sur la Cinquième Avenue, entourée par la foule mais étrangement séparée d'elle, consciente seulement de la brûlure du regard de Vance dans son dos.

— Cela devient une habitude, déclara Charlie en trouvant Vance planté devant sa porte lorsqu'elle alla ouvrir, trois soirs plus tard.

Il lui répondit par un sourire qui lui coupa le souffle. Cet homme était… irrésistible. Même dans cette tenue, en jean et en chemise rouge à manches courtes et chaussé de ses vieilles bottes, il émanait de lui un charisme redoutable pour le cœur de toutes les femmes.

Depuis ce premier soir où il l'avait raccompagnée chez elle, il était apparu sur le pas de sa porte chaque soir, et ils avaient fait de longues promenades avec Jake dans sa poussette. Ils allaient parfois faire du shopping, ou s'arrêtaient dans un café pour déguster des cookies et un *latte*. Et ils parlaient.

Elle commençait à prendre goût à ces promenades. Un peu trop, même.

— Allez-vous vous en plaindre ? répliqua-t-il en souriant, nonchalamment appuyé au chambranle de la porte. Si je vous dérange, je peux m'en aller…

— Non, coupa-t-elle précipitamment. Je ne me plains pas.

— Parfait, répondit-il en se penchant vers le bébé dans sa poussette. Alors, Jake, où nous emmènes-tu ce soir ?

Le petit garçon se tortilla en babillant joyeusement, et Vance se redressa face à Charlie.

— Il dit qu'il n'est pas très porté sur l'opéra, et qu'il préférerait une petite promenade dans le parc.

— Dans ce cas, il ne faut surtout pas le contrarier, répondit Charlie en riant.

Il manœuvra la poussette hors de l'appartement et descendit les quelques marches jusqu'à la pelouse. Elle verrouilla la porte derrière eux, puis s'arrêta une seconde pour balayer sa rue du regard. Elle adorait son quartier. La grande maison dont son appartement faisait partie avait été à l'origine une luxueuse demeure bâtie dans le style d'un manoir anglais. Quelques années plus tôt, elle avait été convertie en quatre appartements. Charlie occupait celui de droite au rez-de-chaussée, et son amie Katie habitait celui juste au-dessus.

Les rues de Forest Hills, dans le quartier du Queens, étaient étroites et bordées d'arbres qui semblaient être là depuis des siècles. Ses voisins étaient discrets mais amicaux, et Manhattan facilement accessible en métro. Ici, la ville de New York vivait à un rythme plus lent, et Charlie arrivait presque à se convaincre qu'elle vivait de nouveau dans une petite ville. C'était un lieu idéal pour élever Jake. Elle tourna le regard vers Vance, qui souriait à son fils, et elle eut soudain le sentiment que tout était parfait.

— Où allez-vous ce soir, tous les trois ? demanda une voix féminine, résonnant dans le silence.

Charlie se retourna en soupirant et leva les yeux. Accoudée à la fenêtre de son salon, Katie les observait, un grand sourire aux lèvres. Elle avait probablement guetté l'arrivée de Vance derrière ses rideaux. Charlie ne pouvait pas vraiment lui en vouloir. Cette histoire était si étrange, si saugrenue…

— Nous promener au parc, répondit Vance à sa place, ramassant le chien en peluche que Jake venait de jeter sur le trottoir.

— Amusez-vous bien.

Avant de refermer sa fenêtre, Katie fit un clin d'œil complice à Charlie. Il y avait fort à parier que son amie passerait la voir, plus tard, avec une bouteille de vin et mille questions pour lesquelles elle n'avait encore aucune réponse.

— Vous savez, bien entendu, que Katie a raconté à tout le monde, au bureau, que vous passiez me voir tous les soirs ?

— Est-ce que cela vous inquiète ?

Cela aurait dû l'inquiéter, se dit-elle. Se lancer dans une relation avec Vance Waverly était une erreur monumentale. Mais il lui suffisait de croiser son regard pour savoir qu'elle ne regretterait jamais une seule seconde passée avec lui. Chaque soir, alors que le jour déclinait, il apparaissait sur le pas de sa porte pour passer un peu de temps en sa compagnie et celle de son fils. Et, chaque soir, elle se répétait qu'il valait mieux ne pas espérer sa venue. Ne pas penser à lui. Mais elle ne pouvait s'en empêcher, et chaque soir, lorsqu'elle le voyait réapparaître, il entrait un peu plus dans son cœur. Comment s'en défendre ? Il se montrait si attentionné avec Jake… et elle éprouvait un tel plaisir à bavarder avec lui…

Et lorsqu'il prenait sa main dans la sienne, elle se sentait… adulée.

C'était idiot.

— Non, répondit-elle d'un ton ferme. Cela ne m'inquiète pas du tout.

— Parfait, dit-il en lui souriant comme si elle lui avait fourni la réponse qu'il attendait. Dans ce cas, allons-y.

Ils prirent vers l'est, et le décor changea peu à peu. Charlie adorait sa rue, bien sûr, mais, en traversant Forest Hills Gardens, elle éprouvait toujours une pointe… d'envie ? De somptueuses résidences s'élevaient au bout d'immenses pelouses parfaitement entretenues.

— Je n'ai pas marché dans ce quartier depuis mon enfance, remarqua Vance, une expression rêveuse sur le visage.

— Vous viviez ici ?

Elle ne pouvait imaginer un cadre plus agréable pour grandir. Elle imaginait Jake pédalant sur son vélo dans ces rues charmantes et tranquilles, grimpant aux arbres majestueux. Bien sûr, ce n'était qu'un rêve irréalisable — mais pourquoi rêver à des choses ordinaires ?

— Pas moi, répondit Vance. Mais un ami de mon père habitait par ici, et nous lui rendions très souvent visite. C'est curieux, je n'avais plus pensé à ce quartier depuis des années. Mais c'est un très bel endroit, n'est-ce pas ? Et, de plus, tout près de Manhattan.

— C'est le plus beau quartier de la ville, reconnut Charlie en soupirant.

— Ah, vraiment ?

Il arrêta la poussette et se tourna vers elle.

— Si vous aviez le choix, quelle maison achèteriez-vous ?

— Il ne serait pas facile de choisir, répondit Charlie avec un sourire embarrassé, mais j'ai tout de même une préférence.

Il lui était d'autant plus facile de le reconnaître que la pensée lui était venue chaque fois qu'elle se promenait dans le quartier avec son fils. Parmi toutes ces luxueuses résidences, il y en avait une qu'elle avait adoptée au premier regard.

— Venez, dit-elle en glissant son bras sous celui de Vance. Je vais vous la montrer.

Un peu plus loin, elle désigna une grande demeure au toit pentu et aux volets rouges.

— Voici ma maison, déclara-t-elle en souriant. Bien sûr, les propriétaires actuels ne sont pas encore au courant.

— Elle est magnifique, déclara Vance.

— C'est aussi mon avis.

Mais lorsqu'elle se tourna face à lui, elle s'aperçut que ce n'était pas la maison que Vance regardait, mais elle.

— Il ne lui manque qu'une balancelle sous la véranda pour être parfaite, ajouta-t-elle en se sentant rougir.

— Une balancelle vous ferait plaisir ?

— Oh ! oui, ce serait merveilleux ! J'adorerais m'asseoir sous la véranda pour regarder le soleil se coucher, et…

Le reste de sa phrase mourut sur ses lèvres, et elle tourna la tête vers lui. Une brise tiède soufflait sur la rue, et un chien aboyait dans le silence. Le crépuscule colorait le ciel de lueurs d'incendie. Jake riait aux éclats dans sa poussette.

C'était un moment de pure perfection.

Vance se pencha vers elle. Elle se haussa sur la pointe des pieds, et son regard quitta un instant ses yeux pour se poser sur ses lèvres. Son cœur battait la chamade, et l'univers entier semblait s'être figé dans une attente fiévreuse.

Ses lèvres n'étaient plus qu'à quelques centimètres des siennes lorsque Jake lança son animal en peluche sur le trottoir et se mit à hurler de frustration. Ses cris brisèrent le sortilège.

« Heureusement », se dit-elle.

C'était une chose d'éprouver de l'attirance pour un homme, et une autre, totalement différente, de se couvrir de ridicule en se jetant au cou de celui qui ne serait jamais à elle.

Elle ramassa le petit chien en peluche et le plaça dans les mains du bébé avant de se retourner vers Vance.

— Nous devrions ramener Jake à la maison.

— Oui, murmura Vance. Je suppose qu'il se fait tard.

Elle lui lança un bref regard, puis elle détourna précipitamment les yeux. Mais il était trop tard. Qu'elle veuille ou non l'admettre, son cœur était déjà perdu.

Une semaine avait passé, et Vance vivait dans un état de tension permanente. Autour de lui, à peu près tout le monde avait eu à subir ses sautes d'humeur. Charlie était la seule à y avoir échappé. Ce qui était un peu ironique, si l'on considérait que c'était elle la cause de sa frustration.

Cette femme commençait à compter beaucoup trop

pour lui, ce qui n'était pas du tout dans ses plans. Sa seule présence allumait un incendie dans son sang et le rendait incapable de réfléchir correctement, et cette tendance ne faisait que s'aggraver un peu plus chaque jour. L'idée de la faire sienne devenait une véritable obsession.

A cela, songea-t-il en contemplant la rue bordée d'arbres sous les fenêtres de son bureau, s'ajoutait le fait qu'il savait parfaitement qu'elle lui dissimulait quelque chose. Ils avaient passé pratiquement toutes leurs soirées ensemble. Pas au lit, hélas ! Mais ils dînaient ensemble, faisaient de longues promenades avec Jake, ou tout simplement passaient la soirée à bavarder dans son petit appartement du Queens.

Charlie était nerveuse, et elle ne tenait pas en place. Et cet état empirait chaque jour. Lorsqu'elle triait le courrier, elle avait toujours l'air de trembler à l'idée de ce qu'elle pourrait y trouver, et elle sursautait chaque fois qu'il entrait dans la pièce. Plus inquiétant encore, l'un des agents de sécurité l'avait informé qu'il avait trouvé la jeune femme dans la salle des archives, où étaient conservés les vieux dossiers de l'entreprise. Que diable y faisait-elle ? Pourquoi ne lui en avait-elle pas dit un mot ? Que lui cachait-elle ?

Son intuition lui criait que Charlie n'était pas entièrement sincère avec lui. Son corps, au contraire, le poussait à ignorer ses soupçons. Vance faisait face à un sérieux dilemme.

La sonnerie de l'intercom le fit sursauter, et il poussa le bouton d'un geste coléreux.

— Oui ? grogna-t-il. Qu'est-ce que c'est ?

— Oh ! Oh ! fit Charlie. On n'est pas de bonne humeur ?

Il ne put s'empêcher de sourire. Il n'avait pas fallu longtemps à Charlie pour se sentir à l'aise dans sa relation assistante-patron.

— Désolé, s'excusa-t-il. J'ai quelques soucis, en ce moment. De quoi s'agit-il, Charlie ?

— Le chef de la sécurité désire vous parler, annonça-t-elle d'une voix un peu essoufflée. Ligne deux.

— Merci.

Sans réfléchir une seconde au fait qu'elle semblait nerveuse, il prit la ligne.

— Waverly.

— Monsieur Waverly ? Ici Carl, à la sécurité. Vous nous aviez demandé de vous signaler tout incident qui sortirait de l'ordinaire.

— Oui ? Et alors ?

En réalité, Vance avait placé toute l'entreprise en état d'alerte depuis deux semaines, dans l'espoir de démasquer la personne qui les espionnait pour le compte de Rothschild. A présent, ils avaient enfin quelque chose, mais il n'était pas sûr de vouloir entendre ce qu'ils avaient découvert.

— Nous avions demandé au service informatique de placer des systèmes de surveillance dans les zones sensibles, poursuivit Carl. Et nous avons été alertés ce matin du fait qu'une personne dans votre bureau tentait d'accéder à des dossiers confidentiels. La tentative de connexion ne provenait pas de votre ordinateur.

Il se figea. Ce matin, pendant qu'il était en conférence avec des clients potentiels, Charlie était restée seule au bureau.

— Quels dossiers ? s'enquit-il, tournant le regard vers la porte qui le séparait du bureau de Charlie.

Etait-elle inquiète à l'idée qu'il s'entretienne avec la sécurité ?

— Apparemment, il s'agissait de vieux dossiers concernant des ventes sans importance particulière, répondit Carl. D'après le service informatique, cette personne n'a rien trouvé de très important. Nous sommes en train d'installer un nouveau pare-feu qui devrait résoudre le problème. Avez-vous d'autres instructions ?

— Non.

Un tourbillon de pensées se bousculait dans son esprit, et la colère commençait à bouillonner en lui. Il avait besoin de régler personnellement cette affaire. De regarder Charlie au fond des yeux lorsqu'il lui poserait la question. Il saurait alors avec certitude si elle était honnête. S'il avait appris quelque chose à son sujet, c'était que son regard trahissait toutes ses pensées, toutes ses émotions. Après tout, elle était peut-être innocente. Elle se trouvait peut-être dans une autre partie de l'immeuble, et quelqu'un en avait profité pour se servir de son ordinateur afin de l'incriminer.

Il n'allait pas en conclure qu'elle s'était rendue coupable de quoi que ce soit. En tout cas, pas tout de suite. Mais il n'aimait pas cela du tout. Il ne supportait pas l'idée que Charlie ait pu les trahir.

— Je m'en occupe, déclara-t-il à Carl.

Il raccrocha, une expression songeuse sur le visage.

Comment diable allait-il s'y prendre ?

7

Charlie détestait vivre dans cet état de constante anxiété. Elle détestait ce sentiment de culpabilité dont elle ne parvenait pas à se départir et qui ne lui laissait aucun répit.

Vance se montrait incroyablement prévenant à son égard, et elle lui mentait. Sa grand-mère avait coutume de dire : « Si tu sais quelque chose et que tu te tais, Charlie, alors, c'est un mensonge. Exactement comme si tu inventais une histoire toi-même. »

Sa grand-mère avait raison. Charlie était au courant d'une situation dangereuse, et elle se taisait parce qu'elle avait besoin de se protéger. Et de protéger son fils.

Ce qui faisait d'elle une menteuse.

En cet instant même, Vance s'entretenait au téléphone avec le service de la sécurité. Etait-ce à son sujet ? Etait-elle surveillée par une autre personne que son maître chanteur ? Comment cette histoire finirait-elle ?

Elle se tourna vers son ordinateur pour répondre au dernier e-mail de menaces qu'elle avait reçu ce matin-là. Elle avait eu si peur après l'avoir lu qu'elle avait tenté d'accéder illégalement à de vieilles archives, mais elle y avait renoncé presque aussitôt. Elle ne pouvait pas s'y résoudre. Elle ne pouvait pas trahir Vance.

Elle entreprit de taper un message pour demander davantage de temps. En l'envoyant, elle savait déjà que cela ne servirait à rien. Cette torture ne s'arrêterait que lorsqu'elle aurait trahi Vance et Waverly's, ou qu'elle aurait disparu dans la nature en emmenant Jake avec elle.

Mais pour aller où ? Elle n'avait plus de famille. Personne. Ses seuls amis étaient ici, à New York. Elle avait quelques économies, mais pas suffisamment pour avoir les moyens de s'installer ailleurs avec Jake. Une vague d'angoisse monta dans sa gorge, menaçant de l'étouffer. Lorsque le voyant de la ligne deux s'éteignit, elle frissonna. Vance avait terminé sa conversation avec le service de la sécurité. Qu'allait-il se passer maintenant ? Allait-elle être licenciée ? Peut-être arrêtée ?

Soudain, elle aurait tout donné pour que sa grand-mère soit encore de ce monde, pour pouvoir se réfugier auprès d'elle, et…

Elle eut aussitôt honte de ces pensées. On ne résolvait pas un problème en s'enfuyant. Elle devait l'affronter. Elle devait avouer toute la vérité à Vance, et prier pour qu'il croie à sa sincérité.

Elle était toujours aussi terrorisée, mais elle avait l'impression que la situation devenait plus supportable parce qu'elle avait pris sa décision. Elle savait ce qui lui restait à faire. Il ne lui restait plus qu'à trouver le courage d'agir. Elle savait d'ores et déjà que dès qu'elle lui aurait révélé son passé, lorsqu'il saurait d'où elle venait, il ne voudrait plus rien avoir affaire avec elle. Et il allait affreusement lui manquer. Mais, tout d'abord…

Elle composa son numéro et attendit qu'il décroche.

— Vance, je vais faire une pause café. Je serai de retour dans un quart d'heure.

— Oui. Très bien.

Le ton de sa voix était sévère, intimidant, et elle se demanda une nouvelle fois comment un homme aussi impitoyable en affaires pouvait devenir aussi différent lorsqu'ils étaient seuls. Sortant du bureau, elle se dirigea vers les ascenseurs. Avant d'avoir une conversation à cœur ouvert avec Vance, elle avait besoin de passer quelques minutes avec son fils.

A son arrivée dans la crèche, Jake dormait à poings fermés dans son berceau. Lorsqu'elle le prit dans ses bras, le bébé eut un petit soupir et se blottit contre elle. Elle alla s'asseoir dans un fauteuil à bascule, et là, dans la douce pénombre de la pièce, elle contempla son fils en silence, et un flot de larmes lui brouilla la vue. Caressant ses cheveux soyeux, elle se pencha et déposa un baiser sur son front.

— Je suis désolée, mon petit ange, dit-elle dans un souffle. J'ai essayé, tu sais. Je voulais que tu ne manques de rien, et maintenant, je ne sais plus ce que je dois faire.

Le bébé continuait de dormir tranquillement, et elle se sentit réconfortée par la douce chaleur de son petit corps tout contre son cœur. Même si tout le reste s'écroulait dans sa vie, elle avait Jake. Et elle allait faire en sorte qu'il grandisse dans un monde où il serait heureux et en sécurité.

— Je vais tout arranger, mon bébé, je te le promets, murmura-t-elle. Tout ira bien.

De grosses larmes roulèrent sur ses joues, et elle ne fit aucun effort pour les arrêter. Dans cette obscurité, qui les verrait ?

— Pourquoi pleurez-vous ?

Elle arrêta de bercer son bébé, leva les yeux vers le seuil de la pièce et se trouva face au regard de Vance fixé sur elle. Il était grand et fabuleusement séduisant, et à cet instant, malgré la pénombre, elle voyait l'étincelle de colère soigneusement contrôlée qui brillait au fond de ses yeux.

— Ce n'est rien, assura-t-elle, faute de pouvoir lui révéler la cause réelle de ses larmes.

— Vous êtes assise toute seule dans le noir, votre bébé endormi dans les bras, et vous pleurez. Ce n'est pas rien.

Il s'approcha sans cesser de la fixer et, même si elle

distinguait à peine ses yeux, elle sentit distinctement la puissance de ce regard froid et attentif.

— Dites-moi la vérité, Charlie. Etes-vous une espionne ?

— Non ! protesta-t-elle, s'efforçant de ne pas élever la voix. Je ne suis pas une espionne.

Ses larmes continuaient à ruisseler sur ses joues, et elle les essuya d'un revers de main impatient. Les jeux étaient faits. Elle n'aurait pas l'opportunité d'aller le voir de sa propre initiative et de tout lui avouer. Au lieu de cela, il l'avait démasquée et, à cet instant, il la regardait comme si elle avait été une parfaite étrangère.

— Qu'y a-t-il, Charlie ? s'enquit-il en s'asseyant sur ses talons face à elle. Qu'essayez-vous de me cacher ?

— Vous n'allez sans doute pas me croire, mais je m'apprêtais à venir vous voir pour tout vous expliquer, déclara-t-elle d'une voix faible. J'avais seulement besoin de voir mon fils d'abord pour retrouver mes repères.

— Je vous crois, assura Vance. Mais je suis ici, maintenant. Allez-y, parlez-moi.

— Je ne sais même pas par où commencer, murmura-t-elle face à ce regard où brillait encore une lueur de colère.

— Vous devriez peut-être recoucher Jake dans son berceau et venir faire quelques pas avec moi.

Elle soupira. Le moment fatidique était arrivé. Et, étrangement, l'angoisse qui était devenue sa plus fidèle compagne depuis deux semaines commença à se dissiper. Comme il était malaisé de vivre dans le mensonge. Avouer la vérité à Vance n'avait rien d'agréable, mais, au moins, elle se sentirait libérée.

Elle se leva pour aller recoucher Jake dans son berceau, puis elle se redressa et fit bravement face à Vance.

— C'est une longue histoire, déclara-t-elle.

*
* *

Il l'emmena à Central Park. C'était une magnifique journée d'été, et à bonne distance de l'immeuble de Waverly's, perdus dans la foule de New-yorkais et de touristes qui se pressaient dans le parc, ils étaient certains que cette conversation resterait entre eux. Evitant le lac, ils longèrent le carrousel et le zoo, et allèrent s'asseoir sur un banc à l'ombre d'un saule pleureur centenaire, en bordure d'un sentier. Un parfum de fleurs et de café torréfié flottait dans l'air, porté par une faible brise.

Naturellement, Vance l'avait suivie lorsqu'elle avait quitté son bureau pour sa prétendue pause café. Poussé par la colère et la suspicion, il s'était senti comme un détective de troisième zone en la suivant dans les couloirs de Waverly's. Il n'avait aucune idée de ce qu'il allait découvrir, mais il ne s'attendait certainement pas à la trouver en larmes, berçant son fils endormi dans ses bras. Le patron en lui restait soupçonneux, mais l'homme qui… l'appréciait… était tout simplement inquiet pour elle.

— Parlez-moi, Charlie. Je veux que vous me disiez tout.

Elle dévissa le bouchon de la bouteille d'eau qu'ils avaient achetée en chemin à un vendeur ambulant et en but une longue gorgée. Deux femmes manœuvrant des poussettes passèrent devant eux en bavardant gaiement. Un jeune homme lançait un Frisbee à son golden retriever. Au loin, on entendait la plainte d'une sirène.

— Je ne sais vraiment pas par où commencer, dit-elle avec un petit rire sans joie.

— Dans ce cas, commençons par ceci : avez-vous essayé d'accéder à certains fichiers confidentiels, ce matin ?

Ses grands yeux bleus s'ouvrirent tous grands pour le fixer d'un air terrifié.

— Oh ! mon Dieu !

— Je suppose que je dois prendre votre réaction pour un « oui », déclara-t-il d'un air sombre. Le chef de la sécurité m'a averti que quelqu'un avait tenté de pirater ces dossiers. J'avais espéré que ce n'était pas vous.

Il serra les dents. Il avait été convaincu de son innocence, et il n'aimait pas du tout l'idée de s'être trompé à ce point. Etait-elle si bonne actrice ? Savait-elle jouer l'innocence de façon aussi convaincante ? Qui était la véritable Charlie ?

Cette question à peine formulée dans son esprit, il la revit seule dans la pénombre, son fils serré contre elle, pleurant à chaudes larmes. Elle n'avait pas conscience de sa présence, et elle ignorait encore qu'elle avait été démasquée. Ses larmes étaient donc réelles. Il lui suffisait maintenant de démêler la vérité de la fiction.

— Je n'ai pas eu la force de le faire, poursuivit-elle après un long moment de silence. J'ai essayé, c'est vrai. Je suis entrée dans le système, mais j'ai aussitôt refermé ces dossiers, et je n'ai fait aucune copie. Je ne pouvais pas voler ces informations à Waverly's. Ou à *vous*.

— Je suis heureux de l'entendre.

Il était sincère. Ses soupçons se dissipaient. Une vraie voleuse n'aurait pas changé d'avis. Elle aurait copié toutes les informations qui l'intéressaient, puis elle aurait disparu sans laisser de trace. Mais sa frustration n'était pas pour autant oubliée. Charlie ne désirait pas les voler, mais elle avait été bien près de le faire. Pourquoi ?

— Et maintenant, reprit-il sans essayer de dissimuler la colère qui vibrait dans sa voix, si vous m'expliquiez pourquoi vous avez cru nécessaire de vous lancer dans cette tentative de piratage ?

Les mots commencèrent à couler de ses lèvres comme un torrent trop longtemps contenu. Vance écouta sans l'interrompre, la rage qu'il sentait monter en lui menaçant d'éclater à tout moment.

Lorsqu'elle eut enfin achevé son récit, il se trouva incapable de rester assis une seconde de plus. Il bondit sur ses pieds et fit les cent pas avant de se retourner face à elle. La brise tiède faisait voleter ses cheveux blonds sur son front, et le feuillage du saule sous lequel elle était assise projetait des ombres dansantes sur son joli visage.

— Vous êtes en colère, remarqua-t-elle en levant son regard d'azur vers lui.

— Bien observé, répliqua-t-il d'une voix tendue. Bon sang, Charlie ! Qu'est-ce qui vous a pris ?

— Je ne l'aurais jamais fait, déclara-t-elle d'un ton ferme en se levant à son tour. Il faut me croire. Je n'aurais jamais volé ces informations. Je n'aurais pas pu agir de la sorte avec l'entreprise qui m'a donné ma chance. Ni avec vous non plus.

— Pensez-vous que ce soit cela, ce qui me met en colère ? répliqua-t-il avec un rire amer.

— N'est-ce pas la vérité ?

— Vous devez me prendre pour un monstre.

— Non, pas du tout ! se défendit-elle.

— Alors, pourquoi ne pas m'avoir confié que vous aviez des ennuis ? Un voyou vous menace, et vous ne dites rien ? Pourquoi ?

L'expression douloureuse de son visage disparut aussitôt, remplacée par une sombre détermination.

— Parce que c'était mon problème.

— Ce n'est pas une réponse, Charlie, rétorqua-t-il, maîtrisant avec effort la rage qui l'étouffait. Vous vivez dans la terreur depuis des semaines, et vous ne m'en avez jamais soufflé mot.

— Qu'étais-je censée vous dire ? riposta-t-elle. Si je vous avais avoué que j'étais victime d'un chantage, qu'auriez-vous fait ? Vous auriez supposé que j'allais vous trahir, bien sûr.

— Quelle belle opinion vous vous faites de moi ! ironisa-t-il. Merci, vraiment.

— Voulez-vous dire que vous m'auriez crue ? dit-elle en levant des yeux étonnés vers lui.

— Je vous crois maintenant, remarqua-t-il, irrité de constater qu'elle se faisait une si piètre opinion de lui. Dès la seconde où vous m'avez tout expliqué, je vous ai crue.

— Je n'avais aucun moyen d'en être sûre. Et, d'ailleurs, je n'avais besoin de l'aide de personne.

Elle se tut, avant de reprendre précipitamment :

— D'accord, j'avais besoin d'aide, mais je voulais trouver une solution toute seule. Je suis une grande fille. Je suis capable de m'occuper de moi-même et de Jake et…

Elle s'interrompit, étouffant un gémissement.

— Oh ! mon Dieu ! C'est une catastrophe…

— Tout le monde a besoin d'aide un jour ou l'autre, la rassura-t-il, s'apercevant, surpris, que sa colère l'avait quitté.

Au moins, il comprenait la situation. Il savait que quelqu'un faisait chanter Charlie, et il avait les moyens de régler le problème.

— Vous, vous n'avez jamais besoin qu'on vous aide, déclara-t-elle, comme si cette différence la chagrinait.

— Faux, répliqua-t-il. J'ai besoin de votre aide maintenant, pour comprendre le fin mot de cette histoire. Puis-je compter sur vous ?

Elle acquiesça en silence et but une nouvelle gorgée de son eau.

— Si je comprends bien, un inconnu vous menace de vous faire perdre la garde de votre fils à moins que vous n'acceptiez de voler mes dossiers d'archives portant sur ces cinq dernières années ?

— Oui, avoua-t-elle dans un souffle.

Ses yeux bleu azur étaient cernés de rouge à force d'avoir pleuré, mais ils étaient secs, désormais. Comme si elle avait décidé qu'elle avait versé suffisamment de larmes et qu'elle rassemblait ses forces pour la résistance à venir.

— J'ai reçu le premier e-mail de menaces le jour même où cet article au sujet de Mme Richardson a été publié dans le journal.

— Je doute fort que ce soit une coïncidence, dit-il avec un soupir mélancolique.

— C'est exactement ce que j'ai pensé aussi.

— La question que je me pose, remarqua-t-il en l'observant attentivement, c'est pourquoi ce mystérieux maître chanteur s'imagine pouvoir vous obtenir qu'on vous retire la garde de votre fils. Je vous ai vue avec Jake. Je suis allé chez vous. Vous êtes une excellente mère et vous lui offrez un bon foyer.

— Merci, répondit-elle en esquissant un bref sourire.

— Il y a autre chose, Charlie. Autre chose que vous ne m'avez pas dite.

L'air était brûlant, immobile, et la brise était soudain tombée. Les bruits de l'été étaient à peine audibles au loin, et dans l'ombre mouchetée de ce vieux saule, ils avaient la sensation d'être seuls au monde.

— Dites-moi tout, Charlie. Laissez-moi vous aider.

Elle joua un instant avec sa longue queue-de-cheval, tortillant le bout autour de ses doigts d'un geste trahissant sa nervosité, puis elle secoua la tête.

— Ce serait merveilleux si vous pouviez m'aider, Vance, mais c'est impossible. Les choses sont ce qu'elles sont, et on ne peut pas les changer.

— N'en soyez pas aussi sûre, répliqua-t-il d'un ton coupant. Vous seriez étonnée de ce dont je suis capable.

— Personne ne peut changer le passé, pas même Vance Waverly.

Il tiqua un peu, car il savait qu'elle avait raison, tout du moins sur ce point. Il était un homme d'action. Si quelque chose avait besoin d'être fait, il le faisait. Dans son monde, tout était censé fonctionner comme prévu. En temps et en heure.

S'il avait été en son pouvoir de changer le passé, il l'aurait déjà fait. Il aurait sauvé sa mère et sa sœur de cet accident de voiture dans lequel elles avaient perdu la vie. Il aurait trouvé le moyen de convaincre son père de rechercher Roark plus tôt. Il aurait ainsi pu connaître son frère avant qu'ils ne soient tous deux devenus adultes. Oui, il aurait changé bien des choses si cela avait été en son pouvoir. Mais, si personne ne pouvait changer le passé, il était au moins envisageable de minimiser son impact sur le présent.

— Si vous ne me dites rien, alors je ne pourrai rien faire pour vous aider, déclara-t-il. Qu'avez-vous à perdre ?

— Beaucoup, répondit-elle d'une voix à peine audible.

Elle leva de nouveau son regard vers lui, et le torrent d'émotions qu'il surprit dans ses beaux yeux lui coupa le souffle. Le secret qu'elle gardait en elle semblait la déchirer. Il lui sembla ressentir cette souffrance dans sa chair.

— Pourquoi cet homme vous fait-il chanter, Charlie ? Quel secret essayez-vous si désespérément de garder ?

Elle prit une profonde inspiration et expira lentement.

— Je vous ai dit que j'avais été élevée par ma grand-mère, dit-elle. Vous vous en souvenez ?

— Oui, bien sûr, répondit-il.

— Je ne vous ai pas dit pourquoi, poursuivit-elle avec un sourire triste. Lorsque j'avais cinq ans, mon père a participé à une attaque à main armée dans un supermarché.

C'était bien la dernière chose qu'il s'attendait à entendre. Le visage de Charlie était devenu un masque de honte et d'humiliation, mais il garda le silence, sentant qu'elle était sur le point de lui faire d'autres révélations.

— Il est mort durant une course-poursuite avec la police. La voiture volée qu'il conduisait a percuté un arbre.

— Charlie…

— Ma mère est partie peu de temps après, et je ne l'ai plus jamais revue. C'est ainsi que ma grand-mère m'a recueillie.

Elle releva les yeux et se plongea dans la contemplation du parc, évitant soigneusement son regard, avant d'ajouter :

— Connaissez-vous l'expression « vivre du mauvais côté de la barrière » ? Eh bien, c'était nous. C'était moi. Lorsque ma grand-mère est décédée, il ne me restait plus rien, et je suis partie sans me retourner. Je suis venue à New York et je n'ai jamais révélé à quiconque d'où je venais.

Il compatissait. Elle avait vécu une enfance difficile, et elle avait réussi à se créer une vie meilleure. Mais rien de tout ceci ne justifiait une tentative de chantage.

— Allons, Charlie, dit-il d'un ton de reproche. Vous ne me dites pas tout. Il n'y a rien dans votre histoire qui soit susceptible d'intéresser un maître chanteur.

Elle faillit s'étouffer avec la gorgée d'eau qu'elle buvait. Puis elle tourna la tête pour le fusiller du regard.

— N'avez-vous rien entendu de ce que je viens de vous dire ? Mon père était un voleur. Il est mort en essayant d'échapper à la police. Ma mère s'est évanouie dans la nature en m'abandonnant. Ce n'est pas ce que j'appellerais un pedigree idéal.

— Ce n'est pas exactement votre faute non plus. Vous l'avez dit vous-même, vous aviez cinq ans.

— Facile à dire pour vous, répliqua-t-elle, les yeux brillants de larmes. Vous n'avez pas idée de ce que c'était. Toute la ville chuchotait dans notre dos. Vous ne pouvez pas comprendre. Comment le pourriez-vous ?

— Merci pour la foi que vous placez en moi, marmonna-t-il. Pour votre information, vous n'êtes pas la seule à avoir dû affronter les ragots. Avez-vous lu les journaux, récemment ? Les Waverly n'en finissent pas de faire l'actualité.

— Oui, je vous plains, répliqua-t-elle, sarcastique. Ce

doit être horrible d'être suivi à tous vos grands dîners, d'être obligé de poser pour les photographes.

— Je me réjouis de constater que vous avez du caractère, et aussi le sens de la repartie.

— Vous êtes seulement la deuxième personne à qui je parle de mon passé, dit-elle en fronçant les sourcils. J'aurais cru que vous comprendriez combien tout cela est embarrassant pour moi.

— J'ai bien compris que vous étiez embarrassée, admit-il. Ce que je ne comprends pas, c'est pourquoi. Vous êtes née dans une famille pauvre, d'accord. Mais qui s'en soucie ?

— Vous ne comprenez vraiment pas, marmonna-t-elle.

— Dans ce cas, expliquez-moi.

— Il n'y a pas grand-chose à dire, répliqua-t-elle d'un ton pincé, s'éloignant de lui sur le banc. J'ai travaillé pour financer moi-même mes études universitaires et, lorsque ma grand-mère est décédée, je suis venue m'installer à New York.

— Parlez-moi du père de Jake, insista-t-il.

— Pourquoi pas ? dit-elle en se levant brusquement. Autant vous raconter le reste de mes humiliations une bonne fois pour toutes.

Elle pivota face à lui et, devant la détresse qu'il lut dans ses yeux, il se leva à son tour et fit un pas vers elle.

Elle leva aussitôt une main pour l'empêcher d'approcher.

— Ne soyez pas gentil avec moi, d'accord ? A cet instant, j'ai besoin de tout mon courage.

— Soit, acquiesça-t-il. Terminez votre récit.

— J'ai fait la connaissance du père de Jake juste après avoir décroché mon premier poste chez Waverly's, déclara-t-elle, croisant les bras comme si elle avait brusquement froid. Il s'appelait Blaine Andersen — en tout cas, c'était ce qu'il prétendait.

Il se garda bien d'intervenir. Il croyait deviner où tout

ceci les menait, et il savait déjà que rien de ce qu'il pourrait dire n'avait la moindre chance d'arranger la situation.

— Il était gentil, poursuivit-elle d'un ton lointain. Amusant. Nous allions au cinéma ensemble, nous faisions de longues promenades dans le parc. Il m'offrait des fleurs. Il m'a offert un smartphone tout neuf lorsque j'ai perdu le mien. Il m'a dit qu'il m'aimait, et…

— Et vous êtes tombée amoureuse de lui, conclut-il à sa place, étonné de constater combien ces mots laissaient un goût amer dans sa bouche.

— C'est ce que j'ai cru, objecta-t-elle. Lorsque j'ai appris que j'étais enceinte, je suis allée le voir pour le lui annoncer, mais il avait disparu. L'histoire classique, n'est-ce pas ? La petite provinciale naïve qui monte à la ville et qui devient la victime d'un beau parleur. J'ai été si stupide ! Je me suis même rendue au cabinet d'architecture Andersen parce qu'il m'avait affirmé qu'il s'agissait de l'entreprise de sa famille. Ils n'avaient jamais entendu parler de lui.

— Charlie…

— Cela ne fait rien, l'interrompit-elle. Tout ceci n'a plus d'importance. De cette triste histoire, il me reste Jake, et il est tout pour moi.

Il lui offrit un sourire, songeant à ce petit être innocent qui avait déjà trouvé le chemin de son cœur. Une autre complication qu'il n'avait pas escomptée.

— Jake est un petit garçon merveilleux.

— C'est vrai, admit-elle, lui rendant son sourire.

C'était la première fois qu'elle souriait depuis le début de cette conversation, et il s'en réjouit, même si son sourire était encore un peu pâle.

— Alors, c'est tout ? remarqua-t-il. Ce sont là tous vos sombres secrets ?

— Je ne vous ai pas encore parlé de mon addiction pour les fraises au chocolat, mais cela mis à part, oui, c'est tout.

Elle soupira, avant d'ajouter :

— J'ai l'impression qu'un grand poids vient de tomber de mes épaules.

— Ce n'est pas surprenant. Pourquoi avoir gardé tout cela pour vous, Charlie ? Pourquoi n'êtes-vous pas venue m'en parler ?

— J'ai l'habitude d'essayer de résoudre seule mes problèmes, Vance, répondit-elle en soupirant de nouveau. Et puis, je ne pensais pas que vous me croiriez.

— Pourtant, je vous crois.

Elle leva les yeux vers lui, et l'espoir qu'il vit briller dans ses yeux lui donna l'impression d'être un chevalier à la brillante armure venant de sauver une damoiselle en détresse. Ce qui n'était pas vraiment le cas, bien sûr. Il était même prêt à parier que la moitié des habitants de Manhattan le considéraient comme un méchant, pas comme un héros. Ce qui était certain, c'était qu'il éprouvait un plaisir immense à voir cette expression dans ses beaux yeux bleus.

— Alors, je ne suis pas licenciée pour faute grave ?

— C'est ce qui vous attend si vous me faites de nouveau des cachotteries, répondit-il en glissant un bras autour de ses épaules pour l'attirer à lui. Charlie, vous n'aviez pas à porter ce poids toute seule.

— C'est la seule manière que je connaisse.

— Alors, il est temps d'en apprendre une autre.

Il la prit dans ses bras et la serra un long moment contre lui, frappé de constater que leurs corps s'emboîtaient parfaitement l'un dans l'autre. Comme si elle avait été faite pour lui. Comme si elle était la pièce manquante dans le puzzle de sa vie.

Il ferma les yeux, chassant cette pensée. Il savait déjà qu'il la désirait plus que toute autre femme au monde. Il savait désormais qu'elle avait souffert, et il éprouvait de la compassion pour elle. Il n'y avait rien d'autre.

Du moins, c'est ce qu'il se disait pour se rassurer. Ce n'était rien d'autre que de la sympathie et une simple attirance. Et il ferait bien de s'en souvenir.

— Je ne veux pas que vous viviez dans la peur, déclara-t-il d'une voix caressante.

— Moi non plus, je ne veux pas vivre ainsi.

Elle leva le regard vers lui, et il constata avec soulagement que ses yeux avaient retrouvé leur éclat habituel. Plus aucune trace de larmes, plus aucune ombre dans leurs profondeurs. Et sa beauté en devenait d'autant plus redoutable.

Lorsqu'elle se haussa sur la pointe des pieds et qu'elle inclina la tête, il sentit tout son corps se tendre comme un arc. Mais, malgré la force de son désir, il se crut tenu de rappeler :

— Charlie, vous ne me devez rien.

— Il n'est pas question de devoir, répondit-elle, abaissant son regard vers ses lèvres. La vérité, c'est que j'en ai envie.

Il lui sourit et prit délicatement son visage entre ses mains.

— Dans ce cas, murmura-t-il, esquissant un sourire, la situation est tout à fait différente.

— Prouvez-le-moi.

Il ne se fit pas prier davantage. Le cœur battant, il posa ses lèvres sur les siennes, savourant le nectar de sa bouche. Un torrent de désir brûlait dans ses veines et, lorsqu'elle entrouvrit ses lèvres pour l'accueillir, il eut la sensation de plonger dans un abîme de plaisir infini.

Il ne mit fin à leur baiser qu'en entendant son doux soupir. Il aurait voulu que leur étreinte se prolonge à l'infini, mais lorsque ce jour viendrait, ils seraient seuls. Dans un lit. Pas au beau milieu d'un parc public.

Il abandonna ses lèvres à contrecœur et plongea le regard

au fond du sien. Il aurait aimé s'y perdre, comme il aurait aimé embrasser encore sa bouche pareille à un fruit mûr. Il dut faire appel à toutes ses ressources de volonté pour se contrôler.

— Maintenant, Charlie, nous allons retourner au bureau. Et vous allez me montrer tous les e-mails que cet individu vous a envoyés.

— D'accord, répondit-elle en soupirant. Et ensuite ?

Il esquissa un sourire féroce.

— Ensuite, nous allons contre-attaquer.

8

— Il t'a embrassée ! s'exclama Katie à la seconde où son amie entra dans son bureau pour s'asseoir en face d'elle.

Charlie n'aurait sans doute pas dû descendre à la comptabilité voir Katie, mais elle n'avait aucune envie de rester seule dans un moment pareil. Vance et elle venaient à peine de rentrer à l'hôtel des ventes lorsque Ann Richardson avait demandé à le voir immédiatement.

Vance avait paru un peu contrarié, mais il avait dû partir avant qu'elle ait pu lui montrer les messages envoyés par le maître chanteur. Avant qu'ils aient décidé de la réponse à leur faire. Il l'avait tout de même embrassée — un baiser bref mais dévastateur —, et il lui avait promis qu'ils régleraient la situation dès son retour. Incapable de rester assise à ronger son frein, elle était descendue voir sa meilleure amie. Qui, de toute évidence, avait un don pour l'art divinatoire.

— Comment fais-tu ? s'étonna-t-elle. Tu as une sorte de radar ?

— Nul besoin de radar, ironisa Katie. Tu as des étoiles dans les yeux, et tes lèvres sont rouges et gonflées. Sans parler de ton air radieux.

Elle lui sourit en se frottant les mains avec satisfaction.

— Vas-y, raconte-moi tout ! s'exclama-t-elle. Avec tous les détails. Alors, il t'a pris dans ses bras, et…

— C'est moi qui l'ai embrassé, coupa Charlie.

— Tu es sérieuse ? s'exclama Katie en ouvrant de

grands yeux. Je suis fière de toi. J'ai l'impression de vivre un moment historique.

— Très drôle.

— Je pèse mes mots, Charlie. Depuis quand n'as-tu pas manifesté le moindre début d'intérêt pour un homme ?

— Je sais, reconnut Charlie.

Katie connaissait toute l'histoire de sa relation avec le père de Jake. Elle savait qu'elle s'était laissé éblouir par ce bellâtre, et elle la tarabustait depuis un an pour qu'elle tourne la page et songe enfin à rencontrer un homme comme il faut. Qu'elle tente de nouveau sa chance. Désormais, c'était fait.

— En tout cas, quand tu te décides à rejouer au jeu de la séduction, tu ne fais pas les choses à moitié.

— C'est ce qu'on dirait. Mais, honnêtement, je n'ai pas le souvenir d'avoir décidé quoi que ce soit. Nous étions là à bavarder, puis…

Elle parvenait à peine à le croire elle-même. Son corps était encore parcouru de frissons au souvenir de ce baiser. Elle croyait encore sentir la bouche de Vance sur la sienne, la douce caresse de son souffle sur sa joue, la vigueur de ses bras autour d'elle.

— Je ne sais même pas ce qui m'a poussée à le faire, dit-elle d'un air rêveur. Ou plutôt si, je le sais. C'est sa gentillesse avec moi, lui qui a tout du mâle dominant.

— J'aime assez les mâles dominants.

— C'est exactement ce qu'il est, déclara Charlie. Il fonce droit devant, certain de pouvoir réparer tout ce qui ne fonctionne pas, et il n'est pas question de lui dire non. Cet homme a une confiance totale en ses capacités. Difficile de résister devant une telle assurance.

Katie ignorait qu'elle était victime d'un chantage, aussi Charlie s'abstint d'ajouter que Vance avait aussitôt proposé de l'aider.

Katie soupira, le menton dans les mains.

— Et il t'a rendu ton baiser ?

— Oh ! oui.

— Dans ce cas, pourquoi cette lueur mélancolique dans tes yeux ? Charlie, tu devrais te montrer un peu plus indulgente avec toi-même. Tu as le droit d'embrasser un homme séduisant et d'y prendre du plaisir.

— Tu crois ? répondit-elle en se levant pour observer le ciel par l'étroite fenêtre près du bureau de son amie. Je suis une mère. Ce n'est pas seulement pour moi que je dois faire attention. Si je commets une erreur avec un homme, Jake en sera affecté, lui aussi.

Katie fit pivoter son fauteuil et se tourna face à elle.

— Tu considères que Vance est une erreur ?

Son amie avait parlé d'une voix douce, mais sa question était sans ambiguïté. Or Charlie n'avait pas la réponse. Si elle écoutait son cœur, Vance était tout le contraire d'une erreur. Mais la réalité venait sérieusement compliquer l'élan de son cœur. Se lancer dans une aventure avec Vance Waverly, c'était s'exposer à des lendemains de chagrin et de souffrance.

Il connaissait à présent toute la vérité sur elle. Il savait tout de son passé. Il savait qu'elle avait été assez bête pour se laisser séduire par un homme dont elle ignorait jusqu'au nom. Il savait qu'un homme la faisait chanter et que l'entreprise que sa famille avait fondée était menacée.

Vance et elle n'auraient pu être plus différents. Leurs univers étaient à des années-lumière l'un de l'autre.

— Tu essaies de te persuader que tu as fait une erreur, n'est-ce pas ? dit Katie en soupirant.

— Après un simple baiser ? ironisa Charlie en tournant la tête vers son amie. Allons, Katie ! Vance Waverly et moi ? Même dans un roman, personne ne le croirait !

— Dans ce cas, peut-être devrais-tu changer de littérature, répliqua Katie en la rejoignant près de la fenêtre. Ma petite Charlie, tu réfléchis trop. Mais je te comprends. Ta mésaventure avec le père de Jake t'a fait réfléchir, et tu préfères te montrer prudente. Mais si tu n'essaies pas de rester ouverte aux opportunités qui se présentent, tu n'auras jamais personne dans ta vie.

— J'ai Jake, rappela Charlie.

— C'est vrai, mais Jake va grandir. Un jour, il partira vivre sa vie, et tu te retrouveras toute seule.

— Il me reste encore quelques bonnes années avant d'avoir à adopter un chat pour me tenir compagnie, répliqua Charlie en riant.

— Certes, mais si tu ne commences pas à vivre un peu aujourd'hui, lorsque tu te sentiras prête, il sera peut-être déjà trop tard.

Katie avait peut-être raison. Ou peut-être Charlie souhaitait-elle uniquement que son amie ait raison. La vérité, c'était qu'elle était en train de tomber amoureuse. Aussi vite et aussi totalement que cela avait été le cas avec le père de Jake.

Cette relation-là s'était avérée n'être qu'une illusion. Pouvait-elle prendre le risque de souffrir une nouvelle fois ?

Puis le souvenir de leur baiser à l'ombre du vieux saule, dans la brise tiède de l'été, resurgit dans sa mémoire, et elle se demanda s'il n'était pas déjà trop tard.

Kendra Darling gardait le bureau d'Ann Richardson comme un dragon souriant mais terriblement efficace. Derrière ses lunettes en écaille de tortue, elle avait un regard vif auquel aucun détail n'échappait. Elle était toujours impeccablement vêtue, et ses cheveux roux mi-longs étaient relevés sur sa nuque par une barrette dorée toute simple. Elle sourit en voyant Vance approcher. Personne n'entrait dans le bureau de sa patronne à moins d'avoir rendez-vous. Pas même les membres du conseil d'administration.

— Monsieur Waverly, dit-elle avec un bref hochement de tête, Mme Richardson vous attend.

— Merci.

Vance passa devant son bureau, puis s'arrêta une seconde pour tourner la tête vers elle. Kendra travaillait ici depuis de longues années. Qui mieux qu'elle connaissait tous les secrets de la maison ? Mais il repoussa cette idée avec force. Après tout, il avait soupçonné Charlie alors qu'elle était innocente. De plus, Kendra était d'une loyauté redoutable. Après tout, le traître, si traître il y avait, pouvait très bien être l'un des membres de la vieille garde. L'espace d'un instant, il imagina George, Simon ou l'une des femmes de la haute société qui siégeaient au conseil en train d'envoyer des e-mails de menace à Charlie. Ou de voler des informations pour les transmettre à Dalton Rothschild.

— Y a-t-il autre chose, monsieur Waverly ? s'enquit-elle, lui lançant un regard scrutateur.

— Non, répondit-il. Tout va bien, merci.

Il chassa ces hypothèses farfelues. Il avait besoin de temps pour démasquer la personne qui essayait de ruiner Waverly's. L'enquête ne serait pas facile, et elle risquait de devenir déplaisante. Mais il finirait par trouver la clé du mystère.

Il poussa la porte et entra dans le bureau. Ann arpentait la pièce sans cesser de fixer la liasse de documents qu'elle tenait entre les mains. Son habituel calme olympien semblait avoir disparu.

Un sourire étirait les coins de ses lèvres et, même à cette distance, Vance vit distinctement ses yeux briller d'excitation au moment où elle leva la tête pour se tourner vers lui.

— Vance ! Je suis heureuse de vous voir. Avez-vous parlé à Roark ?

— Je l'ai vu avant-hier, répondit-il, étonné. Pourquoi ?

— Alors, vous n'êtes pas au courant. C'est encore mieux. J'ai envie de voir votre réaction. De la comparer à la mienne.

Il n'avait pas le temps de jouer aux devinettes. Il devait retourner rejoindre Charlie. Lire les e-mails de l'homme qui la faisait chanter. L'embrasser encore.

Réprimant une grimace, il chassa de son esprit cette pensée parasite pour se concentrer de nouveau sur Ann. Il sentait la confusion le gagner, et il détestait cela.

— De quoi parlez-vous, Ann ?

— De ceci.

Elle s'approcha et lui tendit les feuillets qu'elle tenait dans les mains. Il parcourut rapidement les quelques lignes de texte avant d'examiner les photos.

— Est-ce bien ce que je crois ? s'enquit-il en relevant les yeux vers elle.

— Si vous pensez à la collection Rayas, y compris la statuette du Cœur d'or, vous avez raison, répondit-elle en baissant la voix, une expression sérieuse sur le visage.

— Mais elle a disparu depuis plus de cent ans, murmura Vance, fixant, fasciné, la photo du Cœur d'or.

— Nous devons à Roark de l'avoir retrouvée, déclara Ann, incapable de dissimuler son excitation. Votre frère est un homme très indépendant, et il peut parfois se montrer difficile, mais il faut avouer qu'il n'a pas son pareil pour dénicher de véritables trésors.

Admiratif, Vance examina la photo de la célèbre statuette. Tous les amateurs d'art dans le monde entier connaissaient l'histoire du Cœur d'or, l'un des plus beaux joyaux de l'ancien royaume de Rayas, aux portes de l'Empire perse.

Il n'en existait que trois exemplaires au monde. Chacune des statuettes, d'une soixantaine de centimètres de haut, représentait une femme avec un cœur d'or incrusté dans la poitrine. Le socle de la statuette était un bloc d'or pur de trois centimètres d'épaisseur, frappé d'un sceau identique. D'après la légende, dans un passé lointain, le roi de Rayas avait commandé ces statuettes, une pour chacune de ses trois filles dans le but de leur assurer le bonheur en amour.

Les trois filles furent heureuses — ainsi que les générations qui suivirent — aussi longtemps que ces statuettes demeurèrent dans leurs palais respectifs.

L'une des pièces de ce triptyque appartenait à la famille du scheik Raif Khouri, tandis qu'une autre faisait la fierté du palais de la famille qui en avait hérité à l'origine. Il y a près de cent ans, la troisième pièce avait disparu. On supposa qu'elle avait été volée, ou vendue, par l'un des membres de la famille. Quoi qu'il en soit, privée de la protection du Cœur d'or, cette branche de la famille avait connu le malheur et la souffrance, et avait même fini par s'éteindre définitivement. Ces légendes frappaient tellement l'imagination qu'il était difficile de ne pas se laisser aller à y croire.

Mais le plus étrange, c'était la réapparition de ce Cœur d'or au milieu du reste de la collection. D'où venait-il ? Comment son frère l'avait-il retrouvé ? Et pourquoi ne lui en avait-il rien dit ?

Ils s'étaient vus deux jours plus tôt, et Roark devait déjà savoir pour la statuette. Pourquoi n'en avait-il soufflé mot ?

— Roark vous a-t-il envoyé ces photos ?

— Je viens de les recevoir par fax ce matin, dit-elle en lui reprenant la première photo pour la contempler d'un air émerveillé. Magnifique ! Absolument magnifique ! Et c'est Waverly's qui a mis la main dessus.

C'était énorme. Vance examina les feuillets qu'elle lui avait laissés, étudiant les photos de trois autres pièces de la collection, et un sourire de fierté étira ses lèvres. Roark avait réussi. Il avait apporté à Waverly's les objets de collection les plus recherchés au monde, et ce, à un moment où l'entreprise avait sérieusement besoin d'une bonne presse. C'était un cadeau du ciel, et il arrivait à point nommé.

— Où se trouve la statuette ? demanda-t-il.

Ann leva les yeux vers lui comme s'il venait de la tirer d'un rêve. Ces deux dernières semaines, un climat de tension et de méfiance avait régné dans toute l'entreprise, et cette nouvelle pouvait tout changer. Pour Ann, ainsi que pour Waverly's.

— Elle est à l'abri dans un coffre à l'étranger jusqu'à ce que Roark puisse la rapporter en toute sécurité. Mais elle a été authentifiée, Vance. Il n'y a pas d'erreur. C'est réellement le Cœur d'or manquant.

Il hocha la tête en silence.

— Je veux annoncer la nouvelle à la presse sans plus attendre, déclara Ann. Mais, auparavant, je souhaitais connaître votre opinion. Nous ne pouvons pas nous permettre la moindre erreur. Il y va de la réputation de Waverly's.

Il était du même avis. S'il s'avérait que la statuette était un faux, Waverly's perdrait toute crédibilité. L'entreprise était dans une mauvaise passe, et ils ne pouvaient risquer une campagne de presse négative.

— Vous le savez aussi bien que moi, Roark connaît son affaire, répondit-il en faisant face à Ann. Personne au monde n'a un instinct aussi sûr que lui, ni son expertise en matière d'antiquités. S'il affirme que la statuette est authentique, je n'ai aucune raison d'en douter.

Son frère possédait un talent unique pour dénicher des pièces que les autres avaient négligées, grâce à sa connaissance encyclopédique de l'univers de l'étrange et du baroque. Il avait réussi à acquérir pour l'entreprise des œuvres d'art que personne d'autre n'avait approchées.

— C'est exactement mon opinion, déclara Ann avec un soupir de soulagement. J'avais seulement besoin d'une confirmation. Mon Dieu, Vance ! Vous imaginez ce que cela signifie pour Waverly's ?

— J'en suis parfaitement conscient. C'est une découverte extraordinaire, au moment où nous en avons le plus besoin.

— Ces quelques derniers jours ont été difficiles, je sais, reconnut Ann. Mais cette découverte pourrait nous remettre sur la voie du succès.

— J'en suis sûr. Mais pourquoi diable Roark a-t-il laissé une pièce de cette valeur dans un coffre à l'étranger ? Pourquoi ne pas la rapporter immédiatement ?

— Il n'en a pas eu le temps, répondit Ann, balayant cet argument d'un revers de main négligent. Après son voyage au Moyen-Orient, il a dû partir pour l'Amazonie, pour une rencontre secrète avec un autre de ses contacts. S'il avait pris le temps de rapporter la collection Raya chez nous, il aurait pu manquer une autre acquisition importante.

Vance n'en était pas moins contrarié. Le Cœur d'or était une pièce légendaire. Des collectionneurs du monde entier recherchaient la statuette disparue depuis un siècle. La laisser dans un coffre n'était pas sans risques.

— Quand Roark doit-il rentrer ?

— Je l'ignore, répondit Ann, souriant toujours à la photo qu'elle tenait entre les mains. Il a dit qu'il s'attendait à quelques problèmes avec sa dernière acquisition.

— Des problèmes ? Quels problèmes ?

— Il ne l'a pas précisé.

— Cela ne m'étonne pas de lui. Que cherche-t-il donc en Amazonie ?

— Il ne l'a pas précisé non plus. Roark reste toujours très évasif sur ses expéditions, vous le savez aussi bien que moi. Mais vous savez également qu'il est le meilleur dans sa profession.

— Oui, je le sais, répondit-il. Mais ce n'est pas pour autant que j'approuve ses méthodes de travail.

— Oubliez tout le reste une seconde, Vance. Ne comprenez-vous pas ce que cela signifie pour nous ? Dans une vente aux enchères, le Cœur d'or pourrait rapporter près de deux cents millions de dollars. Peut-être davantage. Sans même mentionner le reste de la collection, qui est véritablement extraordinaire.

— Je sais tout cela, Ann.

Malgré tout, l'étrange malaise qu'il ressentait ne parvenait pas à le quitter. Peut-être était-ce à mettre sur le compte de l'atmosphère de suspicion des deux dernières semaines. Néanmoins, il avait le sentiment diffus qu'un danger les guettait. Il ne doutait pas un seul instant de l'authenticité de la statuette. Roark avait certifié qu'il s'agissait de l'original, et pour lui, c'était suffisant. Mais pourquoi maintenant ? Etait-ce une coïncidence que la découverte susceptible de tirer Waverly's de cette très mauvaise passe arrive ainsi à point nommé ?

— Ce n'est pas seulement la vente elle-même qui va nous tirer d'affaire, poursuivit Ann. Avec tous ces événements qui se précipitent, cette découverte est la grande nouvelle dont nous avions besoin. L'acquisition de cette statuette va nous donner un avantage considérable par rapport à nos concurrents. Nous serons au-dessus de tout reproche, et aucune rumeur ne pourra plus atteindre aucun de nous.

Elle baissa la voix.

— Nous verrons bien si Dalton sera encore capable de nous jouer un de ses tours, ajouta-t-elle.

Il la dévisagea. Y avait-il plus de vérité dans ces rumeurs qu'elle ne l'avait prétendu ? Elle les avait niées en bloc devant le conseil, mais avait-elle dit la vérité ? Il était probable qu'elle mentirait pour sauver sa tête, mais irait-elle jusqu'à trahir Waverly's ?

Il ne le pensait pas. En revanche, ce qui était évident, c'était qu'elle était à bout de nerfs. Son regard, d'ordinaire objectif et froid, brûlait d'un feu intérieur, d'une excitation qu'il n'y avait jamais observée auparavant.

Qui sait ? Dans cette affaire, Charlie n'était peut-être pas la seule à faire l'objet de mystérieuses menaces. Ann se battait peut-être, elle aussi, contre ses propres démons.

— Ils sont tous là ?

Charlie tourna la tête vers Vance, qui lisait les messages du maître chanteur sur l'écran de son ordinateur. La chaleur de son corps si proche l'envahissait peu à peu, lui montait à la tête et lui obscurcissait les idées. C'était un miracle qu'elle arrive encore à respirer.

Leurs regards se croisèrent, et il dut remarquer quelque chose dans son expression, car les paillettes d'or dans ses yeux bruns brillèrent soudain avec plus d'éclat.

— Si vous continuez à me regarder de cette façon, nous n'allons jamais avancer dans notre travail.

— Désolée, dit-elle, se sentant rougir malgré elle.

Espèce d'idiote, se tança-t-elle silencieusement. *Il essaie seulement de t'aider. La moindre des choses, ce serait de rester cohérente.*

— Ce sont bien là tous les e-mails que j'ai reçus, ajouta-t-elle. A part, bien sûr, celui de ce matin.

— Un autre message ? répéta-t-il d'un ton tranchant. Allez-y, affichez-le.

Elle avait hésité à lui faire lire le dernier, ce qui n'avait pas de sens puisqu'elle lui avait déjà montré tous les autres. Mais cet e-mail avait un caractère plus sombre, plus effrayant. A vrai dire, elle redoutait même de le relire elle-même. Néanmoins, elle obtempéra et cliqua sur le message, qui s'afficha à l'écran :

Plus question d'essayer de gagner du temps. Donnez-moi ce que je demande, ou vous perdrez votre gosse. Je sais où vous habitez. Je connais tous vos secrets. J'en ai assez de prendre des gants avec vous. Contactez-moi demain à 17 heures. Sinon…

— L'ordure, marmonna Vance, les dents serrées. Lui avez-vous répondu ?

— Oui. Lorsque j'ai reçu les premières menaces, j'ai tenté de lui faire dire qui il était. Naturellement, il a refusé. Et, après avoir reçu ce dernier message, ce matin, j'ai répondu en lui demandant un nouveau délai. Il n'a pas encore répondu. Je ne sais plus quoi faire. Je ne peux pas voler Waverly's et, si je lui dis la vérité, je risque de perdre mon fils…

— Personne ne vous prendra Jake.

— Je ne peux pas courir ce risque, murmura Charlie, s'efforçant de ne pas céder à la panique qu'elle sentait monter en elle. Je dois agir, d'une façon ou d'une autre.

Il hocha la tête d'un air songeur, le regard fixé sur le message de menace.

— Il sait où vous habitez.

— Oui, je sais, dit-elle, réprimant un frisson.

Recevoir ces affreux e-mails avait été une expérience angoissante, mais l'idée que cet inconnu qui la menaçait puisse surgir à tout moment devant sa porte était tout bonnement terrifiante.

— C'est effrayant de savoir qu'il est là quelque part à m'observer.

— En tout cas, je vous garantis qu'il n'en aura plus l'occasion.

— Je ne vois pas ce que je peux faire pour l'en empêcher.

— Moi, je le sais, gronda Vance d'une voix basse, menaçante. Jake et vous allez emménager chez moi quelque temps.

Charlie le dévisagea, stupéfaite. Alors que son esprit lui disait que c'était impossible, son corps pétillait littéralement de joie. Et, quelque part entre ces deux pôles, elle s'efforçait de donner un sens à ce qu'elle venait d'entendre. Sans y parvenir.

— Je ne peux pas accepter, déclara-t-elle d'un ton ferme, décidant d'écouter la voix de la raison plutôt que l'appel de ses sens.

— Ma décision est prise, répliqua-t-il. Je ne vais pas vous laisser le choix.

— Pardon ? dit-elle, redressant le menton pour affronter son regard. Vous n'avez pas à me donner d'ordres, ni...

Elle s'interrompit et sembla réfléchir une seconde, avant de se reprendre :

— D'accord, vous pouvez me donner certains ordres, puisque vous êtes mon patron. Mais pas celui-là.

— Charlie, répondit-il en soupirant, vous désirez que Jake soit en sécurité, n'est-ce pas ?

— Bien sûr. Quelle question ridicule !

— C'est pourquoi vous allez venir vous installer chez moi. Ce type sait où vous habitez, ce qui signifie que Jake et vous n'êtes plus en sécurité dans cet appartement.

Elle n'avait nullement envie d'être la « bonne action » de l'année de Vance Waverly. Elle n'était pas comme ces femmes pitoyables qui ont besoin d'un homme fort volant à leur rescousse. Mais dans le secret de son cœur, elle devait aussi admettre qu'elle n'avait pas davantage envie de rentrer chez elle et de s'inquiéter sans cesse de cette menace sans nom et sans visage. Elle aurait pu s'installer chez Katie, mais son appartement était encore plus petit que le sien. Et puis, elle ne voulait pas mettre son amie en danger.

Devait-elle accepter ? Pouvait-elle prendre le risque de cohabiter avec son patron ? Même pour assurer la sécurité de son fils, était-ce une décision raisonnable ? Elle plongea son regard dans celui de Vance et, dans ces profondeurs pailletées d'or, elle lut la plus féroce détermination. *C'est une erreur*, décida-t-elle. *Et même une erreur monumentale.*

Mais, en dépit de ses efforts, elle ne trouva aucun argument logique pour refuser son offre.

9

Sur l'insistance de Vance, ils s'étaient absentés du bureau une partie de l'après-midi, et Vance l'avait aidée à installer ses affaires et celles de Jake, dans son grand appartement en terrasse. Le bébé était maintenant à la crèche de Waverly's, et Charlie tentait de trouver ses repères dans ce lieu qui serait leur nouveau cadre de vie.

Un seul regard à l'appartement avait suffi à la convaincre que ce déménagement était une très mauvaise idée. Son appartement tout entier aurait tenu facilement dans ce salon, et il resterait encore de la place. Tout le mur du fond était occupé par une immense baie vitrée offrant une vue spectaculaire de l'Hudson. Des bateaux de plaisance croisaient çà et là, parmi des kayaks d'un jaune vif, qui à cette distance étaient comme des taches de couleur flottant sur les eaux bleu sombre du fleuve. La nuit, le panorama devait être spectaculaire.

L'immense pièce, magnifique, avait été décorée par un décorateur d'intérieur dans un style sobre, et elle était totalement inappropriée pour les besoins d'un enfant en bas âge. Il y avait un coin conversation, avec un grand canapé de cuir noir et des fauteuils assortis groupés autour d'une table basse, et d'autres sièges semblables devant une cheminée qui, pour l'instant, était éteinte. Des tables noires laquées sur un sol de terre cuite recouvert de coûteux tapis. Et, çà et là autour de la pièce, des lampes ressemblant davantage à des œuvres d'art contemporain qu'à des appareils d'éclairage ordinaires.

— Vous voyez ? dit-il en écartant les bras. Il y a toute la place nécessaire.

— Pour moi, et pour toute une armée, marmonna-t-elle tout bas en le suivant dans le couloir qui conduisait aux trois chambres. En passant, elle jeta un coup d'œil dans la chambre principale, et son cœur bondit dans sa poitrine en voyant le lit, immense et engageant, avec sa couette bleu nuit et la montagne d'oreillers entassés contre la tête de lit de laque noire.

— Vous aimez le noir, n'est-ce pas ? dit-elle.

— Cela s'harmonise avec tout, répondit-il en haussant les épaules. En tout cas, c'est ce que le décorateur m'a affirmé.

— Je vois, dit-elle en hochant la tête. Le décorateur.

C'était encore une différence entre eux. Même si elle avait un jour les moyens de faire appel aux services d'un décorateur, elle ne permettrait jamais à personne de meubler sa maison. Son havre de paix, son refuge. Elle tiendrait à imprimer sa marque sur les lieux. Dans cette grande pièce, par exemple, elle aurait placé des fauteuils moelleux, des tapis moins coûteux mais plus doux, et des tables basses sur lesquelles on pouvait poser les pieds sans courir aussitôt chercher le détergent pour effacer les traces. Et elle aurait fait entrer la couleur dans ces murs — du bleu, du vert, et même une touche de jaune lumineux. Tout pour sortir de ces noir, blanc et gris qui…

Arrête tout de suite, se morigéna-t-elle. *Cette maison n'est pas la tienne. Tu ne vas pas rester ici. Tu n'es qu'une invitée, et probablement pas pour longtemps. Alors, contente-toi de sourire et d'être aimable.*

Il ouvrit la porte de l'une des chambres d'amis, et elle fut réellement soulagée de découvrir des murs bleu pâle, des fauteuils bleu roi placés devant une cheminée, ainsi qu'un lit dans les tons bleu pâle et vert. Une pièce radicalement différente du reste de l'appartement.

— C'est adorable ! s'exclama-t-elle.

— Cela semble vous surprendre.

— C'est vrai, reconnut-elle, s'abstenant d'ajouter qu'elle s'était attendue à trouver encore du noir. Cette chambre n'est pas du tout comme je le pensais. Merci.

— Tout le plaisir est pour moi. La salle de bains se trouve de ce côté.

Il lui montrait un espace digne d'un palais, au carrelage de la couleur du bleu du ciel, aux lavabos du même blanc que la gigantesque baignoire habillée d'un parement de teck. Le fond de la pièce était occupé par une cabine de douche suffisamment grande pour... *toutes sortes de choses.*

Elle réprima fermement l'image qui venait de surgir dans son esprit. Comme le reste de l'appartement, la salle de bains était d'une élégance recherchée, intimidante.

— Votre chambre communique avec la chambre voisine par cette salle de bains, et cela devrait s'avérer très pratique pour Jake. Je peux faire monter un berceau ici dans une heure.

— Vous n'êtes pas obligé de faire tout cela, Vance. En fait, tout ceci est inutile. Jake et moi nous en sortirons très bien, et...

— Oui, j'en suis sûr, coupa-t-il. Et c'est ici que vous vous en sortirez le mieux.

Il posa les mains sur ses épaules, et la chaleur de ses paumes s'irradia dans tout son corps. Elle était séduite. Totalement sous son charme. Comment avait-elle pu le croire froid et distant ? Au cours des deux dernières semaines, il lui avait prodigué plus de soins et plus d'attentions qu'aucune autre personne dans toute sa vie.

Et à présent, il lui avait même ouvert la porte de sa maison. Pourquoi ? Elle lui avait honnêtement avoué qui elle était, et il devait donc savoir que ce qui les attirait l'un vers l'autre ne pouvait pas durer. Que c'était un mirage. Que cela n'aurait jamais dû commencer. Alors, pourquoi ne lui avait-il pas tourné le dos ?

Il lui avait déclaré qu'il ne croyait pas qu'elle complotait contre Waverly's. L'explication était-elle plus simple ? Avait-il prévu de faire d'elle sa maîtresse, puis de la licencier ? Elle refusait de le croire. Vance Waverly n'était pas ce genre d'homme. Elle ne voulait pas douter de lui. Mais il demeurait qu'elle avait commis une erreur en acceptant d'emménager chez lui, même de façon temporaire.

— Ce type sait exactement où vous trouver, Charlie, déclara Vance, comme s'il avait lu dans ses pensées. Que ferez-vous s'il se lasse des e-mails, et qu'il décide de vous rendre une petite visite en personne ?

— Je sais, répondit-elle, frissonnant à cette idée. Mais je me sens coupable, Vance. Vous avez été si gentil avec moi…

— Soyez raisonnable, Charlie, murmura-t-il en l'attirant à lui. Vous n'êtes pas obligée d'affronter ce danger toute seule. Je ne suis pas gentil avec vous. Je désire seulement que votre fils et vous soyez en sécurité, et c'est ici que vous courrez le moins de risques. Comme vous le voyez, j'ai toute la place nécessaire pour vous accueillir. Alors, quel est le problème ?

— Vance, j'apprécie énormément ce que vous faites, dit-elle en levant les yeux vers lui, mais vous n'avez jamais vécu avec un bébé chez vous.

— Laissez-moi m'occuper de cela, d'accord ? Laissez-moi vous aider.

Il la fixait d'un regard intense, presque suppliant, et

même si elle savait qu'elle regretterait un jour sa décision, elle savait déjà aussi qu'elle resterait.

— Soit, dit-elle d'une voix douce, reconnaissant enfin dans le secret de son cœur que pour rien au monde, elle n'aurait aimé se trouver ailleurs. Nous allons rester.

— Parfait, dit-il en prenant sa main. A présent, je vais vous faire faire le tour du propriétaire.

La visite du reste de l'appartement la laissa sans voix. Vance vivait dans un luxe inouï, et elle sut avec certitude qu'elle ne se sentirait jamais à l'aise dans ce palais. Même la cuisine avait été agencée pour l'usage d'un grand chef étoilé. Elle avait l'impression de se trouver dans une maison-témoin. Un espace conçu pour appâter d'éventuels acheteurs fortunés, les séduire avec ses lignes nettes et son mobilier élégant.

Mais ce n'était pas un vrai foyer. Elle ne s'y sentait pas chez elle. Son seul lien avec ce lieu, c'était Vance.

— Ne vous faites aucun souci pour Jake s'il veut sortir dans le jardin, poursuivait Vance en allant ouvrir de grandes portes coulissantes. C'est un espace parfaitement sécurisé.

Elle le suivit sur l'immense terrasse-oasis, et la vue qui s'offrait à elle lui coupa le souffle. Ils étaient au moins à trente étages au-dessus de la rue, et le panorama était stupéfiant — tant qu'elle ne regardait pas à ses pieds. Des plantes exotiques formaient un décor insolite, et toutes les fleurs de l'été éclataient en brillantes couleurs dans de grandes jardinières. Il y avait une table de verre entourée de fauteuils à un bout de la terrasse, ainsi que quelques chaises longues recouvertes de tissu blanc près d'un barbecue.

— Oh ! je ne pense pas que Jake ait besoin de sortir ici, dit-elle en s'approchant du bord pour jeter un très bref coup d'œil à la rue à ses pieds. Il sera très bien à l'intérieur.

— Charlie ! protesta Vance en riant. Jake ne risque rien, ici.

— C'est très haut.

— Et nous sommes protégés par une balustrade de pierre surmontée d'un écran de Plexiglas d'un mètre de haut. Il est totalement impossible qu'il puisse tomber de cette terrasse.

Cette seule pensée lui donnait la nausée.

— Je suis certaine qu'il n'y a pas de danger, répondit-elle. Mais de toute façon, nous ne resterons pas ici très longtemps.

Il la rejoignit en deux enjambées. Il la saisit par les épaules et l'attira à lui, plongeant son regard au fond du sien.

— Ne faites plus cela, murmura-t-il. Ne parlez plus de partir.

— Je n'ai pas dit que j'allais partir tout de suite, argua-t-elle, ignorant la voix de sa conscience qui lui conseillait exactement le contraire.

Qui lui soufflait de s'échapper avant qu'il ne soit trop tard. Avant que son cœur ne soit irrémédiablement engagé.

Avant qu'elle ne commette une autre erreur stupide, celle de tomber amoureuse de Vance Waverly.

— Vous l'avez pensé très fort, répliqua-t-il en riant. Dans votre esprit, vous avez déjà un pied dehors, et vous n'êtes arrivée que depuis dix minutes à peine. Cessez de vous inquiéter, Charlie. Vous êtes ici, maintenant. Avec moi. Et il n'est pas question que je vous laisse repartir.

Elle aurait dû argumenter. Lui rappeler qu'elle allait et venait quand cela lui plaisait, et qu'il n'avait pas à décider pour elle en dehors du cadre du bureau.

Mais ces mots ne franchirent jamais ses lèvres. Elle capitula devant les exigences de son cœur et de son corps. Elle se blottit contre lui et murmura dans un souffle :

— Très bien, alors.

Elle vit son visage s'illuminer d'un bref sourire, puis ses lèvres se penchèrent vers les siennes et, de nouveau, elle se sentit emportée dans un torrent de sensations que seul Vance savait faire naître en elle. Chaque cellule de son corps s'éveillait à la vie et un délicieux picotement parcourait sa peau. Quant à son cœur, il était déjà perdu.

Il la serra plus étroitement contre lui, ses mains vigoureuses caressant son dos en un doux va-et-vient, jusqu'à ce qu'un gémissement monte du fond de sa gorge. Elle se cramponna à ses épaules et s'abandonna avec délices dans ses bras. Il avait retiré sa veste de costume, et elle sentait sa musculature noueuse sous le doux tissu de sa chemise. Elle se prit à imaginer sa peau nue contre la sienne.

Le soleil les réchauffait de ses rayons. Se jouant de la barrière de Plexiglas, la brise d'été se prenait dans les fleurs de la terrasse, et leur parfum l'enveloppa soudain d'une fragrance aussi enivrante que les caresses de Vance.

— J'ai l'impression d'avoir attendu cet instant depuis des années, murmura-t-il tout contre sa bouche.

Elle ressentait la même chose. Ses mains puissantes parcouraient son dos, caressaient, exploraient. A chaque caresse, sa peau prenait feu. Ils vivaient un instant magique. Tout son corps vibrait de sensations merveilleuses. Comme s'il avait attendu ces caresses depuis toujours pour s'éveiller presque douloureusement à la vie.

Il l'embrassa de nouveau, comme un homme affamé de ce qu'elle seule pouvait lui offrir. Le désir sous-tendait chacun de leurs gestes, chacun de leurs soupirs, et les secondes devenaient des minutes.

Elle sentait son cœur battre si fort qu'elle peinait à respirer. Mais peu lui importait. Elle ne vivait que pour la prochaine caresse, le prochain baiser brûlant. Sa conscience explosait en mille fragments, la privant de toute pensée cohérente, et son corps brûlait d'un désir au-delà de tout ce qu'il avait pu connaître jusqu'à cet instant. A des années-lumière de ses expériences passées.

— Vous me rendez fou depuis des jours, Charlie, murmura Vance tout contre ses lèvres. Je n'ai pas cessé un instant de penser à vous.

Elle rit, enivrée par son pouvoir, et, d'un geste rapide, elle lui retira sa cravate rouge sombre.

— Ah? fit-elle. Et de quelle façon?

— Ce sont vos cheveux, répondit-il.

Joignant le geste à la parole, il ouvrit la barrette qui retenait ses longs cheveux sur sa nuque, et ses boucles blondes tombèrent en cascade sur ses épaules, dansant dans la brise.

— J'avais envie de dénouer vos cheveux depuis la première seconde où je vous ai vue. Cela valait la peine d'attendre.

— Mes cheveux vous troublent à ce point?

— Et aussi ces escarpins que vous portez, ajouta-t-il en défaisant le premier bouton de son chemisier.

— Mes chaussures, vraiment? s'étonna-t-elle, baissant les yeux vers ses escarpins noirs tout simples.

— Ce qu'ils font à vos jambes devrait être interdit par la loi.

— Vraiment? s'exclama-t-elle en rosissant de plaisir.

— Vous mentirais-je? Je songe même à les faire immortaliser dans le bronze.

Elle partit d'un rire clair. Elle se sentait heureuse, débarrassée de tous ses soucis, plus vivante qu'elle ne l'avait été depuis des années.

— Oui, c'est cela, riez. Je suis celui qui souffre, à vous regarder aller et venir dans le bureau.

Ses mains toujours en mouvement avaient terminé

de déboutonner son chemisier, repoussant le tissu pour découvrir le soutien-gorge de dentelle et la poitrine généreuse qu'il abritait.

— Vous êtes extraordinaire, dit-il dans un souffle.

Les doigts de Charlie n'étaient pas non plus restés inactifs, et s'affairaient sur les boutons de sa chemise blanche. Elle brûlait de le caresser à son tour, de sentir sa peau tiède sous ses doigts. Il se figea à ce contact, son regard brûlant de désir fixé sur elle. La chemise sitôt déboutonnée, elle posa les mains à plat sur son torse puissant, laissant glisser ses doigts sur la légère toison sombre en son centre. Il cessa de respirer, et elle découvrit qu'il était aussi sensible à ses caresses qu'elle aux siennes.

— Je ne peux plus supporter d'attendre une minute de plus, Charlie. Nous n'avons déjà que trop attendu. Je dois vous faire l'amour.

— Oui, Vance. Oh, oui !

Elle avait toujours su que ce moment viendrait. Et ce, dès la seconde où elle était entrée dans ce bureau pour devenir son assistante. Chaque parole, chaque regard les avait conduits inexorablement vers ce dénouement.

Elle se sentait belle, désirée. Elle était prête.

Elle porta ses doigts à l'attache frontale de son soutien-gorge, puis elle regarda tout autour d'elle et se figea. Ils étaient dehors sur une terrasse, en plein jour, même s'ils n'étaient visibles que des avions et des oiseaux migrateurs.

— Nous… nous serions peut-être mieux à l'intérieur.

— Où avais-je la tête ? répondit-il en riant. Voilà l'effet que vous avez sur moi. J'avais totalement oublié où nous nous trouvions.

Alors il la souleva dans ses bras et la porta à grands pas à l'intérieur de l'appartement.

— Vance ! s'exclama-t-elle en riant, son visage tout près du sien. Je peux marcher, vous savez.

— Je n'en doute pas, dit-il en haussant les épaules. Mais de cette façon, je peux garder les mains sur vous.

— Dans ce cas, bien sûr…

Il traversa l'appartement sans ralentir et entra dans la grande chambre. Quelques secondes plus tard, Charlie était allongée sur le dos au centre du lit immense, les yeux levés vers lui.

Son cœur battait très fort, mais elle s'efforça de maîtriser sa nervosité. Même si ce qu'ils s'apprêtaient à faire était une erreur, elle la commettait au moins en connaissance de cause. Un jour, elle regretterait peut-être d'avoir fait l'amour avec lui, mais, aujourd'hui, elle était au paradis.

Il la contempla un long moment dans un silence admiratif.

— Tu ne peux pas savoir combien de nuits je t'ai imaginée là, allongée exactement de cette façon, déclara-t-il.

Elle sourit, heureuse d'avoir occupé ses pensées comme il occupait les siennes.

— Et dans tes rêves… étais-je tout habillée ?

— Non, reconnut-il, la couvant d'un regard gourmand. Tu ne portais que ces escarpins et tu me souriais de ton magnifique sourire.

Un frisson d'excitation la parcourut tout entière. Sa peau était brûlante, et son sang semblait bouillonner dans ses veines. Elle n'avait jamais éprouvé une telle sensation de toute sa vie.

Sans détacher son regard du sien, elle se tortilla pour s'extraire de sa jupe et la lança au loin. Sous le regard brûlant de Vance qui suivait chacun de ses gestes, elle se redressa alors en position assise pour se débarrasser du chemisier et le jeter à son tour sur le tapis.

Elle ne portait plus que son soutien-gorge de dentelle et sa culotte assortie, ainsi que les escarpins qu'il semblait tant apprécier.

— Ne t'arrête pas maintenant, je t'en supplie ! protesta-t-il d'une voix étranglée.

Dans la lumière tamisée qui filtrait à travers la fenêtre derrière lui, son visage restait dans l'ombre tandis qu'il la buvait des yeux, parfaitement immobile. Mais elle sentait parfaitement la brûlure de son regard rivé sur elle.

Il la fixait comme un homme affamé fixerait une table généreusement servie et, avec de gestes lents, elle ôta son soutien-gorge et le fit glisser sur ses épaules, exposant sa poitrine. Elle frissonna, mais ce n'était pas à cause de la fraîcheur de l'air. C'était le regard de Vance, qui semblait la dévorer. Elle se sentait à la fois embarrassée par sa nudité et incroyablement excitée — une intéressante combinaison, qui faisait battre son cœur comme s'il allait éclater et qui transformait chaque respiration en combat titanesque.

Elle demeura ainsi un instant face à lui, uniquement vêtue de sa culotte. Mais, lorsqu'elle glissa les doigts sous l'élastique pour l'ôter, il posa vivement sa main sur la sienne.

— Non, attends ! murmura-t-il d'une voix rauque de désir. Je tiens à le faire moi-même.

Le souffle coupé, elle le regarda se déshabiller rapidement. Elle ne pouvait pas détacher son regard de ce corps sculptural. Même dans ce contre-jour, il était magnifique. Il avait un large torse aux muscles parfaitement dessinés, de longues jambes minces et...

Par un héroïque effort de volonté, elle s'obligea à relever le regard jusqu'à ses yeux.

— Nous avons suffisamment attendu, Charlie, murmura-t-il.

Pour toute réponse, elle lui ouvrit les bras. Elle aussi en avait assez d'attendre. Elle désirait sentir ses bras autour d'elle, ses caresses sur tout son corps. Elle désirait Vance.

Il la rejoignit sur le lit, sa peau brûlante formant un délicieux contrepoint à la fraîcheur de la soie de la couette sous son corps. Cueillant ses seins dans ses paumes, il en caressa les pointes sensibles jusqu'à ce qu'un gémissement monte du fond de sa gorge.

Puis ses mains s'aventurèrent sur le reste de son corps, prodiguant leurs caresses expertes. Jouant sur son corps comme sur un instrument de musique, il composa une symphonie de gémissements et de soupirs, explorant chaque courbe, chaque vallée. Ses doigts glissèrent enfin lentement sur son ventre jusqu'à l'élastique de sa culotte de dentelle blanche. Elle cessa de respirer.

— Vance…

Sa main se glissa sous le minuscule triangle de dentelle, trouva sa chaleur et s'immobilisa.

— S'il te plaît, continue ! supplia-t-elle en creusant les reins pour aller à la rencontre de ses caresses.

Plus rien n'avait d'importance que de sentir de nouveau ses mains la caresser, de s'abandonner à l'orgasme qu'elle sentait monter en elle.

— Je t'en supplie, continue. S'il te plaît !

Il tourna la tête pour plonger son regard tout au fond du sien, et un sourire étira les coins de ses lèvres.

— Pas tout de suite, murmura-t-il. Je veux que tu me désires autant que je t'ai désirée, Charlie.

— C'est déjà le cas, je te le jure ! gémit-elle en oscillant des hanches contre sa paume.

— Pas encore, dit-il tout bas. Mais bientôt.

Il inclina alors la tête pour saisir la pointe durcie d'un sein entre ses lèvres, la torturant délicieusement, avant de se tourner vers sa jumelle, jusqu'à ce qu'elle gémisse de volupté, voguant sur la crête d'une vague de plaisir qui montait lentement en elle, jusqu'à ce que plus rien n'existe dans l'univers, hormis la bouche de Vance sur ses seins, sa main sur son sexe.

La pièce disparaissait, avalée par un brouillard de sensualité, et le rayon de soleil oblique n'était plus qu'une pluie d'or rejaillissant sur toutes choses. Elle n'avait plus besoin de voir. Seulement de le sentir, lui. Seule importait sa prochaine caresse.

— Il est temps de te débarrasser de ceci, murmura-t-il en tirant sur l'élastique de sa culotte, qui se brisa aussitôt.

— Enfin !

Il l'embrassa passionnément, et ses caresses se firent plus précises. Bientôt, elle tremblait et gémissait sous ses doigts, soulevant les hanches pour aller à la rencontre de cette douce torture.

— C'est si bon…, dit-elle d'une voix mourante.

— Cela va devenir encore meilleur, promit-il.

Brûlant d'un désir indicible, elle se cabrait sous lui, encourageant cette douce invasion du centre de son être. Mais ce n'était pas encore assez. Elle voulait le sentir tout entier dans son corps. Un orgasme gigantesque montait en elle, et elle tremblait d'attente, le désirait comme rien d'autre au monde.

— Maintenant, Vance, dit-elle d'une voix brisée. Je ne veux plus attendre. Je te désire. Je t'ai toujours désiré.

— Maintenant, murmura-t-il, les yeux dans les siens.

Lorsqu'il retira sa main, le sentiment de perte fut tel qu'elle se sentit au bord des larmes.

Quelques secondes plus tard, il arracha d'un geste vif ce qui restait de sa culotte et jeta négligemment le lambeau de dentelle par-dessus son épaule. Il caressa lentement ses jambes, et sourit en constatant qu'elle portait encore ses escarpins noirs à talons aiguilles.

— Est-ce un de tes fantasmes ? demanda-t-elle en riant.

— Pas avant d'avoir vu ce sourire satisfait sur tes lèvres.

— Je suis prête si tu l'es, dit-elle, tremblant d'impatience.

Il s'agenouilla entre ses jambes, glissa les mains sous ses hanches pour la soulever légèrement. Elle leva les yeux vers les siens, et y lut un désir égal au sien. Elle n'avait jamais rien vécu de semblable. Elle ignorait que le sexe pût être une expérience aussi… totale. Par le passé, cela avait toujours été… agréable. Plaisant. Mais ce terme était si pauvre pour décrire ce qu'elle ressentait dans ses bras. C'était un désir dévorant, primitif, inextinguible. Si elle ne le sentait pas en elle bientôt, elle savait qu'elle perdrait ce qui lui restait de raison.

Et alors que cette dernière pensée cohérente se frayait un chemin dans son cerveau embrumé de passion, il entra en elle d'un puissant coup de reins.

Le souffle coupé par cette merveilleuse invasion, elle prononça son nom dans un soupir et creusa les reins, l'accueillant plus profondément en elle, jusqu'à ce qu'il l'emplisse si totalement qu'elle ne pouvait plus imaginer renoncer à cette sensation. Comme si elle avait attendu cet instant toute sa vie. Attendu cet homme. Elle le sentait. Au plus profond de son âme, elle le savait.

Il se mit à aller et venir en elle, et elle se mit à l'unisson, tandis qu'il la conduisait dans une danse aussi ancienne que le temps lui-même.

Bientôt, ce doux va-et-vient se fit plus rapide, plus fiévreux, et elle s'abandonna avec lui sur la crête d'une vague de passion qui les emportait, toujours plus haut, toujours plus vite, jusqu'à ce qu'un orgasme cataclysmique explose en elle, la projetant dans un cri à travers un univers de lumière et de couleur. Elle entendit Vance crier son nom, puis il la rejoignit dans l'extase finale.

Ensuite, tels des naufragés sur une côte inconnue, ils

demeurèrent longtemps blottis dans les bras l'un de l'autre. Vance fut le premier à rompre le silence :

— Ce sont ces escarpins, murmura-t-il dans un soupir. Je suis sûr que ce sont eux. Ne t'en sépare jamais, Charlie.

Seul un rire heureux lui répondit.

10

Vingt minutes plus tard, Vance trouvait des biscuits salés, du fromage et une bouteille de chardonnay dans la cuisine. Il sortit deux verres et s'arrêta un instant pour penser à la femme qui l'attendait dans sa chambre.

Appuyé au plan de travail de granit, il se remémora l'extraordinaire sensation du corps de Charlie ne formant qu'un avec le sien. Le temps d'un instant, il s'était laissé aller à désirer que cette communion de leurs êtres dure toujours. Mais, presque aussitôt, il s'était ressaisi.

Le mot « toujours » ne faisait pas partie de son vocabulaire amoureux. Le temps d'une idylle se comptait en semaines. Au maximum en mois. « Toujours », c'était pour les gens trop stupides pour faire la différence entre amour et désir. Le désir est éphémère, et la passion s'éteint aussi vite qu'elle s'est allumée.

Fixant sans le voir le panorama de la ville à ses pieds, il soupira et s'intima de se reprendre. Ce qu'il vivait avec Charlie était fabuleux, mais ce n'était rien d'autre. Une passion.

Ce soudain besoin d'introspection ne prouvait qu'une chose : il avait attendu trop longtemps entre deux aventures. Cela faisait déjà trois mois qu'il avait cessé de voir Sharon — ou était-ce Karen ?

Fronçant les sourcils, il s'aperçut que non seulement il ne se souvenait plus de son prénom, mais qu'il avait aussi oublié tout le reste. Charlie, elle, était gravée dans sa mémoire de façon indélébile. Il ne pourrait pas l'oublier, même s'il ne devait jamais la revoir.

Ne jamais la revoir. Il s'aperçut soudain que cette idée le mettait terriblement mal à l'aise. Il tenta de se rassurer en se disant que c'était tout à fait naturel. Dans les débuts d'une liaison — et c'était ce qu'ils vivaient, Charlie et lui — tout paraît plus lumineux, plus passionné que ce que l'on a vécu précédemment.

Mais un doute le rongeait. Une voix dans son esprit lui chuchotait que Charlie était différente de toutes les femmes qu'il avait connues par le passé. Que ce qu'ils venaient de partager l'avait ébranlé jusqu'au tréfonds de son être.

Il n'était pas très pressé de comprendre ce que cela pouvait bien signifier pour son avenir.

Il prit le plateau et regagna la chambre. Sur le seuil, il s'arrêta une seconde, le temps de se faire une dernière recommandation :

— Reste dans la simplicité, espèce d'idiot !

— Est-ce toi que tu insultes ainsi ? s'étonna Charlie, assise sur le lit.

— Comment ? fit-il, revenant brusquement à la réalité.

— Tu avais une drôle d'expression. Comme si tu livrais un combat silencieux.

— Je te rassure, ce n'est pas le cas, mentit-il, étonné de découvrir qu'elle lisait si facilement dans ses pensées.

Ses concurrents en affaires disaient de lui qu'il avait l'impassibilité d'un joueur de poker professionnel. Que rien ne transparaissait jamais dans son expression. Pourtant, il avait suffi à Charlie d'un seul regard pour le percer à jour.

Très déconcertant, tout cela.

Nu, il traversa la chambre en quelques enjambées et posa son plateau sur la table de nuit. Puis il remplit leurs deux verres de vin. Exactement comme dans ses fantasmes, ses longs cheveux blonds étaient étalés sur le fond bleu nuit de la couette comme une couronne d'or autour de sa tête, et il ne put résister à une soudaine envie de les caresser. Ils étaient doux comme des fils de soie, et ils exhalaient un parfum de pêche. Décidément, songea-t-il, cette femme était comestible de la tête aux pieds.

— Ce vin est très bon, dit-elle en buvant sa première gorgée. Merci.

Il avala une généreuse gorgée de vin, espérant ainsi desserrer le nœud qui lui obstruait la gorge. Tout le fascinait chez elle, de sa façon de lécher du bout de la langue une goutte de vin sur ses lèvres, à ce geste avec lequel elle rejetait sa crinière blonde sur une épaule. Ou cette manière spontanée qu'elle avait de tendre la main pour caresser sa joue.

— Tout à coup, je n'ai plus très soif, déclara-t-il. Et toi ?

— Moi non plus.

Elle lui tendit son verre pour qu'il le repose avec le sien sur le plateau, puis elle effleura doucement sa joue du bout des doigts. Il emprisonna sa main dans la sienne.

— Ainsi donc, tu crois lire dans mes pensées ? murmura-t-il. Dans ce cas, tu vas pouvoir me dire à quoi je pense maintenant.

— Si tu penses ce que je crois que tu penses, alors nous pensons la même chose.

— Je me réjouis de l'entendre.

Il posa ses lèvres sur les siennes. Sa bouche avait une saveur divine, qui l'envahit tout entier comme un goût de paradis. Tout comme la première fois, lorsqu'il l'avait embrassée à l'ombre du saule centenaire, il sentit une très étrange sensation dans la région du cœur. Une sensation qu'il n'avait pas très envie d'analyser.

Pour le moment, il ne désirait qu'elle. N'avait besoin que d'elle. Il avait hâte de sentir sa douceur de soie, sa chaleur brûlante lorsqu'il entrerait en elle. Tout le reste pouvait attendre.

Il adorait la sensation de ses mains douces glissant sur son corps, la chaleur de ce contact transformant le feu qui couvait en lui en un incendie rugissant. Il la caressa, et elle lui rendit ses caresses. Lorsqu'elle parcourut lentement son dos de ses ongles, il ne put s'empêcher de frissonner de la tête aux pieds.

Cette femme faisait tomber toutes ses défenses comme aucune autre avant elle. Elle prenait possession de son corps, de son âme, de sa conscience, et il soupçonnait qu'elle s'était aussi emparée de son cœur. Et c'était un exploit que personne n'avait jamais réussi avant elle.

Il secoua la tête, refoulant ces pensées. Rien ne devait le détourner de cet instant. Il brûlait de désir, et il était impatient d'entrer de nouveau en elle. C'était là qu'était sa vraie place. Son paradis.

Il se redressa en position assise, l'entraînant avec lui. Puis, s'adossant à la tête du lit, il la souleva et l'installa à califourchon sur lui. Elle secoua la tête pour écarter ses longs cheveux de son visage, mais ceux-ci retombèrent comme de longs rubans blonds, recouvrant partiellement ses seins fabuleux. Les aréoles roses pointaient entre les boucles dorées, comme des trésors cachés attendant d'être découverts.

Elle posa les mains sur ses épaules, puis, s'agenouillant, elle le prit lentement en elle, centimètre par centimètre, et il guida son mouvement, les mains sur ses hanches, ses yeux rivés aux siens. Il lisait l'émerveillement dans ses yeux clairs, et il se perdit avec délices dans leurs profondeurs. Dans la chaleur qu'ils généraient ensemble. Dans le désir irrésistible qui les jetait l'un vers l'autre.

Pourquoi brûlait-il d'un désir encore plus insensé que la

première fois ? Ne devrait-il pas être rassasié ? Satisfait ?
Pourquoi avait-il plus que jamais soif de ses caresses ?

— Tu me rends fou, dit-il lorsqu'elle fut totalement
assise sur lui, leurs deux corps étroitement unis.

— Toi aussi, tu me rends folle, murmura-t-elle, ondulant
lentement des hanches.

— J'avais pensé que nous prendrions tout notre temps,
gémit-il, luttant pour se contrôler.

— Pourquoi attendre ?

D'un mouvement vif, il changea de position, l'allongeant
sur la couette, leurs deux corps toujours unis.

— Nous aurons tout le temps du monde pour la lenteur,
dit-il d'une voix rauque de désir. Plus tard.

— Oui, c'est cela, répondit-elle d'une voix mourante,
levant ses jambes pour les nouer autour de sa taille. Plus tard.

Enfouissant son visage au creux de son cou gracile, il
cessa de réfléchir aux conséquences et s'abandonna avec
délices à son instinct. A un désir sauvage qui exigeait
d'être enfin satisfait. Ce fut une étreinte fiévreuse, brûlante,
totale, et chaque soupir, chaque gémissement augmentait
encore son désir. Puis il la sentit trembler de tout son corps
alors qu'un orgasme explosait en elle, et elle cria son nom.
Alors, il se laissa lui-même basculer dans l'éblouissement
final, conscient uniquement de sa chaleur divine, de ses
bras serrés autour de lui. Et il ne bougea plus.

Un après-midi bien étrange, se dit Charlie, assise à
son bureau, une heure plus tard, occupée à dépouiller le
courrier de Vance.

Ils avaient fait l'amour dans son lit, et maintenant ils
étaient de retour au bureau comme si rien ne s'était passé.

Mais quelque chose s'était bel et bien passé, songea-t-elle,
esquissant un sourire. Même si elle n'était pas encore sûre
de ce que cela signifiait pour eux.

Dans un recoin de son esprit, elle se demanda s'il fallait vraiment que cela signifie quelque chose. Ne pouvait-elle pas simplement se contenter d'apprécier ce qu'elle avait, tant que cela durerait ? C'était la voie de la raison, mais elle savait déjà qu'elle serait incapable de la suivre. Elle n'avait jamais eu le goût de l'éphémère. Dans son esprit, rien n'égalait un foyer et une famille. Et où cela l'avait-il menée ?

Elle vivait chez son patron. Elle dormait dans son lit.

Et elle se demandait avec inquiétude ce que l'avenir lui réservait.

Pour une raison connue de lui seul, Vance était plein d'attentions pour elle et pour son fils. Il s'était montré très protecteur envers eux, et elle lui en était reconnaissante. Mais elle savait parfaitement qu'un jour ou l'autre, il retournerait à ces beautés à la tête vide qu'on avait toujours vues à son bras. C'était une idée déprimante.

Le téléphone sonna, et elle décrocha vivement.

— Oui ?

— J'aimerais que tu viennes tout de suite, Charlie, dit la voix de Vance, forte et claire. Je viens d'avoir une idée.

Elle poussa la porte de son bureau et demeura un instant sur le seuil, se délectant du spectacle.

Il trônait derrière son bureau immense, tel un roi au pouvoir absolu, et, lorsqu'il lui sourit, elle se trouva soudain incapable de toute pensée cohérente.

Oh, non ! songea-t-elle, atterrée. C'était arrivé.

Elle était tombée amoureuse de Vance Waverly.

Et elle s'était condamnée du même coup à la souffrance, car il ne lui rendrait jamais ses sentiments. Comment le pourrait-il ? Il connaissait à présent toute la sordide vérité à son sujet. Il savait d'où elle venait, dans quelle sorte de famille elle était née. Vance et elle étaient comme le jour et la nuit, comme la lumière et les ténèbres, la puissance et la faiblesse.

Elle dissimula sa souffrance derrière un sourire, priant pour qu'il ne remarque pas l'effort que cela lui coûtait. S'il ne lui restait plus que sa fierté, il était d'autant plus important de s'y accrocher.

— Quelle sorte d'idée ? s'enquit-elle en prenant place dans l'un des fauteuils face à sa table de travail.

Il s'adossa à son fauteuil de cuir et la fixa un instant, avant de déclarer :

— Je veux que tu envoies un e-mail à ce type qui te menace pour lui proposer une rencontre.

— Pourquoi ? s'exclama-t-elle, la gorge serrée de terreur.

— Parce que je veux découvrir qui il est. Par la même occasion, nous saurons aussi qui se cache derrière tout cela.

Il se leva et contourna son bureau pour venir s'asseoir dans le fauteuil près d'elle, et prit ses mains entre les siennes.

— Tu peux le faire, Charlie, ajouta-t-il. Nous savons déjà que ce n'est pas une coïncidence que tu aies reçu le premier e-mail du maître chanteur le jour de la parution de l'article sur Ann et Dalton. Ton mystérieux maître chanteur est la même personne qui complote pour détruire Waverly's.

— Mais, Vance…

— Je serai là, rassure-toi. Pas exactement avec toi, mais je serai tout près. Je ne te perdrai jamais de vue, et je veillerai à ce que tu ne coures aucun danger. Je suis persuadé que c'est notre meilleure chance de mettre cet individu hors d'état de nuire.

Elle n'était pas très emballée par son plan. L'idée de se retrouver face à face avec l'homme qui la menaçait la terrorisait, et elle n'avait pas honte de l'admettre. Elle comprenait parfaitement que Vance ait choisi cette solution, mais c'était *son fils* qui était en danger.

— Et s'il te voyait ? demanda-t-elle. Et s'il mettait à exécution ses menaces de me faire retirer la garde de Jake ?

— Cela n'arrivera pas.

— Tu ne peux pas le garantir.

— Non, reconnut-il. C'est vrai.

— Pourquoi ne pas simplement contacter la police ?

— Parce que la presse serait aussitôt alertée. Je suis navré, Charlie. Waverly's ne peut se permettre de courir ce risque.

— Non, bien sûr, admit-elle, réprimant un frisson. Moi non plus, je n'ai pas envie de voir cette histoire étalée dans les journaux.

— Je peux m'arranger pour qu'un agent de l'équipe de sécurité de Waverly's reste dans les parages en vêtements civils. Et je serai là aussi. Il ne t'arrivera rien, Charlie, et personne ne te prendra Jake. Si quelqu'un s'avisait d'essayer, j'engagerais les meilleurs avocats de la ville pour te défendre. Tu ne perdras pas ton fils, Charlie. Tu dois me faire confiance.

Elle pensa à Jake, en sécurité dans la crèche quelques étages plus bas, et, à l'idée d'être séparée de son bébé, son cœur se serra douloureusement.

— D'accord, répondit-elle sans se laisser le temps de changer d'avis. Nous ferons comme tu le souhaites.

Il l'attira à lui et l'embrassa passionnément, faisant naître un torrent de sensations en elle, dissipant d'un seul coup le froid qui avait envahi son être.

— Bravo, murmura-t-il. Mon plan va fonctionner, tu verras. Ce type voulait que tu le contactes avant demain 17 heures, n'est-ce pas ?

— Oui, répondit-elle, la gorge serrée.

— Nous attendrons donc jusqu'à 16 h 45. Tu lui enverras alors un message lui proposant de te retrouver quelque part. Tu lui écriras que tu refuses de lui donner quoi que ce soit avant de lui avoir parlé en personne.

— Et s'il refuse ?

— Il ne peut pas se permettre de refuser, assura Vance. Il devra accéder à ta demande. Pour autant que nous le sachions, tu représentes son seul accès aux dossiers de Waverly's. Il sera obligé d'y renoncer ou de faire les choses à ta façon.

— Peut-être.

— Charlie, insista Vance, rivant son regard au sien. Les menaces de cet individu n'étaient efficaces que parce qu'il t'avait effrayée. Mais, aujourd'hui, tu n'as plus à avoir peur.

— Ah, bon ? Crois-tu vraiment ?

— Pourquoi aurais-tu peur ? Tu m'as, moi, maintenant.

Etait-ce la réalité ? Plongeant le regard au fond du sien, elle se demanda s'il était vraiment à elle. Et quand bien même, pour combien de temps ? Jusqu'à ce que la menace soit passée ? Jusqu'à ce que Waverly's ne soit plus en danger ?

Jusqu'à ce qu'il se soit fatigué d'elle ?

— Puisque tu le dis, murmura-t-elle, encore peu convaincue. J'espère seulement que tu as raison.

Il lui adressa un sourire qui fit battre son cœur plus vite.

— J'ai toujours raison.

Elle n'arrivait pas à croire qu'elle avait fait une pareille bêtise. Quelle idiote ! Comment avait-elle pu tomber amoureuse ? Ne s'était-elle pas juré de ne jamais plus succomber à ce sentiment fugace lorsque le père de Jake avait pris la poudre d'escampette ? N'avait-elle pas décidé alors de ne plus jamais faire confiance aux hommes ? De ne plus jamais risquer de souffrir comme elle l'avait fait lorsqu'elle avait compris qu'il s'était moqué d'elle ?

Mais, aujourd'hui, c'était différent, raisonna-t-elle. Vance était un homme droit. Il ne lui avait pas menti. Il n'avait pas tenté de la séduire pour profiter d'elle. C'était elle qui avait commis l'erreur de tomber amoureuse, et elle la paierait sans doute au prix fort. Car ce qu'elle ressentait pour Vance était un amour sincère, elle n'en doutait plus à présent.

Aujourd'hui, elle savait que ce qu'elle avait pris pour de l'amour autrefois n'était qu'une illusion de jeune fille. Elle n'avait jamais ressenti avec le père de Jake même une fraction de ce qu'elle ressentait à cet instant. *Elle aimait.*

Elle venait de découvrir le véritable amour dont elle avait rêvé toute sa vie. Le perdre, ce serait mourir.

C'était peut-être qu'il aimait faire l'amour avec elle.

Ou qu'il lui était agréable de sentir sa présence dans sa maison. Quoi qu'il en soit, son instinct protecteur était brutalement remonté à la surface. Il n'était pas question que Charlie continue à vivre avec cette menace au-dessus de sa tête. L'idée que quelqu'un cherche à l'effrayer le mettait en rage. C'est alors qu'il imagina son plan génial pour mettre fin aux agissements du maître chanteur.

Il savait qu'il n'y avait pas d'autre moyen de le démasquer, mais aussi que Charlie doutait de leur réussite.

Elle était très nerveuse. En la voyant évoluer dans la cuisine, il s'en était rendu compte d'un simple coup d'œil. Il la connaissait déjà suffisamment bien pour remarquer la tension dans ses épaules. Cette façon de tenir la tête bien droite. Comme si elle faisait un violent effort intérieur pour garder les apparences de la sérénité.

Il admirait la force de caractère, et Charlie n'en manquait pas. Elle avait vécu une enfance épouvantable, mais elle s'était battue, là aussi, et s'était construit une vie décente pour elle et pour son fils. Elle aimait le petit Jake, et sa détermination à le protéger à tout prix avait touché une corde sensible en lui. A bien y réfléchir, il passait beaucoup trop de temps à caresser des pensées agréables concernant Charlie Potter.

Dans la cuisine, elle leur préparait un poulet au parmesan pour dîner. C'était tout du moins ce qu'elle lui avait annoncé, et il devait admettre que les odeurs qui lui parvenaient étaient divines. Lorsqu'il était seul, il se contentait de commander un plat dans l'un des restaurants du quartier ou d'enfourner un surgelé au four à micro-ondes.

C'était… étrange d'avoir Jake et elle chez lui. Mais le plus inquiétant, c'était que cela ne le dérangeait pas du tout.

Il n'avait jamais amené aucune femme ici.

Cet appartement était son espace personnel. Il n'avait jamais aimé l'idée de le partager. Lorsqu'il passait la nuit en compagnie d'une femme, c'était toujours chez elle ou dans un hôtel de prestige. Ici, c'était *chez lui*.

Jusqu'à Charlie.

A bien y réfléchir, il y avait beaucoup d'autres choses qu'il ne faisait pas non plus avant de la connaître. Fréquenter les restaurants à thème, faire des promenades avec un bébé, quitter son travail avant l'heure pour faire l'amour en plein milieu de l'après-midi.

Un martèlement de petits poings sur son genou, accompagné d'un joyeux babil, le tira de ses réflexions. Jake essayait d'attirer son attention.

— Baba ! Baba !

— Que veut-il dire ? lança-t-il en direction de la cuisine.

— Il réclame sa balle, expliqua Charlie en tournant la tête vers lui. Celle qu'il préfère est quelque part dans sa chambre.

Le bébé le fixait avec une sorte de désespoir dans le regard, et la moue sur ses lèvres suggérait qu'il était sur le point d'éclater en pleurs. Deux semaines plus tôt, Vance aurait filé sans demander son reste. Aujourd'hui, il avait même oublié pourquoi ce genre de situation lui avait fait aussi peur. Il souleva le bébé dans ses bras et l'emporta, blotti contre sa poitrine, jusqu'à sa chambre temporaire.

Le berceau avait été livré, et était prêt pour que Jake puisse y dormir. Les tiroirs de la commode étaient pleins de vêtements pour bébé, et il y avait une grande boîte de couches bien en évidence sur une table basse.

— Baba ! Baba !

Le bébé babillait de nouveau joyeusement contre son épaule. Vance trouva la balle rouge vif sur le plancher du placard. Il reposa le bébé sur le sol et fit rouler la balle de caoutchouc vers lui. Riant aux éclats, Jake la ramassa de la main gauche et la lui relança vigoureusement.

— Quel beau lancer ! dit Vance en souriant. Je te prédis une belle carrière dans le base-ball, mon garçon. Les équipes s'arrachent les lanceurs gauchers.

— Baba ! Baba !

Souriant toujours, il fit de nouveau rouler la balle, et Jake la relança, se prenant au jeu. Vance plongea le regard au fond de ces yeux bleu sombre, et un sentiment étrange s'empara de son cœur. Ce bébé s'était glissé dans ses pensées aussi facilement que sa mère avant lui. Face à ce duo, Vance avait perdu tous ses repères. Ce dont il était sûr, c'est que, pour la première fois depuis des années, il n'avait pas envie de prendre la fuite.

En réalité, il prenait même un étrange plaisir à vivre cette situation. Le bébé. Charlie. Les sons de la vie. Des éclats de rire dans ces pièces habituellement silencieuses.

Il se rembrunit. Il était peut-être temps de s'en inquiéter.

Il n'eut pas besoin d'entendre Charlie approcher pour savoir qu'elle était là, près de lui. Il tourna le regard vers la porte et la vit sur le seuil, qui le contemplait d'un air songeur. Ses longs cheveux blonds, attachés en une épaisse tresse unique, reposaient sur son épaule droite. Elle était pieds nus, et ses ongles laqués d'écarlate lui faisaient signe sous l'ourlet d'un jean blanchi par les lavages et qui moulait amoureusement ses hanches. Par-dessus son jean, elle portait un T-shirt imprimé d'un logo, et il ne put s'empêcher de s'attarder sur les formes qu'il dissimulait.

Il s'apprêtait à lui exprimer son admiration lorsqu'il remarqua l'expression de son regard.

— Qu'y a-t-il ? Un problème ?

— Je viens de recevoir un autre e-mail.

Il se figea, tous ses sens en alerte. Le bébé relança la balle, qui roula près de lui sans qu'il s'en rende compte.

— Que dit-il ?

— Il a accepté de me rencontrer, murmura Charlie.

— Excellent. Lui as-tu proposé un lieu de rendez-vous ?

— Oui. Il sera au Coffee Spot demain à 16 heures.

— C'est presque terminé, Charlie.

— Vraiment ?

Au même instant, Jake grimpa sur ses genoux et, dans un geste machinal, Vance le serra tendrement contre lui. Plongeant son regard dans les yeux d'azur de Charlie, il songea aux paroles qu'il venait de prononcer : *C'est presque terminé*. Lorsqu'ils auraient résolu cette affaire et arrêté le maître chanteur, Charlie partirait. Jake et elle reprendraient le cours de leur vie, et lui resterait ici. Seul, dans le silence.

Il comprit alors que la situation venait d'échapper sérieusement à son contrôle.

11

— Alors, tu as décidé de suivre mon conseil et de la séduire pour la faire parler, remarqua Roark.

Ainsi exprimé à voix haute, le plan semblait plus machiavélique qu'il ne l'avait été dans l'esprit de Vance. Mais, dans les grandes lignes, cela y ressemblait. Au début, tout s'était passé le plus simplement du monde. Mais une invitation à dîner, quelques promenades et quelques conversations plus tard, Vance s'était retrouvé aussi séduit qu'elle.

Il était dans la logique des choses qu'ils aient fini au lit ensemble.

La séduction avait certes fait partie du plan d'origine, mais elle s'était muée en quelque chose de radicalement différent. Un sentiment beaucoup plus permanent qu'il ne l'avait envisagé en se lançant dans cette aventure.

— Oui, d'accord, marmonna-t-il en entendant le rire de son frère à l'autre bout de la ligne. C'est ce que j'ai fait.

— Et cela n'a pas l'air de te ravir.

— C'est… euh… un peu compliqué.

— Oh ! Oh ! Cela a l'air sérieux.

— Cela pourrait l'être, reconnut Vance, irrité de ne pas savoir où cette histoire avec Charlie allait le mener.

En temps ordinaire, il aurait choisi d'apprécier cette aventure tant qu'elle durait, puis de passer à autre chose. Le problème, c'était qu'il n'avait pas du tout envie de passer à autre chose. Pis encore, la seule idée que Charlie puisse appartenir à un autre homme le hérissait.

— A part cela, qu'as-tu découvert ? s'enquit Roark, sa voix à peine audible à cause des grésillements sur la ligne.

— Où es-tu donc ? demanda Vance. On dirait que ton téléphone satellite peine à te suivre.

— Quelque part au milieu de la jungle amazonienne, répondit Roark en riant. Mais j'ai presque terminé. Je devrais bientôt reprendre l'avion pour rentrer à New York. Mais nous parlions de ton assistante, l'as-tu oublié ?

L'oublier ? songea-t-il avec une ironie amère. Comment le pourrait-il ?

Il avait pensé qu'en faisant l'amour avec Charlie, en assouvissant ce désir insensé qu'il avait d'elle, il se sentirait apaisé, libéré, et qu'il pourrait dès lors analyser la situation d'un point de vue purement objectif. C'était tout le contraire qui s'était produit. Il n'avait fait que s'enfoncer davantage. Il en était maintenant à jouer avec des idées dangereuses. A désirer...

— Alors, ce n'était pas elle, l'espionne ?

— Non, répondit-il, contemplant d'un regard absent les gratte-ciel de la ville.

— Tu en es bien sûr ?

— Oui, j'en suis certain.

En quelques courtes phrases, il mit son frère au courant des menaces du maître chanteur, ainsi que de son plan pour y mettre un terme.

— Tout cela est bien étrange, remarqua Roark. Qui diable est ce type ? D'où sort-il ?

— C'est ce que je compte bien découvrir cet après-midi.

— Comment ? Vers 16 heures, il y aura une foule compacte aux abords de ce café. Si ce type t'aperçoit avec Charlie, il ne se fera pas connaître.

— J'ai pensé à cela aussi, assura Vance en retournant s'asseoir à son bureau.

Il entreprit alors d'expliquer son plan à son frère, qui sembla satisfait.

— Tu sembles avoir tout prévu. Tiens-moi au courant du résultat, d'accord ?

— Je n'y manquerai pas, promit Vance.

Il aborda ensuite la véritable raison pour laquelle il avait appelé son frère :

— Au sujet du Cœur d'or…

— Oui, que veux-tu savoir ?

— Comment l'as-tu retrouvé ? Où était-il durant toutes ces années ? Ann est en train d'annoncer cette découverte au monde entier, et les plus folles rumeurs circulent déjà. Ce sera la vente la plus importante que Waverly's ait jamais eu à organiser.

— Je ne peux pas t'expliquer maintenant, répondit Roark, sa voix de plus en plus inaudible. Fais-moi seulement confiance. Tout est en ordre.

— Attends une minute !

Il n'entendait plus qu'un bourdonnement sur la ligne. Son frère avait raccroché, ou ils avaient brusquement perdu la connexion.

Il avait confiance en Roark. Mais Waverly's jouait son avenir avec la vente de la collection Raya. Ils ne pouvaient se permettre de prendre le moindre risque.

Le moindre grain de sable pouvait tout faire capoter.

Vance portait un jean et un T-shirt noirs au lieu de son habituel costume, et il avait mis ses bottes. S'il lui fallait courir pour venir en aide à Charlie, il ne voulait pas être gêné aux entournures.

Réflexion faite, il n'aimait pas du tout cette situation. Bien sûr, ce plan était son idée. Mais maintenant qu'ils le mettaient à exécution, il tremblait à l'idée que Charlie soit là-bas toute seule face à un danger inconnu.

Il se tenait dans l'ombre, à demi dissimulé par le coin d'un immeuble de la Cinquième Avenue, et il avait une vue directe du trottoir d'en face, et de Charlie qui attendait, plantée près de la porte du Coffee Spot. A cette heure-ci, l'établissement était très fréquenté, et les clients entraient et sortaient en un flot constant. Cette foule compliquait un peu sa surveillance, mais elle dissuaderait aussi le maître chanteur de se livrer à des actes dangereux devant des centaines de témoins.

En cette fin d'après-midi, un soleil impitoyable brillait dans un ciel sans nuages. Comme toujours, les rues étaient bloquées par les embouteillages, et des hordes de piétons traversaient où il leur prenait fantaisie. Les feux rouges ne signifient rien pour les New Yorkais.

Le visage fermé, il leva ses jumelles pour observer l'expression de Charlie. Elle paraissait inquiète. Un nœud lui serra l'estomac. Sans qu'il sache trop comment c'était arrivé, il était devenu extrêmement important pour lui de les protéger, son fils et elle.

Charlie parcourut lentement la rue du regard, et elle esquissa un sourire presque imperceptible en fixant la direction où elle savait qu'il était caché. Parfait. Il ne fallait surtout pas qu'elle ait peur. Ils devaient en finir une bonne fois pour toutes, et même s'il ne pouvait pas être à ses côtés, elle se sentait un peu rassurée de le savoir à proximité. Et, pour plus de sûreté, il avait aussi posté l'un des agents de sécurité de Waverly's en vêtements civils près du carrefour.

Lorsque l'homme apparut enfin, Vance faillit ne pas le remarquer. C'était un individu tout à fait banal dans un costume brun bon marché, une perruque noire ridicule et d'improbables lunettes à grosses montures. Vance régla ses jumelles sur sa nouvelle cible, regrettant amèrement de ne pas avoir appris à lire sur les lèvres lorsque l'individu s'adressa à Charlie.

Vingt minutes plus tard, elle était assise à une table en face de Vance, et lui racontait leur entrevue :

— Tout s'est très mal passé dès le début, maugréa-t-elle devant une tasse de café et un beignet.

— Pas tout, corrigea Vance. Au moins, tu l'as vu de près.

— Mais je ne l'ai pas reconnu, rappela-t-elle en portant sa tasse à ses lèvres. De plus, sa voix était bizarre, comme s'il essayait de la déguiser.

Rencontrer face à face l'inconnu qui la menaçait depuis des semaines avait été une expérience terrifiante. Mais elle avait aussi éprouvé une certaine satisfaction à l'idée d'agir enfin au lieu de faire l'autruche en attendant que le problème se résolve tout seul. Sans compter qu'elle savait que Vance l'observait de loin avec ses jumelles pour intervenir au moindre danger. A présent, cette désastreuse rencontre était terminée, et Vance et elle étaient assis à une table du Coffee Spot, comparant leurs impressions.

— Répète-moi ce qu'il t'a dit.

— Il était furieux que j'aie exigé de le rencontrer, répondit-elle d'un air songeur. Il avait cette espèce de voix éraillée, et il s'étouffait de rage. Je crois que je ne pourrai plus le faire attendre davantage. Il m'a dit qu'il en avait assez, et que si je ne lui transmettais pas les documents avant ce week-end, il irait déposer une plainte aux services sociaux.

— J'étais certain que l'un de nous reconnaîtrait cette larve, remarqua Vance, les dents serrées. Je n'avais pas prévu qu'il se dissimulerait sous ce déguisement ridicule.

— Pas si ridicule que cela, puisque ni toi ni moi ne l'avons reconnu. En tout cas, il a réussi à me faire très peur.

Elle fronça les sourcils.

— A bien y réfléchir, quelque chose chez lui m'a semblé vaguement familier. Quelque chose dans son allure…

— Avec ce déguisement, rien d'étonnant à ce que nous ne l'ayons pas reconnu, admit Vance. Ces lunettes dissimulaient totalement ses yeux.

C'était vrai. On peut lire beaucoup de choses dans les yeux d'une personne, et son maître chanteur avait pris grand soin de dissimuler les siens. Le seul détail significatif dont elle se souvenait, c'était de cette cicatrice rougeâtre qui lui balafrait une joue de la tempe au menton. Durant toute leur entrevue, Charlie n'avait cessé de fixer la cicatrice, au point d'ignorer tout le reste.

— Sa cicatrice…

— Elle était fausse, coupa-t-il.

— Fausse ? Pourquoi quelqu'un se fabriquerait-il une fausse cicatrice ?

— Pour t'empêcher de remarquer le reste, expliqua-t-il. Et cela a très bien fonctionné, avec moi aussi. J'étais trop loin pour en être sûr, mais l'espace d'une seconde, j'aurais pu jurer avoir déjà vu cet individu quelque part.

Il soupira, frustré.

— C'était sa façon de marcher, de se lever, conclut-il. Comme tu l'as dit, il y avait quelque chose de vaguement familier chez lui. Puis il s'est retourné, et je n'ai plus vu que cette cicatrice. C'était aussi très malin de sa part de t'avoir donné rendez-vous à une heure de grande affluence. L'agent de sécurité que j'avais posté au carrefour ne l'a même pas vu passer.

La déception vint s'ajouter à l'anxiété dans laquelle elle vivait depuis plusieurs jours.

— Donc, nous ne savons toujours pas qui il peut être.

— Pas encore, reconnut Vance.

— Par conséquent, Jake est toujours en danger.

— J'ai le pressentiment que ce n'est pas toi, la cible principale de ces gens. Si tu te souviens bien, tout a commencé le jour même de la parution de cet article dans le journal. A mon avis, c'est Waverly's qu'ils visent.

— Mais ils se servent de Jake comme moyen de pression.

— Je te le répète, je ne permettrai pas que quiconque s'en prenne à ton fils, de quelque façon que ce soit.

Elle hocha la tête, mais elle ne put empêcher son angoisse de transparaître dans ses yeux. Vance ferait tout ce qu'il pourrait pour l'aider, elle en était certaine, mais elle avait sincèrement espéré que tout serait terminé aujourd'hui. Au lieu de cela, ils étaient de retour à la case départ.

Durant les quelques jours qui suivirent, Waverly's fut le théâtre d'une intense activité.

Il y avait des certificats d'origine à vérifier, des expertises à terminer, sans compter l'organisation d'une exposition préliminaire à la vente aux enchères, où les divers objets pourraient être examinés par le public. Comme une autre vente moins prestigieuse devait avoir lieu deux semaines plus tard, Waverly's exposerait la collection Raya juste après le week-end.

Ouvertes à tous, ces expositions bénéficiaient générale-ment d'une bonne couverture médiatique et, dans les circonstances actuelles, Waverly's avait bien besoin de publicité positive.

Bien entendu, le Cœur d'or alimentait toutes les conver-sations en ville. Les journaux se perdaient en spéculations, et tous les jours, quelqu'un élaborait une nouvelle théorie pour expliquer comment le Cœur d'or avait pu rester caché aussi longtemps, et comment Waverly's l'avait retrouvé.

— Je n'ai aucune réponse à leur fournir, déclara Ann tout en faisant les cent pas dans le bureau de Vance. Roark n'a pas eu le temps de m'expliquer comment il avait mis la main sur le Cœur d'or. La presse exige des détails, et je n'ai rien à leur donner.

— Cesse d'y penser, Ann, suggéra Vance. Il n'est pas mauvais que la presse parle de nous et, lorsque nous aurons vendu cette pièce prestigieuse, notre réputation se verra définitivement consolidée, et les rumeurs s'éteindront d'elles-mêmes.

— J'espère de tout cœur que vous avez raison, répondit Ann avec un soupir mélancolique.

— J'ai toujours raison, non ? plaisanta-t-il.

— N'avez-vous pas d'autres nouvelles ? s'enquit Ann en prenant appui sur son bureau. Rien au sujet de cette prise de contrôle hostile par Dalton ?

— Non, et vous ?

— Non plus, reconnut Ann. En fait, tout est étrangement silencieux, et c'est cela qui m'inquiète le plus.

Elle se redressa, les bras croisés sur la poitrine.

— J'ai chargé Kendra de mener son enquête, ajouta-t-elle, mais pour l'instant elle n'a rien découvert. De plus, Rothschild n'a pas manifesté la moindre réaction en apprenant que nous avions retrouvé le Cœur d'or. Ne trouvez-vous pas cette attitude bizarre ?

— Pardonnez-moi, monsieur Waverly…

Il tressaillit en entendant une voix sur le seuil du bureau. Il était à tel point préoccupé depuis quelques jours qu'il n'avait même pas songé à refermer sa porte lorsque Ann était venue lui parler. Charlie était sortie déjeuner avec son amie Katie. N'importe qui aurait pu entendre leur conversation.

Il reconnut Teddy, le jeune homme roux qui distribuait le courrier dans l'immeuble, hésitant à la porte du bureau.

— Entrez, Teddy.

— Désolé de vous interrompre, mais votre assistante n'était pas dans son bureau, et… euh… Bonjour, madame Richardson.

Aimable comme toujours, Ann lui sourit.

— Bonjour, Teddy. Ne vous excusez pas. Nous avons tous un travail à accomplir, n'est-ce pas ?

— Oui, madame.

Laissant son chariot à la porte, il s'approcha de Vance et lui remit une pile de courrier à avant de ressortir en toute hâte.

Dès qu'il eut disparu, Ann se tourna de nouveau vers Vance pour répéter sa question :

— N'êtes-vous pas inquiet que Dalton n'ait aucun commentaire à faire, concernant notre nouveau succès ?

— Un peu, reconnut-il, jetant un coup d'œil au courrier, et tout particulièrement à la grande enveloppe de papier kraft au bas de la pile. Cela ne ressemble pas à Dalton de se montrer aussi circonspect. Je m'attendais au moins à quelques questions concernant l'authenticité du Cœur d'or.

— Exactement, répondit Ann d'un ton animé. C'est pourquoi je soupçonne qu'il nous prépare un mauvais coup.

— Si c'est le cas, il ne nous reste plus qu'à attendre qu'il abatte ses cartes.

— Je crains de ne pas être très patiente, dit Ann en consultant sa montre.

— Moi non plus. Mais, cette fois-ci, je crois que nous n'avons pas le choix.

— C'est cela le plus difficile. Merci de m'avoir écoutée, Vance. Je dois vous quitter pour ma réunion avec les directeurs de la communication. Ils tiennent à me montrer ce qu'ils ont réalisé pour la présentation du Cœur d'or.

— Déjà ? C'est impressionnant.

— Cette vente est le plus grand événement que nous ayons jamais organisé, rappela Ann. Nous allons nous assurer qu'il restera dans les mémoires.

Sitôt qu'il fut seul, il retourna s'asseoir à son bureau pour trier son courrier. Il écarta la plupart des lettres, dont Charlie s'occuperait à son retour, mais la grande enveloppe jaune retint son attention. Elle portait son nom, écrit en grosses lettres capitales. Aucune adresse d'expéditeur. Elle était lourde. Il la soupesa un moment dans sa main, puis il l'ouvrit, éparpillant son contenu sur le bureau.

Elle ne contenait aucune note d'explication.

Uniquement des photos.

Des dizaines de photos. Certaines en couleur, d'autres en noir et blanc, mais représentant toutes le même homme. Soudain attentif, il les examina rapidement. Chaque photo représentait le même individu dans des déguisements différents. Mais la forme de sa tête, son maintien, sa façon de plisser les yeux dans la lumière lui paraissaient de plus en plus familiers, malgré les déguisements.

Sur certaines photos, il portait des lentilles de contact, sur d'autres, les grosses lunettes que Vance lui avait vues porter devant le Coffee Pot. Sur toutes, il avait une perruque et arborait soit une cicatrice, soit un bandeau noir sur l'œil. Toujours un détail pour distraire les éventuels témoins. Mais il s'agissait bien du même homme.

Le maître chanteur de Charlie.

Qui avait bien pu prendre ces photos ? Parmi elles, il y avait un cliché du mystérieux inconnu en pleine conversation avec Charlie devant le Coffee Pot. Vance avait assisté à leur rencontre, et il n'avait vu personne avec un appareil. Bien sûr, il était trop concentré sur Charlie pour avoir remarqué autre chose. Il continua à examiner le reste des photos, jusqu'à ce qu'il arrive à la dernière.

Elle représentait un jeune homme au physique avantageux, aux grands yeux bleu sombre. Vance laissa instantanément tomber le reste des photos pour examiner celle qu'il tenait dans la main. Et un sourire satisfait étira ses lèvres. A présent, il comprenait pourquoi son allure lui avait semblé familière. Il connaissait cet homme. Il le connaissait même depuis des années.

Henry Boyle, l'un des deux assistants de Dalton Rothschild.

— Je te tiens, espèce d'ordure, gronda-t-il. Et quoi que Dalton et toi ayez pu comploter, je saurai vous arrêter.

Il étudia la photo durant un long moment, savourant d'avance le plaisir qu'il aurait à annoncer à Charlie que ses soucis étaient terminés. Il savait à présent qui était derrière toute l'affaire, et il allait en informer immédiatement la police. Henry Boyle serait arrêté avant la fin de la journée.

En continuant d'examiner attentivement la photo, un autre détail lui sauta aux yeux. Il aurait dû le deviner. Qui d'autre connaissait tous les secrets de Charlie ? Qui d'autre aurait su exactement quelle menace exercer sur elle ?

— J'ai aussi reconnu tes yeux, espèce de lâche, dit-il à l'homme souriant de la photo. Je les vois tous les jours. Ce sont ceux de ton fils.

Le maître chanteur de Charlie était aussi le père de Jake.

Ce ne fut pas chose facile que de lui annoncer la nouvelle. Et lorsque ce fut fait, il ne put qu'écouter en silence, tandis que Charlie arpentait en long et en large son bureau, laissant éclater sa fureur :

— Comment a-t-il pu me faire cela ? Faire cela à son fils ? Quelle sorte d'homme peut traiter les gens ainsi ?

— Un homme mauvais, affirma Vance.

— Mauvais ? Il est pire que cela. Il est… maléfique. Il me dégoûte. Je le déteste. Il a osé se servir de moi pour essayer de ruiner Waverly's !

— C'est bien ce qu'il a fait, acquiesça Vance.

S'il avait eu besoin d'une preuve supplémentaire de l'innocence de Charlie dans cette histoire, la colère qu'il voyait étinceler dans ses yeux lui aurait suffi amplement.

— Et il est le père de mon fils ! s'exclama-t-elle d'une voix brisée. Que vais-je pouvoir dire à mon petit Jake ? Comment lui parler de son père ?

Vance se précipita pour la serrer dans ses bras. Il entendait la douleur vibrer dans sa voix, et il s'efforça de la consoler :

— Dis-lui simplement que tu l'as aimé.

— Cela montre à quel point je suis mauvais juge du caractère des gens. Comment ai-je pu concevoir un enfant avec un homme capable d'une horreur pareille ?

Il la serra plus fort dans ses bras, et il ferma les yeux en sentant qu'elle se blottissait un peu plus contre lui. Il préférait ne pas trop penser au fait qu'elle ait pu aimer ce sale type. Qu'un autre homme ait eu le cœur de Charlie dans sa main et qu'il ait été assez idiot pour laisser passer une chance aussi unique.

— Cela prouve seulement que tu as le cœur généreux, murmura-t-il. Que tu ne vois pas tout de suite le mauvais côté des gens.

— Cela prouve aussi que je suis une idiote, dit-elle d'une voix étouffée, le visage blotti contre sa large poitrine.

— Tu es la femme la plus intelligente que je connaisse, répliqua-t-il, prenant son visage entre ses mains. Ce n'est pas ta faute. C'est Henry Boyle qui a commis une grosse erreur.

— Mais…

— Mais rien, l'interrompit-il, notant ses yeux brillants de larmes retenues. C'est lui, l'idiot, puisqu'il vous a abandonnés, ton fils et toi. Ne l'oublie jamais.

— Voilà que tu es de nouveau gentil avec moi, remarqua-t-elle, souriant entre ses larmes.

— Et je ne devrais pas l'être ?

— Tu devrais être furieux. A cause de moi, Waverly's a failli être ruiné.

— Mais cela ne s'est pas produit, remarqua-t-il en

souriant. Tu étais terrifiée, mais tu n'as pas cédé. Tu as contre-attaqué et tu as gagné.

— Tu essaies seulement de me rassurer.

— Y suis-je parvenu ?

— Oui, répondit-elle d'une voix douce.

Elle reposa la joue sur sa large poitrine et poussa un profond soupir.

— C'est fini, n'est-ce pas ? murmura-t-elle. Jake est en sécurité.

— Oui, la rassura-t-il, la serrant de toutes ses forces contre lui. Tout est fini. Jake est en sécurité, et toi aussi.

— Merci, murmura-t-elle.

Sa voix n'était qu'un souffle, mais il l'avait entendue, et, à son tour, il remercia silencieusement le bon Samaritain qui lui avait fait parvenir ces photos.

Deux heures plus tard, Vance avait passé les coups de fil appropriés et déposé une plainte officielle. Tout était terminé, mais il restait à jouer le dernier acte.

— Tu es certaine de vouloir assister à ce qui va suivre ? demanda Vance, un bras tendrement serré autour des épaules de Charlie.

Ils se trouvaient devant l'hôtel des ventes Rothschild, sous le soleil déclinant de cette fin d'après-midi. Une voiture de police était garée devant l'immeuble, et les passants ralentissaient avec des regards curieux.

— Bien sûr, répondit-elle en redressant bravement les épaules. Je tiens à assister à son arrestation. Je veux être certaine que tout est terminé.

Il la comprenait, mais si les choses n'avaient tenu qu'à lui, il lui aurait épargné cette épreuve. Il revoyait encore l'expression de stupéfaction sur son visage lorsqu'il lui avait révélé ce qu'il avait découvert. Il devait toutefois admettre qu'elle s'était très vite ressaisie, passant en un éclair de la stupéfaction à la colère avec une énergie qui avait encore augmenté l'admiration qu'il avait pour elle.

Personne ne ferait jamais de Charlie une victime. Elle avait trop de force. Il aurait dû le comprendre depuis longtemps.

Un cri indigné le tira brusquement de ses réflexions :

— Vous ne pouvez pas m'arrêter ! Vous n'avez aucune preuve !

Serrant toujours Charlie contre lui, Vance tourna la tête et vit deux policiers — un homme et une femme — qui sortaient de l'hôtel des ventes Rothschild, entraînant avec eux Henry Boyle menotté, qui résistait et protestait à grands cris. La foule rassemblée sur le trottoir s'écarta pour les laisser passer et, soudain, Henry reconnut Charlie parmi les badauds.

— Espèce d'idiote ! hurla-t-il. Tout est ta faute ! Il aurait suffi que tu me remettes ces fichus documents !

Vance était au moins aussi furieux que lui, mais il demeura impassible, et se contenta simplement de faire un rempart de son corps pour la protéger.

— Idiote ! Catin !

— Cela suffit ! grogna le policier imposant qui le tenait par le bras tandis que sa coéquipière ouvrait la portière de la voiture de patrouille. Allons-y. Vous aurez tout le temps de raconter votre histoire au juge.

— C'est ce que vous croyez !

Soudain, Henry se libéra de l'emprise du policier, donna un violent coup de tête à sa coéquipière et, après un dernier regard haineux à Charlie, il prit ses jambes à son cou, zigzaguant entre les voitures qui circulaient sur l'avenue.

Il évita de justesse un taxi. On entendit des hurlements de pneus et des coups de Klaxon furieux. Des gens criaient. Henry avait presque atteint le trottoir opposé lorsqu'un bus le heurta de plein fouet.

Charlie étouffa un cri et blottit le visage contre la poitrine de Vance. Autour d'eux s'élevaient des cris horrifiés. Vance la serra tendrement contre lui, lui épargnant le triste spectacle de la fin d'Henry Boyle.

12

Trois soirs plus tard, Vance trouva Charlie sur la terrasse éclairée par la lumière argentée d'un clair de lune. Même dans ce T-shirt qu'il lui avait prêté pour dormir et qui était beaucoup trop grand pour elle, elle était belle comme une déesse païenne, entourée de fleurs sous les astres de la nuit.

Sa magnifique chevelure ruisselait librement jusqu'au milieu de son dos, et la brise nocturne faisait voleter quelques fils d'or sur son visage.

Son regard était fixé sur le fleuve, où la ville se reflétait comme dans un miroir, en brillants éclats de lumière et de couleur en mouvement. Parfaitement immobile et silencieuse, elle était à tel point absorbée par ce spectacle qu'elle ne s'était même pas aperçue de sa présence. Il eut donc tout son temps pour s'efforcer de maîtriser le torrent d'émotions qui déferlait en lui.

Quelques minutes plus tôt, il s'était réveillé et, en tendant le bras, il avait découvert qu'elle n'était plus à côté de lui dans le lit. Saisi d'angoisse, il s'était dit ensuite qu'elle avait dû se lever pour aller jeter un coup d'œil dans la chambre de Jake. Il s'était alors levé à son tour pour s'en assurer. Le bébé était paisiblement endormi dans son berceau, mais aucune trace de sa maman.

Puis il l'avait trouvée ici, nimbée par le clair de lune, et il avait senti un changement fondamental s'opérer en lui. Ce qu'il avait ressenti était plus grand, plus fort que tout ce qu'il avait pu ressentir jusqu'à cet instant.

Etait-ce l'amour ?

Le mot lui-même ne lui faisait plus peur, ce qui prouvait bien qu'il se passait quelque chose en lui. Il n'avait jamais vu une histoire d'amour durer. Dans sa famille, on ne restait pas marié toute une vie. Ses parents s'étaient séparés lorsqu'il n'était qu'un petit garçon. Ses amis, eux aussi, tombaient régulièrement « amoureux » et enchaînaient les partenaires. Il n'avait donc jamais accordé beaucoup de crédit à ce que les gens nomment « amour ».

C'était un mot qu'il n'utilisait jamais avec une femme, parce qu'il répugnait à prétendre des sentiments qu'il n'éprouvait pas, qu'il ne pouvait éprouver.

Mais aujourd'hui, avec Charlie… Bien sûr, il était le premier à admettre sa totale ignorance de ce qu'était vraiment l'amour. Ce qu'il savait, c'était que cette femme et son fils s'étaient taillé une place définitive dans son cœur. Et cela signifiait sûrement quelque chose.

Elle tourna la tête et lui sourit, et il cessa de respirer. Ses yeux brillaient sous la clarté de la lune, et la courbe de ses lèvres était irrésistible. Tout chez elle l'était. C'est alors qu'il comprit qu'il s'était déjà engagé très loin sur une route sans retour.

— Que fais-tu ici ? demanda-t-il en s'avançant sur la terrasse.

— Je me suis réveillée, répondit-elle, haussant les épaules. Je suis allée m'assurer que Jake dormait bien, et la nuit était si belle que je suis sortie pour réfléchir un peu.

— Lorsqu'une femme intelligente se met à réfléchir, c'est toujours dangereux, dit-il en allant la rejoindre.

Il s'approcha par-derrière et la prit par la taille. Elle se laissa aller contre lui.

Depuis la fin de cette histoire, elle était… songeuse. La mort d'Henry l'avait attristée, mais elle était aussi soulagée que son fils soit désormais hors de danger. Cependant, il sentait qu'elle ne lui avait pas tout dit. Il y avait autre chose, il le savait. Et ce silence lui pesait plus qu'il ne voulait l'admettre.

Elle reposa les mains sur ses avant-bras, et laissa aller la tête contre sa poitrine. Alors, pour la première fois de sa vie, il se sentit… complet.

— Tu veux bien me dire à quoi tu réfléchissais ?

Elle caressa un instant sa peau du bout des doigts.

— Je songeais qu'il était temps que Jake et moi rentrions chez nous, répondit-elle d'une voix douce.

Il cessa de respirer. Il n'était même pas certain que son cœur continue à battre.

— Rentrer ? Pourquoi ?

Elle pivota dans ses bras et leva les yeux vers lui, repoussant une mèche de cheveux sur son visage.

— Parce que notre place n'est pas ici, Vance. Tu as été merveilleux. Tu nous as aidés lorsque nous en avions besoin. Tu m'as aidée, moi. Mais il n'a jamais été question que cet arrangement soit permanent, n'est-ce pas ?

Non, bien sûr, personne n'avait exprimé les choses de cette façon. Mais ils n'avaient pas non plus fixé de date limite à leur cohabitation.

— Pourquoi se précipiter ? argua-t-il. Tu es heureuse, ici. Jake et moi nous entendons comme deux vieux copains…

— C'est vrai, dit-elle d'un ton mélancolique. Mais je dois reprendre le cours de ma vie, Vance.

Elle balaya du regard l'espace qui les entourait, la terrasse, la ville, et même le ciel au-dessus de leur tête.

— Tout ceci est magnifique, mais ce n'est pas chez moi, conclut-elle en soupirant.

— Cela pourrait le devenir.

— Vance…

— Tout ce que je voulais dire…

Justement, il n'était plus très sûr de ce qu'il avait voulu

dire. Tout ce qu'il savait, c'était que l'idée qu'elle puisse partir lui déchirait le cœur.

— Au moins, reste encore un peu. Profitons de ces moments ensemble, maintenant qu'une menace ne plane plus au-dessus de nos têtes.

— Cela ne changera rien à la situation, déclara-t-elle avec un sourire triste.

— Pourquoi faudrait-il changer quoi que ce soit ? insista-t-il en reculant d'un pas. Pourquoi classer ce qui se passe entre nous dans une catégorie quelconque ? Pourquoi ne pourrions-nous pas continuer à vivre comme nous l'avons fait ?

— Parce qu'il ne s'agit pas uniquement de moi, Vance, rappela-t-elle en soupirant. Je dois aussi penser à Jake.

— Mais, crois-moi, je pense à Jake, moi aussi, assura-t-il, alarmé par le désespoir qu'il entendait dans sa voix. Il est heureux, ici. Il aime sa chambre. Il m'aime, moi.

— Un peu trop, même.

— Que veux-tu dire ? répondit-il, blessé par ces paroles.

— Je veux dire qu'il s'éveille un peu plus chaque jour. Ce matin, lorsque tu lui donnais ses céréales, je l'ai entendu t'appeler « papa ».

Vance s'en souvenait parfaitement. Il se souvenait aussi de la jubilation du petit garçon, tout heureux d'avoir appris un nouveau mot. Et du bonheur qu'il avait ressenti lorsque Jake lui avait tendu ses petits bras et prononcé ce mot. *Papa.*

— Si je reste ici, poursuivit-elle, il va commencer à croire que tu es son père, et il souffrira d'autant plus le jour où nous rentrerons chez nous pour de bon.

— Mais pourquoi maintenant ? insista Vance, luttant contre la panique qu'il sentait monter en lui. Pourquoi ce soudain besoin de partir ?

— Cela n'a rien de soudain, dit-elle, repoussant une mèche que le vent avait balayée sur son visage. Depuis…

la mort d'Henry, rien ne me retient plus ici, et tu le sais. Tu fais seulement semblant de ne pas le savoir.

Il bouillonnait de frustration. Elle se trompait. Il n'avait jamais songé une seconde que Charlie et Jake doivent partir. Il s'était habitué à leur présence dans l'appartement. A trébucher sur les jouets du bébé dans l'obscurité. A l'odeur de la bouillie de céréales le matin — et, plus que tout, à la sensation du corps de Charlie dans ses bras toutes les nuits.

Il n'avait fait aucun projet, au-delà de sa détermination à la libérer du danger qui la menaçait. Et il venait de comprendre qu'en lui rendant sa liberté, il l'avait rendue libre… de le quitter.

N'ayant désormais aucune raison de rester ici, elle souhaitait tout naturellement rentrer chez elle avec son fils. Et chacun reprendrait le cours de son existence. Il ne regarderait plus les matchs de base-ball à la télévision avec le petit Jake assis sur ses genoux. Il ne siroterait plus un verre de vin avec Charlie avant le dîner. Il n'y aurait plus de rires dans le grand appartement. Il n'y aurait plus rien.

Il retrouverait sa vie privée. Le silence d'une maison vide. Il ne verrait plus Charlie qu'au bureau, et ce lien mystérieux qui les unissait dépérirait avec le temps, avant de disparaître.

Mais n'était-ce pas ainsi que les choses devaient se passer ? Il n'avait jamais été question que cette situation dure éternellement. Après tout, il ne s'était lancé dans cette aventure que pour sauver Waverly's. Mais était-ce si sûr ?

Il tourna le regard vers elle et, à l'idée de vivre toute sa vie sans elle, il sentit un grand froid l'envahir. Comment pourrait-il jamais renoncer à elle ?

— Vance ?

L'air autour d'eux embaumait du parfum des fleurs. Ils étaient suffisamment hauts au-dessus des lumières de la ville pour que les étoiles paraissent plus brillantes dans le ciel nocturne. Et ce clair de lune semblait avoir été fait tout spécialement pour elle. La lumière argentée coulait sur elle comme une onde magique.

Il n'avait pas envie de parler. Il n'avait pas envie de penser. Seulement de ressentir ce qu'il ne ressentait que dans les bras de Charlie. Il désirait se perdre en elle. N'était-ce pas là une réponse suffisante ?

Il la serra très fort contre lui.

— Le temps n'est plus aux paroles, dit-il d'une voix rauque. Et pas question de partir. Pas encore. D'accord ?

Elle leva les yeux vers lui, puis elle acquiesça.

— Pas encore, murmura-t-elle. D'accord.

Ce n'était qu'un sursis, mais c'était le mieux qu'il avait pu trouver juste avant de s'emparer de sa bouche dans un baiser brûlant, interminable, qui le laissa haletant, les jambes tremblantes et encore plus dévoré de désir qu'auparavant.

Il ne lui fallut qu'une poignée de secondes pour soulever son T-shirt et le lui retirer. La lune caressait amoureusement sa peau de ses rayons d'argent, et il entreprit de l'imiter avec ses lèvres, parcourant avec délices chaque centimètre carré de son corps, avant de l'allonger sur le transat. Dans la pénombre ambiante, il l'entendit soupirer de plaisir.

— Vance…

Il posa la bouche tout contre son sexe, et il sentit qu'elle tremblait de tout son corps.

C'est ceci qui compte, songea-t-il.

Et, juste avant de tout chasser de son esprit pour plonger dans l'univers de délices où Charlie le conduisait, il décida que qu'ils vivaient ensemble n'était pas seulement important. C'était *tout* ce qui comptait pour lui.

Le lendemain matin, Ann Richardson présidait la réunion du conseil d'administration de Waverly's. Debout à une extrémité de la longue table ovale, elle considéra tour à tour chaque membre de l'assemblée avant de poser enfin le regard sur Vance.

— Grâce à Vance, déclara-t-elle avec un hochement de tête digne d'une reine, nous avons écarté au moins l'un des dangers qui guettaient notre entreprise.

— Je n'ai jamais fait confiance à ce Rothschild, marmonna George d'un air sombre.

— Dalton a fait une déclaration officielle à la presse, dit Vance. Il nie catégoriquement avoir eu connaissance des agissements d'Henry Boyle.

— Dalton Rothschild sait tout ce qui se passe chez lui, grommela George. Aucun doute là-dessus. Boyle était l'un de ses deux assistants. Croyez-vous vraiment que cet imbécile ait pu concevoir un pareil plan tout seul ? Personnellement, je ne le crois pas une seconde.

— Moi non plus, confia Vance. Dalton était certainement derrière cette tentative de vol d'informations. Mais il sera quasiment impossible de le prouver.

Il tourna le regard vers Ann, qui hocha de nouveau la tête, avant de poursuivre :

— Je crois que nous avons tous la même analyse de la situation, George. Mais le fait est que Dalton nie tout en bloc, et que la police n'a trouvé aucun indice qui le rattache à l'affaire.

— Votre assistante ne sait-elle rien de plus ? s'enquit Edwina d'une voix douce, compatissante.

— Non, répondit Vance. Elle ne sait rien. Elle est simplement soulagée que la menace soit écartée.

— Comme nous le sommes tous, lança Simon d'une voix grêle, frappant la table de sa main décharnée pour plus d'emphase.

— Le problème, déclara Ann d'une voix posée, rétablissant le silence, c'est que nous ne pouvons pas être certains que la menace soit derrière nous.

George s'apprêtait à protester, mais elle le fit taire d'un geste, avant de poursuivre :

— Certes, cet incident peut être considéré comme terminé, mais cela ne signifie pas que Dalton Rothschild ait renoncé à nous acculer à la ruine. Nous devons rester vigilants, à l'écoute de ce qui se passe chez nous.

Elle parcourut l'assistance du regard, avant de conclure d'une voix douce :

— Nous ne pouvons faire confiance à personne.

Vance savait qu'elle avait raison, et il se réjouissait d'autant plus que Charlie et lui aient passé l'épreuve du feu de la confiance mutuelle. Il savait à présent qu'il pouvait placer sa vie entre ses mains. Et maintenant, s'il parvenait seulement à se laisser aller à lui confier son cœur…

— Nous devons serrer les rangs pour faire face à ce défi, ajouta Ann. Comme une équipe soudée. Agir ensemble pour préserver l'avenir de Waverly's.

— Nous sommes de tout cœur avec vous, ma chère, déclara Veronica, applaudissant à ces paroles. Vous savez que vous pouvez compter sur notre soutien. N'est-ce pas, George ?

Le vieil homme hocha la tête de mauvaise grâce.

— Oui, oui, grommela-t-il. Nous sommes une équipe. Pourrions-nous cesser de parler de Dalton Rothschild, à présent ? Ce nom me donne de l'indigestion.

Vance pouffa de rire derrière sa main. Ann leva les yeux au ciel, s'efforçant de puiser dans ses réserves de patience.

— Si nous en avons terminé avec l'affaire Rothschild, dit-elle, j'ai une nouvelle à vous annoncer.

— Une bonne nouvelle, j'espère, remarqua Edwina.

— Très bonne, en effet, déclara Ann avec un sourire rayonnant. Vous connaissez tous Macy Tarlington, n'est-ce pas ?

— Je connaissais sa mère, grogna George. Tina Tarlington a fait une grande carrière au théâtre.

— Sa fille n'a pas aussi bien réussi, n'est-ce pas ? remarqua Veronica sans s'adresser à une personne en particulier.

— Fichtre non ! répondit George, secouant la tête d'un air véhément. Elle n'arrivait pas à la cheville de sa mère.

Tina Tarlington avait été une femme d'une rare beauté, et elle venait de décéder à l'âge de soixante-deux ans. Son nom était célèbre dans le monde entier, autant pour ses trois mariages et sa collection de diamants que pour son talent sur les planches.

Vance dévisagea Ann, un sourire aux lèvres.

— Vous l'avez obtenue ?

— Oui, dit-elle, bouillonnant d'excitation. Elle a signé.

S'adressant au reste du groupe, elle poursuivit :

— Après de longues négociations, nombre de dîners et d'interminables tractations, j'ai convaincu Macy Tarlington de confier à Waverly's la vente des collections de sa regrettée mère. Sa collection de bijoux, à elle toute seule, fera de cette vente un événement à ne pas manquer.

Vance n'écouta qu'à moitié le concert de félicitations qui suivit. Esquissant un sourire, il se laissa aller à un merveilleux sentiment de détente, et ce pour la première fois depuis deux semaines.

Charlie ne courait plus aucun danger. Waverly's était tiré d'affaire et allait conserver sa bonne réputation si justement méritée. Il ne lui restait plus qu'à décider ce qu'il désirait vraiment, et concentrer toute son énergie dans cette direction. L'image de Charlie surgit aussitôt dans son esprit, et une vague d'excitation se diffusa dans tout son corps. Le seul fait de penser à elle déclenchait une tempête dans sa poitrine. *Il avait besoin d'elle.* C'était cela, sa réponse. Il avait toujours eu besoin d'elle.

La solution était tellement simple. Son cœur l'avait su

dès le premier jour. Mais son cerveau avait refusé de voir la vérité.

Il aimait Charlie Potter.

Et il n'était pas question de la laisser partir.

Charlie faisait les cent pas dans le couloir devant la salle du conseil, attendant que Vance se libère.

Elle avait sous son bras une liasse de documents qui nécessitaient sa signature, et Justin la harcelait au téléphone depuis une demi-heure pour les récupérer. Dès que Vance les aurait signés, elle descendrait les porter au pauvre Justin pour lui éviter la crise cardiaque.

Elle s'adossa au mur pour se reposer un instant. Les escarpins à talons aiguilles que Vance affectionnait tant commençaient à lui faire mal. Elle se souvint de ce premier soir où ils avaient fait l'amour, de son insistance pour qu'elle les garde aux pieds, et elle esquissa un sourire.

C'était puéril, elle le savait. Mais il la rendait heureuse. Et cela suffisait pour lui donner envie de retarder le plus possible l'inévitable, en restant avec lui encore quelques jours. Elle ne désirait pas partir. Mais quel choix avait-elle ? Elle ne pouvait pas se permettre d'aimer un homme qui ne lui rendait pas son amour. Il n'y avait aucun avenir dans une relation de ce type. Ni pour lui ni pour elle.

Comment pourrait-elle vivre sans lui ? Comment pourrait-elle continuer à travailler avec lui en sachant que ce qu'ils avaient brièvement partagé était fini ? Ce serait impossible, et elle le savait. La seule solution logique serait de démissionner.

Alors, elle aurait tout perdu.

La porte de la salle de réunion s'ouvrit, et Charlie rectifia sa position. Elle entendit la grosse voix de George Cromwell, reconnaissable entre toutes :

— Vous avez fait un excellent travail, Vance. Ce maître chanteur n'avait pas une chance contre vous.

— Oui, merci. Je suis heureux que tout se soit bien passé.

Charlie faillit s'évanouir de plaisir en entendant cette voix qui lui était si chère. Mais déjà George poursuivait :

— J'ai entendu certaines rumeurs concernant vous et votre jolie petite assistante. C'était très malin de votre part de lui avoir fait la cour pour résoudre cette affaire de vol de données.

Vance sortit de la salle à son tour et, en la voyant, il s'arrêta net. Il ne prononça pas une parole, mais la culpabilité se lisait si clairement sur son visage que les mots n'étaient pas nécessaires.

Elle avait l'impression d'avoir été giflée en plein visage. Etait-ce tout ce qu'elle avait été pour lui ? Une arme à utiliser contre Henry ? Toutes ses belles paroles n'étaient-elles que des mensonges ? Accablée par les paroles de George, et plus encore par le fait que Vance ne les ait pas démenties, elle tourna les talons et s'enfuit, loin de l'homme derrière elle qui criait son nom.

— Que diable…, dit George.

Mais Vance s'était déjà élancé en courant derrière elle.

Charlie arriva dans le bureau une fraction de seconde avant lui et tenta de lui claquer la porte au nez, mais il était trop rapide. Il repoussa facilement le vantail et entra dans la pièce sans ralentir. Elle recula.

— Ne dis surtout pas un mot, gronda-t-elle en lui jetant les documents à signer au visage.

La souffrance, l'humiliation et la colère étaient désormais ses seuls guides. Dans le brusque silence, les feuillets retombèrent en voletant lentement à leurs pieds comme de gigantesques flocons de neige.

— Charlie, dit-il enfin, refermant vivement la porte derrière lui. Pourrais-tu au moins m'écouter ?

— Non, répondit-elle d'une voix tendue. Rien de ce que tu pourrais dire n'a le moindre intérêt pour moi. Je démissionne. A compter de tout de suite.

Sur ces mots, elle retourna à grands pas jusqu'à son bureau et se pencha pour ouvrir le tiroir du bas. Elle récupéra son sac, referma le tiroir d'un coup de talon et se redressa.

Il se tenait juste en face d'elle. Ses yeux bruns pailletés d'or exprimaient la plus vive émotion. Il serrait si fort la mâchoire qu'un muscle tressautait sur sa joue.

— Il n'est pas question que tu démissionnes.

— Tu ne peux pas m'arrêter.

— Vraiment ? Regarde-moi.

Il la saisit et la maintint d'une main ferme. Elle se débattit furieusement, mais, malgré tous ses efforts, elle ne parvint pas à se libérer. En désespoir de cause, elle lui décocha un coup de pied dans le tibia.

Il gémit de douleur, ce qui était un bon point. Mais il ne la lâcha pas pour autant, ce qui acheva de la rendre furieuse.

— Bon sang, vas-tu enfin te tenir tranquille et m'écouter ?

— Pourquoi t'écouterais-je ? cria-t-elle. J'ai entendu ce que George t'a dit. Et, surtout, ce que tu ne lui as pas répondu.

— Je n'ai pas eu le temps de placer un mot. Je t'ai vue plantée là et, une seconde plus tard, tu t'enfuyais comme si tu avais le diable aux trousses.

— Qu'aurais-tu fait, Vance ? L'aurais-tu nié ? Aurais-tu pu lui affirmer que c'était un mensonge ?

Il demeura silencieux, mais la lueur de regret dans ses yeux était une réponse suffisamment éloquente.

— Tu sais, dit-elle enfin, dominant sa douleur, je m'étais demandé pourquoi tu te montrais aussi prévenant avec moi. Si tu t'en souviens, je t'ai même posé la question. Tu ne m'as pas répondu, bien sûr. Comment m'expliquer que tu faisais semblant de t'intéresser à moi pour que je te dévoile tous mes secrets ?

— D'accord, grogna-t-il. C'est bien ainsi que cela a commencé. Enfin, je crois. Je n'en suis même plus certain.

— Oui, je vois.

— Je suis sincère, Charlie ! protesta-t-il en la relâchant pour reculer d'un pas. Depuis le premier jour où tu es entrée dans mon bureau, je n'ai plus été en mesure de réfléchir correctement. J'ai d'abord pensé que c'étaient tes cheveux qui distrayaient mon attention. Ou ces fichus hauts talons.

Il secoua lentement la tête, avant de poursuivre d'une voix douce :

— Mais ce n'était aucun détail en particulier. C'était toi. Toi tout entière, Charlie. C'était ton rire, ta soif de connaissance. Ton amour… de toutes choses. Tu m'as charmé sans que je m'en rende compte. Et, oui, je l'avoue, je me suis dit que ce serait une bonne idée de t'emmener dîner une fois ou deux, te faire un peu la cour. Et découvrir par la même occasion si tu étais ou non une espionne.

— Me faire la cour ? Au restaurant à thème ?

— Tu vois ? Voilà l'effet que tu as sur moi. Même au milieu de cet enfer de gosses déchaînés, j'ai passé une fabuleuse soirée, et je reconnais que je ne m'y attendais pas. Je ne m'attendais pas à toi. A ce que j'éprouve lorsque nous sommes ensemble. Lorsque tu es près de moi, je peux tout supporter.

Charlie aurait tout donné pour le croire. Mais comment le pourrait-elle ? Comment avoir de nouveau confiance en lui ?

— Tu t'es servi de moi, répliqua-t-elle, refoulant les larmes brûlantes qui montaient à ses paupières. Exactement comme Henry.

— Non, répondit-il d'un ton catégorique.

— C'est pourtant ce que tu as fait. Et j'en ai assez d'être un jouet entre les mains des autres. Je démissionne, monsieur

Waverly. Je reviendrai ce week-end pour récupérer mes affaires et celles de mon fils.

— Charlie…

Elle passa devant lui, la tête haute, le regard fixé droit devant elle. Il ne fit aucun effort pour la suivre, et c'était mieux ainsi. Car Charlie n'était pas sûre d'avoir la force de le repousser une seconde fois.

Vance s'enferma chez lui et ne parla plus à personne. Il ne se rendit pas au bureau. Il ne rappela pas son frère pour répondre à ses messages. Il se désintéressa de Waverly's et de tout le reste.

Le silence qui régnait dans l'appartement était une véritable torture. Planté sur le seuil de la chambre de Jake, il contemplait le berceau vide, et cette absence était pareille au vide immense dans son cœur. Une odeur de bébé flottait encore dans l'air de la pièce, et ses jouets étaient toujours éparpillés sur le sol. Il se pencha pour ramasser la balle rouge et joua avec d'un geste absent.

Puis, traversant le couloir, il entra dans la grande chambre. La chambre où il avait été incapable de dormir depuis que Charlie était partie. Comment l'aurait-il pu ? Elle avait laissé sa marque partout dans la pièce Le T-shirt dans lequel elle avait dormi. Sa brosse à cheveux sur la tablette de la salle de bains. Ses mules sur le tapis près du lit. Son oreiller imprégné d'un parfum de pêche.

Cette femme était partout, sauf là où était sa vraie place.

Il laissa tomber la balle et ressortit à grands pas de la chambre, traversa le salon sans ralentir et sortit sur la terrasse.

Il évita de poser le regard sur la chaise longue, craignant que l'évocation de ce souvenir soit plus qu'il ne puisse en supporter à cet instant. Les yeux fixés sur le fleuve, il passa mentalement en revue le plan qu'il avait commencé à élaborer ce matin-là, lorsque Charlie avait téléphoné pour lui annoncer qu'elle passerait récupérer ses affaires à 13 heures.

— Je sais enfin ce que je désire vraiment, dit-il à voix haute, clignant des yeux dans le soleil aveuglant qui se réfléchissait sur la surface du fleuve. Et, ce que je désire, je l'obtiens toujours.

Il lui avait accordé deux jours pour se calmer. Mais, lorsque Charlie passerait pour prendre ses affaires, ils allaient avoir une conversation sérieuse. Ou tout du moins, il parlerait et elle l'écouterait. Même s'il devait pour cela l'attacher sur une chaise.

Une heure plus tard, la sonnette retentit, et Vance jura entre ses dents. Il n'était pas encore tout à fait prêt. Il lui aurait fallu cinq minutes de plus. Mais, comme il aurait dû s'y attendre, Charlie était arrivée en avance.

Il traversa la pièce pieds nus dans son vieux jean porté bas sur ses hanches. Il était torse nu, et sa peau était brûlante parce qu'il avait passé un long moment sur la terrasse à charrier des jardinières de fleurs.

Il alla ouvrir la porte, et, lorsqu'elle fut là, devant lui, il ressentit de nouveau ce choc familier, cet élan de désir fou, et cet autre sentiment qu'il avait appris à nommer... l'amour. Elle paraissait incroyablement petite. Ses cheveux blonds étaient noués en une longue tresse dans son dos. Elle était vêtue d'un chemisier d'un bleu éclatant qui jouait avec le bleu de ses yeux, et de son short kaki, qui s'arrêtait à mi-cuisses. Ses jolies sandales étaient décorées de marguerites, et les ongles de ses petits pieds étaient laqués d'écarlate.

Tout chez elle lui donnait envie de la prendre dans ses bras, et de la serrer si fort qu'elle ne pourrait jamais plus lui échapper. Mais d'abord, elle devait l'écouter.

— Je ne te dérangerai pas très longtemps, Vance,

déclara-t-elle en passant devant lui pour entrer dans le grand salon. Je vais simplement ranger nos affaires dans les cartons où elles étaient à notre arrivée ici. Je suppose que tu les as gardés ?

— Si je te répondais « non », est-ce que cela t'arrêterait ?

— Non, admit-elle d'une voix triste.

Elle se détournait déjà de lui pour se diriger vers la chambre, lorsqu'il l'arrêta, posant une main sur son bras.

— Où est Jake, Charlie ?

Ce simple contact généra une onde de chaleur qui se diffusa brutalement dans tout son corps. Comment avait-il pu être aussi stupide ? Pourquoi lui avait-il fallu si longtemps pour voir la vérité ? Comment avait-il pu risquer de la perdre ?

Elle fixa un instant sa main sur son bras, puis elle releva ses yeux vers les siens.

— Jake est chez Katie, répondit-elle d'une voix tremblante. Ne fais pas cela, Vance. Ne complique pas la situation, pour moi et pour toi. Laisse-moi simplement ranger mes affaires, d'accord ?

Il laissa retomber sa main, puis il la suivit jusqu'à la grande chambre qui avait été la leur. Elle ouvrit la porte et resta figée sur le seuil.

Exactement la réaction qu'il avait espérée.

Il avait traîné jusqu'ici toutes les jardinières et tous les pots de fleurs de la terrasse, et la chambre avait une allure de jardin tropical. La couette bleu nuit était parsemée de pétales de rose, et une bouteille de champagne attendait bien au frais dans un seau d'argent sur la table de nuit. Les rideaux étaient tirés, et la pièce baignait dans la douce lumière des bougies. La stéréo jouait un air de jazz en sourdine.

— Qu'est-ce que…

— Cela s'appelle une scène de séduction, Charlie, l'interrompit-il, incapable de dissimuler sa satisfaction.

— Vance…

Il la saisit aux épaules pour l'obliger à lui faire face, puis, prenant son visage entre ses mains, il essuya tendrement la larme qui avait roulé sur sa joue.

— Je voudrais seulement que tu m'écoutes, d'accord ?

Elle acquiesça en silence. Encouragé, il la prit par la main et l'entraîna à l'intérieur de la chambre pour la faire asseoir sur le bord du lit. Elle s'installa précautionneusement à l'extrême bord du matelas comme si elle était prête à s'enfuir à la moindre alerte. Il savait qu'il n'avait pas droit à la moindre erreur. Il n'aurait qu'une seule chance de réussir. Ou toute sa vie ne serait plus que cendres.

Prenant une profonde inspiration, il rassembla tout son courage et la fixa droit dans les yeux.

— Tu avais raison, avoua-t-il. J'ai commencé à te faire la cour pour de mauvaises raisons.

Elle se contenta de froncer les sourcils en silence, et il poursuivit :

— Mais tout cela a changé très vite. J'étais là, dans cet horrible restaurant à thème, entouré des hurlements de tous ces petits sauvages, et il m'a suffi de contempler ton visage souriant pour commencer à ressentir…

— Vance…

— Plus de mensonges, Charlie, coupa-t-il en se rapprochant d'elle.

Il cueillit son visage entre ses mains avant de reculer de nouveau, car il savait qu'il devait garder la tête froide pour ce qu'il avait à faire. Or son cerveau s'embrumait sitôt qu'il posait les mains sur elle.

— J'ignorais ce qui m'arrivait, poursuivit-il. Et, lorsque je l'ai enfin compris, j'ai refusé de le croire. Parce que c'était plus facile que d'admettre ce que je ressentais pour toi.

Il marqua une pause, avant d'ajouter d'une voix douce :

— Vois-tu, Charlie, je n'avais pas la moindre idée de ce qu'était l'amour. Et puis, je t'ai rencontrée.

Les mains de Charlie se crispèrent sur ses genoux, et elle cessa de respirer, alors qu'il poursuivait :

— Je n'avais même jamais utilisé ce mot. Comment aurais-je pu croire que c'était ce que je ressentais ? Dès la première minute où tu es entrée dans mon bureau, je me suis senti… différent. Tu m'as réveillé, Charlie. Tu m'as fait voir le monde autour de moi dans une lumière différente. Tu m'as montré tout ce que je manquais.

— Vance…, dit-elle dans un souffle.

— Non, l'interrompit-il vivement, laisse-moi terminer. Tu m'as dit tout ce que tu avais sur le cœur l'autre jour, au bureau, et je ne t'en veux pas. Je me suis conduit comme un imbécile, et je t'ai fait souffrir. Mais je ne me suis jamais servi de toi, Charlie. Ne pense surtout pas cela. Même lorsque je n'en étais pas encore conscient, je t'aimais déjà.

Elle prit une profonde inspiration, et une seconde larme roula sur sa joue. Il sentit son cœur se serrer.

— Ne pleure pas, murmura-t-il. Je ne supporte pas de te voir pleurer.

Il s'approcha de nouveau du lit, la saisit par les bras pour la faire lever et plongea son regard au fond du sien.

— Je t'aime de tout mon cœur, murmura-t-il, repoussant une mèche de cheveux sur son visage. Je t'aime, Charlie. Crois-moi, je t'aimerai toujours.

— Moi aussi, je t'aime, murmura-t-elle d'une voix à peine audible.

Elle lui offrit ce merveilleux sourire qui le faisait littéralement fondre à l'intérieur, et il lui sourit en retour, dissimulant un soupir de soulagement.

— A présent, dit-il, il y a un mot avec lequel je voudrais que tu te familiarises.

— Lequel ?

— Le mot « oui ». C'est celui que tu seras appelée à prononcer sitôt que j'aurai trouvé un juge pour nous marier.

— Nous marier ? répéta-t-elle en le dévisageant d'un air abasourdi. Tu veux vraiment m'épouser ?

— Que croyais-tu donc que tout cela signifiait ? remarqua-t-il en riant, désignant la montagne de fleurs qui les entourait. Crois-tu que j'aie traîné toutes ces jardinières jusqu'ici pour te proposer de t'emmener au cinéma ?

— Je… je…

— Cet instant restera dans les annales, dit-il en riant. Charlie est à court de mots.

— C'est vrai, je ne sais plus quoi dire. Souviens-toi que je n'arrive pas seule. Nous sommes deux.

— Et je désire vous avoir tous les deux dans ma vie, déclara-t-il, le cœur battant douloureusement au creux de sa poitrine. Toi et Jake. Si tu m'y autorises, je l'adopterai. J'ai déjà l'impression qu'il est mon fils.

— Adopter… Jake ? balbutia-t-elle.

— Et je veux que nous mettions au monde d'autres enfants. Au moins trois ou quatre.

— Quatre ?

— J'ai acheté ta maison.

— Tu as fait quoi ?

— Cette maison qui te plaisait tant, à Forest Hills Gardens, tu t'en souviens ? Eh bien, je l'ai achetée.

— Comment ? Quand ? Pourquoi ?

— Trois excellentes questions, dit-il en souriant. Disons simplement que je me suis rendu chez ces gens hier soir, et que je leur ai fait une offre qu'ils ne pouvaient pas refuser. Elle est à nous, Charlie. Nous pouvons y emménager dès le mois prochain. Tu n'as qu'un mot à dire.

— Tu as acheté la maison ? répéta-t-elle comme si elle

s'attendait à se réveiller à tout instant pour découvrir que tout ceci n'avait été qu'un rêve.

— Charlie, je veux que Jake et toi ne manquiez jamais de rien. Je veux que nous soyons une famille. Je veux pouvoir te dire « je t'aime » chaque matin durant le reste de ma vie.

— Je n'arrive pas à croire que tu aies acheté cette maison.

— Tu l'adorais.

— Oui, mais…

— Charlie, dit-il d'un ton pressant, comprenant qu'il luttait pour ce qu'il avait de plus important dans sa vie. La maison n'est qu'une construction de brique et de ciment. Elle ne s'éveillera à la vie que lorsque tu auras accepté d'y vivre avec moi. Tu es le cœur, Charlie. Mon cœur et celui de la maison. Sans toi, elle et moi sommes incomplets.

— Je t'aime tant, Vance !

Sa voix n'était qu'un soupir, comme si elle craignait qu'en parlant trop fort elle risque de détruire une réalité encore trop fragile.

— Répète-le, dit-il, l'attirant tout contre lui.

— Je t'aime. Je t'aime.

— C'est si bon de l'entendre ! murmura-t-il, posant son front contre le sien.

Elle eut un petit rire, puis elle parcourut du regard la merveille fleurie qu'il avait créée dans la chambre tout spécialement pour elle.

— Oh ! Vance ! Je n'arrive pas à croire que tu aies fait tout cela. C'est absolument…

— Attends !

Il posa brièvement ses lèvres sur les siennes, avant d'ajouter :

— Il y a une dernière petite chose que je voulais te montrer. J'avais prévu de l'avoir ici sous la main, mais tu es arrivée un peu trop tôt, et je n'en ai pas eu le temps.

Il la fit rasseoir sur le lit et recula d'un pas.

— Ne bouge surtout pas d'ici. Je reviens dans une seconde.

Elle partit d'un rire cristallin, et le merveilleux son de ce rire le poursuivit tandis qu'il se hâtait vers le grand salon. Il alla ouvrir un coffre-fort dissimulé derrière l'un des tableaux et plongea la main à l'intérieur pour en retirer la surprise qu'il lui avait préparée.

Quelques secondes plus tard, il était de retour auprès d'elle, et il lui tendait un écrin plat de velours noir.

— J'ai fait l'acquisition de ceci tout spécialement pour toi, même si je l'ignorais encore à ce moment-là. J'avais demandé à l'un de mes agents de téléphoner une enchère, sous prétexte que c'était un bon investissement, mais, en réalité, je savais déjà que ce serait toi qui le porterais.

Charlie fit basculer le couvercle de l'écrin, et elle cessa de respirer.

— Le collier de la reine de Cadria ! s'exclama-t-elle d'une voix tremblante. Tu es fou !

— Je suis seulement fou de toi, Charlie, dit-il en s'asseyant près d'elle sur le lit. Ce collier représente la promesse d'un long et heureux mariage. Et c'est ce que je désire le plus au monde. Avec toi.

— Maintenant, j'en suis sûre, murmura-t-elle, effleurant respectueusement un rubis du bout de son doigt. Tu es complètement fou.

Puis elle referma précautionneusement le couvercle de l'écrin et plongea le regard dans le sien.

— Et c'est ce que j'aime en toi, ajouta-t-elle en souriant.

— Alors, prouve-le-moi.

Et c'est ce qu'elle fit.

*
* *

Trois jours plus tard, dans les bureaux
de Waverly's...

— Madame Richardson ? dit la voix de Kendra dans
l'intercom. Un appel pour vous sur la ligne trois.

— Qui est-ce ?

— Ce monsieur déclare être le scheik Raif Khouri, de
Rayas. Il m'a demandé de préciser que son appel concerne
le Cœur d'or.

Ann sentit un froid l'envahir. Elle tendit la main vers le
téléphone avec la même répugnance que si elle s'apprêtait
à saisir un cobra vivant.

Mais, quand elle pressa le bouton, sa voix avait un ton
parfaitement professionnel :

— Allô ? Ann Richardson à l'appareil.

— Ah, madame Richardson ! Je vous remercie d'avoir
accepté de prendre mon appel.

— C'est bien naturel. Que puis-je faire pour vous ?

Ann avait la bouche sèche, et tous ses nerfs étaient tendus
à craquer, mais sa voix était nette et posée.

— Je crois que c'est moi qui vais pouvoir vous aider.

— Ah ? Et de quelle façon ?

Il y eut un long silence sur la ligne, puis son correspondant poussa un soupir.

— Il s'agit de la statuette du Cœur d'or que vous vous
apprêtez à inclure dans votre prochaine vente. Ce que j'ai
à vous dire pourrait vous éviter énormément d'embarras,
à vous et à votre société.

— Je ne comprends pas. Y a-t-il un problème ?

— Et un problème de taille, répondit-il, un soupçon de
colère dans la voix. La sculpture que vous avez en votre
possession est une vulgaire copie, ou le butin d'un vol.

Ann eut l'impression que son monde se désintégrait. Ce
ne pouvait pas être vrai. La presse du monde entier savait

déjà que Waverly's avait acquis la célèbre statuette. Si l'on découvrait maintenant qu'ils l'avaient obtenue illégalement ou, pis encore, qu'il s'agissait d'un faux…

— C'est ridicule ! s'écria Ann en bondissant sur ses pieds. Mes experts m'assurent qu'il s'agit de l'œuvre originale. Quant à l'idée qu'elle provienne d'un vol…

— Deux des trois statuettes existantes sont aujourd'hui portées disparues, coupa le scheik Raif. La première n'a pas été revue depuis plus d'un siècle, et il serait bien étonnant que Waverly's l'ait retrouvée, ne croyez-vous pas ?

Ann demeura silencieuse.

— Le second Cœur d'or, poursuivit-il, a été dérobé il y a quelques semaines au palais. Je pense qu'il s'agit de celui que vous avez en votre possession. Si c'est le cas, je dois insister pour que vous le retourniez à Rayas. Immédiatement.

Ann retomba dans son fauteuil, soudain vidée de toute son énergie. Elle parvenait à peine à respirer, et son cœur battait si fort que c'était un miracle qu'il n'ait pas déjà bondi hors de sa poitrine.

Elle vivait un cauchemar.

Roark lui avait juré que la sculpture était un original, et il ne s'agissait donc pas d'un faux. Pouvait-il avoir retrouvé cette pièce mythique depuis si longtemps perdue ? Ou alors, s'était-il rendu complice, peut-être à son insu, d'un trafic d'objets d'art volés ?

— Madame Richardson ?

— Oui, je suis toujours là, dit-elle d'une voix éteinte.

— Je crains que nous n'ayons un problème. Et nous devons le résoudre ensemble.

C'était un problème, assurément. Un énorme problème. Et, si elle en avait encore douté, le scheik lui ôta ses derniers espoirs en lui expliquant ce qu'il attendait d'elle et de Waverly's.

Elle devait à tout prix joindre Roark. Elle avait besoin de savoir si la sculpture était vraiment un original, et dans quelles circonstances il l'avait retrouvée. Elle avait besoin que sa provenance soit claire et sans aucune ambiguïté.

Sinon, le scandale qui risquait d'éclater causerait la ruine de Waverly's. Et tout ce pourquoi elle avait travaillé durant sa vie s'écroulerait comme un château de cartes.

Envie d'en savoir plus sur la saga
Les secrets de Waverly's ?

Tournez la page... un **bonus exclusif**
de Barbara Dunlop vous attend !

Le Cœur d'Or, 1762

Découvrez comment tout a commencé...

Retrouvez la suite de votre saga dès le mois prochain
dans votre collection *Passions* !

Le Cœur d'Or
Première partie

La princesse Laila Adan Bajal était sur le point de perdre sa virginité. Elle savait que c'était son devoir. Elle connaissait les principes de base de cet acte. Et elle comprenait aussi qu'en s'y soumettant, elle protégerait son pays d'une guerre meurtrière. Ce qu'elle ignorait, c'était par quel moyen elle pourrait s'y soustraire.

Elle n'était mariée au prince Tariq Nuri que depuis trois heures. Dans la suite nuptiale du palais de Tal, cadeau de son père, le roi, au jeune couple, les servantes l'avaient baignée et avaient oint tout son corps d'huile de jasmin. Puis elles l'avaient parée de ses plus beaux atours, avant de la laisser seule à attendre l'homme qui ne l'avait regardée qu'avec une froideur distante depuis qu'elle avait fait sa connaissance, trois jours plus tôt.

Il savait qu'elle se mariait contre son gré, et cela lui était indifférent. Pourquoi s'en formaliserait-il ? Elle n'était qu'un pion dans sa stratégie. Elle réchaufferait son lit, porterait ses enfants, et serait la clé d'une alliance entre son cher Rayas et le royaume voisin d'Al-Kumain.

Son père se trouvait face à un choix : donner l'une de ses filles en mariage au prince guerrier, ou perdre son royaume sous les attaques des hordes de maraudeurs qui terrorisaient la région depuis presque trois ans.

La sœur de Laila lui avait fait remarquer qu'elle devait se réjouir d'épouser un soldat comme le prince Tariq, car un soldat était souvent absent de chez lui. Ainsi, elle n'aurait pas à endurer sa présence tous les jours.

Seule dans l'immense chambre au plafond en coupole, Laila ne tenait pas en place, et elle marchait de long en large pour tenter de se calmer les nerfs. Le sol de mosaïque était frais sous ses pieds nus. A chacun des angles de la pièce se dressaient des colonnes de marbre blanc. Un lustre d'or suspendu au centre de la coupole éclairait la pièce, projetant des ombres dansantes sur les murs tapissés de feuille d'or et sur les rideaux blancs vaporeux du grand lit à baldaquin.

La grande porte s'ouvrit derrière elle, et son cœur cessa de battre. C'était lui. Son calvaire venait de commencer.

— Votre Altesse ? dit une douce voix féminine.

Laila se retourna vivement et reconnut sa tante Dhelal, la femme qui l'avait élevée depuis l'assassinat de sa mère, dix ans plus tôt. Une vague de soulagement déferla sur elle.

Elle se surprit à espérer que son nouveau mari avait changé d'avis. Qu'il irait dormir ailleurs, ou qu'il passerait la nuit à festoyer en compagnie de ses camarades en échangeant des récits de leurs faits d'armes héroïques. Et d'ailleurs, s'il lui en prenait fantaisie, il n'aurait aucune peine à trouver une partenaire sexuelle parmi les filles du village.

Un serviteur silencieux suivit sa tante à l'intérieur de la suite nuptiale, portant un objet volumineux recouvert d'une housse de brocart qu'il posa sur la table placée au pied du lit. Sa tante le renvoya aussitôt.

Laila attendit que la vieille dame prenne la parole.

— Sa Majesté a toujours su que ce jour viendrait,

déclara Dhelal d'une voix douce, prenant les mains de sa nièce entre les siennes.

Laila refoula les larmes qu'elle sentait monter à ses paupières. Elle adorait son père, et elle comprenait sa décision, mais elle ne pouvait s'empêcher de se sentir trahie. N'y avait-il réellement pas d'autre moyen de sauver le royaume ?

— Ce présent de mariage qu'il vous offre, déclara Dhelal, a été sculpté par le grand Saleh Al-Fulan dans le marbre des empereurs de Chine, le plus rare du monde, et béni aux sources du grand fleuve. Il te portera chance, mon enfant. Il fera fleurir l'amour dans ton mariage.

— Pour le moment, il n'a pas l'air de fonctionner, remarqua Laila avec un rire amer.

— Laisse-lui un peu de temps.

— C'est justement ce que je n'ai pas.

— Tu as toute la vie devant toi, rappela sa tante avec un sourire indulgent.

Serrant affectueusement les mains de sa nièce une dernière fois, Dhelal ôta la housse de brocart vert et or, révélant une statuette montée sur un socle d'or massif et représentant une jeune femme. Sur le marbre mauve veiné d'or de sa poitrine, son cœur était représenté par un délicat filigrane d'or fin. Caressée par la douce lueur des bougies, la statuette semblait briller d'une lumière intérieure. Le beau visage de la jeune femme exprimait la douceur et la sérénité et, et sans trop savoir pourquoi, Laila commença à se détendre. Elle tendit la main pour caresser le marbre poli.

La porte de la chambre s'ouvrit brusquement, et le prince Tariq apparut sur le seuil, sa carrure impressionnante emplissant l'embrasure.

— Laissez-nous, ordonna-t-il d'une voix gutturale, s'adressant à Dhelal.

— Attendez, ma tante, murmura Laila d'un air horrifié. Je…

Dhelal posa doucement la main sur son bras, coupant court à ses protestations.

— Je te souhaite bonne chance, mon enfant, murmura-t-elle.

Ou la mort, songea Laila, fixant l'imposante silhouette du prince. Elle avait souvent pensé à la mort, ces temps derniers. Si elle n'avait pas mis fin à ses jours, c'était parce qu'elle savait que si elle se tuait, le prince Tariq exigerait qu'on lui donne une autre de ses sœurs en mariage. Mais il y avait peut-être une solution. Un accident. Si elle tombait d'une falaise ou si elle se noyait dans la rivière, Tariq ne pourrait pas prétendre que son père n'avait pas rempli sa part de leur accord.

Dhelal était sortie, et Tariq claqua la porte derrière lui.

— Vous êtes prête, déclara-t-il.

Ce n'était pas une question, mais une affirmation. Laila releva la tête d'un air de défi.

— Non, répliqua-t-elle. Justement, je ne le suis pas.

— Otez votre foulard.

Laila hésita. Toutes les femmes de Rayas, à partir de l'âge de la puberté, étaient tenues de se couvrir la tête d'un grand foulard. Ceux-ci étaient souvent de couleurs chatoyantes, et leur beauté était une marque de statut social. Dans son cas, les motifs indiquaient une lignée royale. Laila n'avait pas ôté son foulard devant un homme depuis des années.

Ce que Tariq lui demandait était un acte intime. Un prélude à tout ce qui la terrorisait.

Il s'avança d'un pas, l'air menaçant, et Laila se hâta de lui obéir. Elle abaissa son foulard de soie blanche à motifs violets brodés de fil d'or — la marque de la famille royale — et le drapa autour de son cou.

— Vous êtes jolie, remarqua Tariq, en l'examinant sans se gêner, comme s'il inspectait l'une des juments pur-sang des écuries royales.

Il tendit une main vers sa joue et, par réflexe, elle recula d'un pas.

Fronçant les sourcils, Tariq se rapprocha de nouveau d'elle.

— Vais-je devoir commencer par vous punir ?

Elle secoua la tête en silence. Ce qui n'avait été que nervosité se transformait lentement en crainte. Elle était à sa merci, et ils le savaient tous les deux. Personne dans ce palais n'oserait faire le moindre geste pour lui venir en aide.

Il tendit de nouveau la main, effleurant lentement sa joue du bout de ses doigts calleux.

— Vous êtes douce.

— Pas vous, répliqua-t-elle malgré elle.

L'ombre d'un sourire releva les commissures de ses lèvres minces. C'était la première fois qu'elle le voyait tête nue, bien qu'elle se soit familiarisée avec son visage au cours de ces derniers jours. Ce soupçon de sourire était une nouveauté. Jusqu'alors, son visage n'avait exprimé que colère et arrogance. Il était grand et puissamment bâti, avec un menton carré, un teint bistre et un regard vif et perçant sous des sourcils broussailleux. La longue cicatrice sur sa joue montrait qu'il était un combattant endurci de qui il ne fallait attendre aucune pitié.

— C'est vrai, admit-il en laissant retomber la main. Souvenez-vous-en.

— Je ne risque pas de l'oublier.

— Tant mieux.

Il défit le premier bouton de sa tunique de soldat, et Laila commença à transpirer de terreur. Puis il s'approcha du lit aux draps d'un blanc éclatant et tira les couvertures d'un geste brusque. Une pluie de pétales de fleur retomba lentement sur les oreillers moelleux.

— Finissons-en, voulez-vous ?

Elle était totalement paralysée, incapable du moindre

mouvement, comme si ses pieds avaient été soudés au sol.
Il se retourna pour la dévisager.

— Non ? dit-il en la fixant d'un regard scrutateur.
Auriez-vous d'autres plans ?

Il s'avança de nouveau dans sa direction sans la quitter
du regard, tel un cobra s'apprêtant à avaler un malheureux
poussin. Il était beaucoup trop près. Leurs deux corps se
touchaient presque, et elle sentait sa chaleur, entendait
chacune de ses respirations, sentait sa fragrance d'épices
et de masculinité.

— Je vais vous voir nue, Laila. Je vais vous serrer
dans mes bras. Je vais vous caresser. Retarder cet instant
ne ferait que rendre les choses plus difficiles pour vous.

— Pourquoi faites-vous cela ?

— Parce que je suis un homme et que vous êtes une
femme.

— Il y a beaucoup d'autres femmes, rappela-t-elle.

— Et aussi beaucoup d'autres hommes. Mais vous
êtes ma femme. Et vous êtes aussi une Bajal. Notre enfant
évitera une guerre à ce royaume.

— Je ne vous connais même pas ! protesta-t-elle.

— Et moi, je ne vous connais pas non plus.

— Ce n'est pas la même chose.

Cette fois-ci, il sourit franchement, et ce sourire adoucit
étrangement son visage sévère.

— En effet, je suppose que c'est différent, admit-il.
Vous, vous ne voulez pas que je vous touche.

— Non, je ne le veux pas, déclara-t-elle d'un ton de défi.

— Avez-vous peur, ou avez-vous seulement décidé de
me résister ?

— J'ai peur.

— On m'a rapporté que vous étiez une rebelle.

Elle se serait volontiers rebellée contre ce qui lui arrivait si elle n'avait pas été aussi terrorisée. Hormis le roi

lui-même, tous les autres habitants de Rayas lui étaient inférieurs dans l'échelle sociale. Elle n'avait jamais été soumise à la volonté de quiconque. Et certainement, elle n'avait jamais rencontré un homme aussi intimidant, aussi puissant, irradiant une telle impression de danger mortel. Le métier de Tariq était de donner la mort, et elle n'avait nulle part où s'enfuir pour lui échapper.

Elle le vit humer l'air, comme s'il se familiarisait avec son odeur. Puis il s'approcha encore pour effleurer sa joue de la sienne et, à son contact, elle ressentit comme une brûlure. Lorsqu'il lui enlaça la taille et que sa main remonta juste sous son sein, elle cessa de respirer.

A sa grande surprise, il se contenta de déposer un baiser sur sa joue. Mais, une seconde plus tard, il laissa glisser ses lèvres jusqu'à sa bouche, et il l'embrassa. Ce fut d'abord un baiser d'une grande tendresse, qui fit naître en elle un tourbillon de sensations inconnues. Puis, peu à peu, son baiser se fit plus intense, plus dominateur. Sa main vint se poser fermement sur son sein, et il profita de sa réaction choquée pour presser son avantage, la serrant contre son grand corps dur en la dévorant de baisers incandescents.

Elle s'entendit gémir, de terreur et de honte, car son corps répondait sans ambiguïté à ses caresses, à la chaleur de sa main, et un frisson de plaisir la parcourut tout entière sans qu'elle puisse s'en défendre.

Puis, soudain, il s'écarta d'elle.

— Vous avez beaucoup de chance que je sois fort, dit-il d'une voix un peu essoufflée.

Elle ne se sentait pas particulièrement favorisée par la chance. Elle nageait en pleine confusion, et elle se sentait terriblement vulnérable. Et plus terrorisée que jamais.

Il fit un nouveau pas en arrière, avant de déclarer :

— Je vous permets de dormir sur le sol, cette nuit.

Elle n'était pas sûre d'avoir bien entendu. Un sursis ? Pourquoi lui accorderait-il un sursis ?

— Vous viendrez me rejoindre demain matin, ajouta-t-il en se tournant vers le lit. Je ne tolérerai pas que les serviteurs colportent des ragots.

Serait-ce le moment fatidique ? Demain matin ?

Laila avait trop peur pour lui poser la question.

Trop terrorisée pour oser bouger, elle détourna les yeux lorsqu'il se déshabilla pour grimper dans l'immense lit à baldaquin. Elle attendit, au cas où il changerait d'avis, mais rien ne se produisit. Il ne dit plus un mot.

Au bout de quelques minutes, considérant que le danger était temporairement écarté, elle se détendit. Elle dénicha quelques coussins et s'allongea sur le sol.

Mais elle était une princesse. Elle avait toujours dormi dans des lits moelleux, entre les draps les plus fins. Ce fut une nuit horrible, peuplée de cauchemars. Et, dès les premières lueurs de l'aube, elle se glissa en tremblant dans la couche nuptiale en prenant soin de rester à l'extrême bord du lit, aussi loin que possible de Tariq. Là, elle s'endormit instantanément.

Elle résista trois jours, et trois longues et affreuses nuits. La quatrième, incapable de dormir ou de supporter une minute de plus cet inconfort, elle attendit que la respiration de Tariq soit devenue profonde et régulière. Il dormait. Comment saurait-il à quelle heure elle l'avait rejoint entre les draps ? Autant se mettre au chaud tout de suite au lieu d'attendre l'aube glacée.

Elle se leva sans faire le moindre bruit et s'approcha du lit sur la pointe des pieds, sa longue chemise de nuit blanche traînant derrière elle dans la lumière pâle du clair de lune. Elle tira doucement les couvertures, glissa une jambe dans le lit et s'allongea précautionneusement sur le bord du matelas, laissant reposer sa tête avec délices sur l'oreiller moelleux.

— Vous êtes faible, dit la voix grave de Tariq près d'elle.

Elle tenta de s'enfuir, mais il lui entoura la taille de son bras, la clouant au matelas.

— Je m'attendais à ce que vous résistiez plus longtemps.

— Je ne croyais pas que vous attendriez, avoua-t-elle.

— On dirait que nous nous sommes mutuellement surpris.

Ils demeurèrent silencieux un long moment. Laila n'osait pas lui demander ce qui était censé se passer maintenant.

Tariq se redressa sur un coude. Son expression montrait que lui non plus ne savait plus très bien où ils en étaient.

— Vous n'êtes pas la première princesse à devoir se marier pour des raisons d'Etat, remarqua-t-il d'une voix douce.

Il avait raison, elle le savait. C'était son devoir. Elle devait même reconnaître qu'il avait fait preuve d'une rare patience avec elle. Tournant le regard vers la statuette du Cœur d'or, sur la table au pied du lit, elle s'efforça d'exprimer ce qu'elle ressentait avec des mots :

— Vous avez tué beaucoup d'hommes.

— Je ne vous tuerai pas.

— Je suppose que cela devrait me rassurer, dit-elle en riant nerveusement.

— Vous êtes mon épouse, Laila. Je vous protégerai, vous, votre famille et votre pays.

La lumière argentée de la lune éclairait son visage énergique. Malgré son expression féroce, il ne lui faisait plus peur. Pour la toute première fois, elle voyait dans cette force une protection, et non plus une menace.

Le matin même, elle l'avait vu s'exercer à l'escrime contre plusieurs adversaires dans la cour du palais, et elle l'avait trouvé impressionnant. En cet instant, il l'était tout autant. Il était torse nu, et la lumière de la lune éclairait une musculature puissante, noueuse. Quelques cicatrices rouges striaient ses épaules et son torse aux muscles parfaitement définis. Tariq était un très bel homme. Un magnifique spécimen masculin. Et depuis peu, Laila s'était aperçue qu'elle était enviée des autres femmes du palais.

— Vous êtes très habile au métier des armes, déclara-t-elle d'un ton hésitant.

— Je suis toujours en vie.

— Et vos ennemis sont morts.

— C'est dans l'ordre des choses.

Elle réfléchissait à ces paroles, le regard fixé sur son torse aux reflets de bronze, lorsqu'elle l'entendit chuchoter :

— Caressez-moi.

Laila secoua la tête.

— Ma patience a des limites.

Elle tourna de nouveau le regard vers lui, et nota avec chagrin que la bonne humeur avait disparu de ses yeux sombres. Alors, elle prit une profonde inspiration et, rassemblant tout son courage, elle posa les doigts contre son torse. Ses pectoraux étaient tièdes, souples, mais aussi durs que le fer.

Sa main vint emprisonner la sienne.

— Vous êtes très belle.

— Est-ce la raison pour laquelle le roi m'a choisie ?

Cette question avait franchi ses lèvres avant qu'elle ne puisse l'arrêter. Elle avait deux sœurs, mais c'était elle que leur père avait choisie pour Tariq. Et elle ne pouvait s'empêcher de se demander ce qui avait bien pu motiver son choix.

— Le roi a dit que vous étiez forte. Mais il s'est trompé.

— Etes-vous déçu ? ne put-elle s'empêcher de demander, curieusement mal à l'aise à cette idée.

— Je suis impatient, corrigea-t-il en se rapprochant.

Ses lèvres vinrent se poser sur les siennes exactement

comme dans son souvenir, d'abord douces, puis progres-
sivement plus fermes, plus exigeantes. Elle savait ce qu'il
désirait, cette fois-ci, et elle savait aussi qu'elle n'avait
plus le choix. Elle entrouvrit les lèvres pour l'accueillir,
s'attendant à ressentir un sursaut de révulsion.

Ce fut tout le contraire qui se produisit.

A mesure que son baiser devenait plus profond, plus
passionné, une étrange chaleur commença à se diffuser
dans son sang. Son corps dur était pressé contre elle, et
cette fois-ci, lorsqu'il posa la main sur son sein, elle ferma
les yeux et s'abandonna aux délicieuses sensations qu'elle
faisait naître sur sa peau.

Lorsqu'il s'attarda sur les pointes durcies, les caressant
de son pouce, elle ressentit un tel pic de plaisir qu'elle
frissonna de tout son corps et fut à deux doigts de crier.

Tariq s'écarta pour la fixer avec stupéfaction.

Il renouvela l'expérience, avec des résultats similaires.
Il sentit qu'elle appuyait fiévreusement son sein contre sa
main.

— Je viens de changer d'avis à votre sujet, déclara-t-il.

Elle aurait aimé lui demander pourquoi, mais son
cerveau embrumé ne lui permettait plus de former des
phrases cohérentes.

— Je ne suis pas déçu, murmura-t-il d'une voix de miel.

Alors, il posa de nouveau sa bouche sur la sienne.

Sans être vraiment consciente de ce qu'elle faisait, elle
noua les bras autour de son cou, et elle se blottit avec
délice contre les angles et les creux de son puissant corps
masculin. Lorsqu'il commença à soulever l'ourlet de sa
chemise de nuit, elle aurait dû protester, elle le savait, mais
ses mains glissant lentement sur toute la longueur de sa
cuisse faisaient naître des sensations tellement exquises
qu'elle ne put que lui rendre ses baisers, tremblante d'un
désir devenu un feu ravageur qu'elle ne contrôlait plus.

Il caressa les parties les plus intimes de son corps, et loin de s'en sentir mortifiée, elle découvrit qu'elle y prenait plaisir. Enormément de plaisir. Elle aurait voulu que cette magie ne s'arrête jamais.

— Laila…

Il acheva de la débarrasser de sa chemise de nuit et repoussa les couvertures pour parcourir lentement du regard son corps nu. Elle aurait dû rougir de honte, mais, au lieu de cela, elle s'aperçut qu'elle ne s'était jamais sentie aussi libre, aussi vibrante de vie.

Ses caresses se firent plus précises. Elle savait ce qu'il faisait, mais elle n'avait pas envie de lui résister. Elle n'éprouvait pas le moindre inconfort. Personne ne l'avait avertie que ses mains lui procureraient des sensations aussi merveilleuses.

— Vous êtes belle, murmura-t-il, plongeant son regard au fond du sien.

— Vous êtes doux.

Cette réponse le fit sourire. La pression de ses doigts s'accentua, et elle sentit une soudaine chaleur envahir tous ses membres. Par réflexe, elle cambra les reins pour aller à sa rencontre, et elle s'entendit gémir.

— Je suis égoïste, murmura-t-il d'une voix rauque.

Ses lèvres vinrent alors se poser sur son sein. Il saisit la pointe durcie dans sa bouche brûlante, et ce contact déclencha un feu dans tout son corps.

— Tariq !

Elle avait crié son nom, serrant convulsivement les bras autour de lui.

Il se redressa pour se placer au-dessus d'elle. Le poids de son corps sur le sien était une sensation divine.

Puis il entra en elle d'un coup de reins.

Elle attendit la douleur. Sa tante l'avait au moins instruite sur ce point.

Mais elle fut légère et fugace. L'instant suivant, il était en elle, et leurs deux corps étroitement unis ne faisaient plus qu'un, flottant dans un océan de sensations inouïes.

Puis il se mit à aller et venir en elle, faisant naître, vague après vague, une brûlante pulsation au centre de son être.

Elle rejeta la tête en arrière, exposant sa gorge, soulevant instinctivement ses hanches à la rencontre des siennes.

Il déposa une pluie de baisers sur sa peau délicate, puis il accéléra le rythme et, dans un élan instinctif, elle noua ses jambes autour de sa taille alors qu'il allait et venait de plus en plus rapidement en elle et que ses baisers se faisaient plus fiévreux.

Puis, soudain, elle eut l'impression que l'univers venait de basculer sur son axe. Mille étoiles explosèrent dans sa tête, illuminant le ciel noir du désert. Tous ses muscles se contractèrent tandis que, vague après vague, une incroyable sensation de plaisir irradiait dans tout son corps.

Il lui fallut longtemps pour retrouver son souffle.

Tariq était lourd. Leurs deux corps luisaient de transpiration. Mais elle n'avait pas envie qu'il bouge.

Elle comprenait maintenant son impatience.

Pourquoi n'avait-on pas jugé utile de l'avertir ?

Pourquoi lui avait-on présenté cet instant comme un devoir effrayant ?

Il releva lentement la tête et, écartant une mèche de cheveux noirs de son visage, il déposa un baiser sur ses lèvres encore enflammées par leur tendre corps à corps.

— Est-ce toujours comme cela ? s'enquit-elle dans un soupir.

— Non, répondit-il avec un rire rocailleux qui se répercuta dans sa vaste poitrine. Ce n'est jamais comme cela.

Le cœur de Laila battait très fort. Par-dessus la courbe de son épaule marquée des cicatrices d'anciens combats, son regard alla se poser sur la statuette du Cœur d'or. Le marbre impérial luisait doucement dans les rayons de la lune. La femme souriait toujours, mais Laila aurait pu jurer que ce sourire s'était transformé. L'ancienne sérénité avait disparu, remplacée par une franche satisfaction.

Retrouvez la suite de votre saga et un nouveau bonus exclusif « Le Cœur d'Or » dès le mois prochain dans la collection Passions *!*

LILIAN DARCY

Un troublant espoir

éditions HARLEQUIN

Titre original : A DOCTOR IN HIS HOUSE

Traduction française de GABY GRENAT

- 1 -

Scarlett commença à sentir les premiers effets d'une migraine carabinée alors qu'elle était en route pour le Vermont. Elle s'arrêta au bord de la route pour prendre les antalgiques qu'elle avait toujours dans son sac, puis reprit le volant malgré la douleur lancinante qui lui enserrait le crâne comme un étau. Au bout de quelques kilomètres, elle dut pourtant déclarer forfait en réalisant que la douleur commençait à affecter sa vision. Elle avait l'impression de regarder le paysage à travers une vitre noyée sous la pluie. Elle n'allait tout de même pas mettre sa vie en danger, même si elle était presque arrivée à destination chez son frère. Si elle avait eu le courage de faire encore quelques kilomètres, elle serait rendue à bon port… Hélas, elle s'en sentait tout à fait incapable.

Elle se mit donc à rouler lentement, à la recherche d'un endroit où se garer sans gêner la circulation. Pendant un bref instant, elle crut que sa vision s'améliorait et qu'elle recommençait à y voir distinctement. Mais elle ne se sentait vraiment pas dans son état normal car, en plus de la douleur, elle avait du mal à réfléchir de façon cohérente.

Jusqu'à récemment, malgré leur récurrence, ses crises de migraine ne l'avaient jamais tenue longtemps éloignée de l'hôpital. Depuis quelque temps toutefois, comme leur intensité augmentait et que leur fréquence en venait à présenter un sérieux handicap dans son travail, elle avait décidé de revoir tout son mode de vie. Les horribles concerts pour marteau et enclume qui résonnaient dans sa tête avec une insistance démoniaque et qui la terrassaient pendant plusieurs heures avaient eu au moins une vertu : lui permettre de mieux évaluer ses priorités.

Aujourd'hui, la douleur lui était tombée dessus sans crier gare. Elle avait soudain eu l'impression que le monde autour d'elle perdait de sa consistance et elle était suffisamment aguerrie pour reconnaître les signes avant-coureurs d'une crise. Ce n'était pas le monde qui était en train de s'effondrer autour d'elle, mais c'était elle qui perdait pied : ses lunettes sombres s'avéraient insuffisantes pour la protéger de la lumière du jour et elle se sentait inexorablement plonger, incapable de contrôler ses gestes ou ses réflexes.

Plus question de chercher l'endroit idéal pour stationner, elle devait se garer sur-le-champ sous peine de s'effondrer derrière son volant. D'un coup de frein brutal, elle arrêta la voiture puis coupa le contact en priant le ciel de s'être suffisamment mise sur le bord de la route pour ne pas provoquer d'accident.

Cela fait, elle ouvrit sa vitre et s'efforça de respirer calmement afin de lutter contre la douleur et le vertige qui la submergeaient. Le front posé entre ses mains sur le volant, elle attendit de se sentir un peu mieux pour chercher le téléphone qu'elle avait dans son sac.

Mais ce moment ne paraissait jamais venir. Chaque fois qu'elle essayait d'ouvrir les yeux, elle était comme aveuglée par la clarté du jour qui lui était devenue insupportable. Au moindre de ses gestes, le monde se mettait à tanguer autour d'elle comme un bateau ivre. Elle tâtonna à côté d'elle dans l'espoir de trouver à l'aveugle le sac qu'elle avait posé sur le siège à côté d'elle, mais en vain. Il avait dû tomber à terre au moment où elle avait donné le coup de frein.

Depuis combien de temps était-elle là, au bord de la

route ? Elle l'ignorait, elle avait perdu toute notion du temps, plongée dans l'éternité d'une souffrance abominable, au cœur de laquelle elle devait se contenter de respirer sans bouger.

Elle sentit quelques voitures passer à côté d'elle. Elle entendait le déplacement d'air et le bruit de moteur. Personne ne s'arrêta, pensant sans doute qu'elle était en train de vérifier quelque chose sur son GPS.

Au bout d'un moment, les médicaments commencèrent à agir et elle se sentit un peu mieux. Suffisamment en tout cas pour se dire qu'Andy, son frère aîné, avait vu juste quand il s'était inquiété du rythme de travail qu'elle s'imposait. Et même si cela l'avait mise en colère, il avait eu raison aussi de lui reprocher de se plier trop scrupuleusement aux exigences de leur père. Ce séjour dans le Vermont était destiné à lui montrer qu'elle avait changé de priorités. Hélas, il arrivait trop tard. Son corps n'en pouvait plus et le lui manifestait cruellement.

Comme elle tentait une nouvelle fois d'attraper son sac, elle entendit un crissement de pneus sur le gravier du bas-côté de la route. Peu après, une portière claqua et elle perçut le bruit de pas de quelqu'un qui avançait dans sa direction.

— Tout va bien, madame ? demanda une voix d'homme.

Que faire ? Y avait-il une menace dans cette voix ? Elle ne savait pas si elle devait prier pour que le visiteur s'éloigne ou si, au contraire, elle pouvait lui demander de l'aide.

— Euh… oui, merci. Je me repose un peu, c'est tout.

Peut-être que d'ici à quelques secondes elle serait capable d'ouvrir les yeux et de lever la tête vers lui. Oui, elle espérait l'entrevoir ne serait-ce qu'un instant, histoire de savoir si elle pouvait lui faire confiance.

Elle tenta d'entrouvrir les paupières, mais la lumière lui brûla les yeux si violemment qu'elle y renonça.

Un instant de silence s'ensuivit. Puis la voix d'homme reprit, calme mais décidée :

— Je suis policier, madame. Il va falloir me regarder et me montrer vos papiers.

Daniel considérait la femme immobile, affalée sur son volant. Les lunettes de soleil et la masse de cheveux châtains cachaient presque complètement son visage, comme si elle avait voulu dissimuler son identité.

Elle paraissait menue d'après ce que son chemisier beige presque transparent laissait apercevoir. La peau de ses mains était fine, soignée. Ses ongles très propres, dépourvus de vernis, étaient rongés comme ceux d'une petite fille. Elle portait des vêtements de bonne qualité, tout à fait en accord avec la voiture dernier cri qu'elle conduisait. Un sac en cuir gisait par terre, devant le siège du passager, et une bouteille d'eau avait roulé à côté.

Tout paraissait normal. Pourquoi ne bougeait-elle pas ?

Il évalua la situation. Cette femme avait peut-être un malaise lié à la drogue ou à une consommation excessive d'alcool. A moins qu'il ne s'agisse d'un problème mental ? Il réfléchissait à toute allure. Durant les trois années qu'il avait passées comme agent de sécurité dans un grand hôpital de New York, puis les cinq années suivantes dans la police du Vermont, il avait affronté toutes les situations possibles et bien d'autres, pires encore. Qui sait si cette femme ne servait pas à détourner son attention pendant que ses complices se préparaient à agresser la bonne âme qui s'arrêterait pour lui prêter secours ?

— Vous vous sentez bien ? demanda-t-il d'une voix calme.

— Non. J'ai une migraine. Terrible.

— Puis-je voir vos papiers ?

— J'ai le vertige et je n'y vois rien pour le moment.

— Dans ce cas, vous allez toucher l'insigne que je porte sur la manche de ma chemise pour vous assurer que je fais bien partie de la police.

Il s'approcha de la vitre tout en surveillant le bord de la route où les arbres et les buissons pouvaient offrir une cachette à d'éventuels complices.

Mais il ne vit rien de particulier. La jeune femme tendit la main et palpa son insigne comme il l'y avait invitée.

— Oui, je vous crois.

— Vous avez besoin d'un médecin ?

— Oui.

Si elle jouait la comédie, elle était vraiment excellente… En tout cas, il ne constatait aucun des symptômes qui auraient révélé une consommation de stupéfiants.

— Je vais appeler une ambulance.

— Non, c'est inutile.

Ah… ce refus était le premier signe suspect. Si elle avait le vertige et qu'elle n'y voyait pas, pourquoi refusait-elle une ambulance ?

Avant qu'il ne songe à lui poser davantage de questions pour mieux cerner son profil, elle reprit la parole :

— Appelez mon frère, s'il vous plaît.

— Votre frère ?

— Oui. Andy McKinley. Il est médecin. Il habite tout près d'ici et il viendra me chercher.

Il se détendit aussitôt. Le nom ne lui était pas inconnu, bien au contraire. Dans un environnement rural tel que celui de Radford, policiers et médecins travaillaient main dans la main. Les affaires de crime se terminant souvent dans la salle des urgences, ils avaient eu l'occasion de se croiser à maintes reprises. Chaque fois, Daniel avait pu apprécier le professionnalisme d'Andy McKinley. Cet homme très coopératif, et qui ne ménageait pas sa peine, était devenu plus qu'une relation de travail, presque un ami.

Toutefois, il préféra ne rien dire à la jeune femme. D'après son expérience, mieux valait ne livrer une information personnelle que lorsque c'était indispensable. Le reste du temps, les gens n'ont pas besoin de savoir quoi que ce soit à votre sujet.

Cette discrétion professionnelle était d'ailleurs devenue un trait marquant de sa personnalité. Ses collègues de travail ainsi que Paula, sa sœur, lui reprochaient souvent son côté secret et sa façon de réfléchir longuement avant de parler. Il n'en avait cure, persuadé que sa réserve l'aidait à accomplir au mieux son travail. A ses yeux, rien n'était plus important. La sœur d'Andy avait bien le temps de découvrir qu'il connaissait son frère. Inutile de se perdre en explications dès maintenant.

— Andy McKinley, répéta-t-il d'un ton neutre. Pouvez-vous me donner son numéro de téléphone ?

Scarlett obtempéra et fournit le numéro du portable de son frère. Un moment plus tard, elle entendit la voix du policier.

— Andy ? C'est Daniel Porter à l'appareil.

Elle sursauta. Il avait bien dit Daniel Porter ?

Ce nom lui rappelait tant de choses ! D'ailleurs, c'était à cause de lui si elle se trouvait ici… Bien sûr, elle n'allait pas lui déballer ses états d'âme ! Depuis des années, elle avait chassé de son esprit le Vermont et Daniel Porter. Oui, expulsés, congédiés, rayés de sa mémoire. Tout au moins pendant la journée, parce que la nuit, ils avaient continué à hanter ses rêves, au point de la rendre malade de nostalgie.

Et voilà que Daniel se tenait près d'elle !

Car il s'agissait forcément du même homme.

Elle ne pouvait pas en être absolument sûre puisque sa vue brouillée l'empêchait de le regarder de plus près, mais elle se rappelait fort bien que Daniel rêvait d'intégrer la police depuis toujours.

Oui, il ne pouvait s'agir que de lui.

Elle se raidit pour contenir le flot de sentiments qui n'allaient pas manquer de déferler sur elle : colère, regrets, gêne, doutes, chagrin… mais à sa grande surprise, elle n'en éprouva aucun. Elle était sous le choc de cette rencontre fortuite.

— Andy, je suis à côté de ta sœur, poursuivit-il. Elle est garée sur la nationale 47, un peu avant d'arriver à Radford.

Il se tut un moment, puis reprit :

— Non. Elle a eu un malaise, et elle espère que tu vas venir la chercher.

Silence de nouveau.

— Elle dit qu'elle a le vertige et qu'elle n'y voit pas.

— Passez-le-moi, articula-t-elle péniblement.

Elle sentit le téléphone contre sa joue et aussi, la main tiède du policier. La main de Daniel Porter. Elle s'empara maladroitement du téléphone et la main s'éloigna. De nouveau, elle essaya d'ouvrir les yeux, mais, cette fois encore, la lumière l'agressa si violemment qu'une douzaine de ronds de lumière se mirent à tourner devant ses yeux comme autant de derviches devenus fous.

Inutile d'essayer, se dit-elle. Respirer. C'est tout. Respirer.

— Andy ? réussit-elle à prononcer, les yeux clos.

— Scarlett, tu as une voix d'outre-tombe ! s'exclama son frère d'une voix inquiète. Qu'est-ce qui t'arrive ?

— Une migraine. Je n'y vois plus et j'ai le vertige. J'ai dû me garer en vitesse sur le bord de la route. Il faut que tu viennes me chercher.

— Impossible, répondit Andy. En tout cas, pas tout de suite.

Elle ne put retenir un cri de déception.

— J'ai une patiente sous anesthésie locale, expliqua

Andy. Je suis sur le point de lui enlever quatre grains de beauté. C'est tout juste si je n'avais pas le scalpel à la main quand tu as appelé. Je viens tout de suite après, d'accord ?

Cette fois, elle laissa échapper un gémissement de douleur. Alors qu'elle avait cru pouvoir être rapidement mise en sécurité, elle devait prendre son mal en patience pour encore quelques heures.

— Je suis désolé, reprit Andy, mais je ne peux pas abandonner ma patiente.

— Oui, je comprends, murmura-t-elle.

A la place de son frère, elle aurait agi de la même manière.

— Tu peux faire confiance à Daniel. Je le connais, c'est un type bien, poursuivit Andy.

Elle était bien placée pour le savoir, mais Andy ignorait tout de la brève liaison qu'elle avait eue avec Daniel six ans plus tôt, même si, indirectement, c'était à cause de Daniel qu'il était venu s'installer dans le Vermont. En fait, personne n'était au courant de leur aventure. Leur relation s'était évanouie dans le passé sans laisser de traces.

— Il va appeler une ambulance, reprit Andy, et il restera avec toi jusqu'à ce qu'elle arrive.

— Je ne veux pas d'ambulance. C'est juste une migraine. J'ai déjà souvent eu des crises de ce genre.

— Aussi mauvaises que celle d'aujourd'hui ?

— Non.

— Alors, tu dois aller à l'hôpital.

— Non, je t'en prie, pas l'hôpital ! J'en ai ras le bol des hôpitaux.

Et comment ! Depuis des années, elle y travaillait quatre-vingt-dix heures par semaine. Son père avait toujours dit qu'elle était la plus intelligente de la famille, mais au final, cela l'avait plutôt desservie. Qui aimerait le genre de vie qu'elle avait mené ? Elle passait sa vie dans l'atmosphère d'hôpital imprégnée de l'odeur des désinfectants et n'apercevait le ciel qu'à travers les vitres teintées de l'établissement.

— J'ai juste besoin de rester allongée dans le noir.

— Passe-moi Daniel, fit-il d'une voix sans réplique. Je vais lui demander s'il peut t'accompagner à la maison.

— Mais ma voiture…

— Il va s'en occuper, il la garera correctement et je viendrai la chercher plus tard.

A l'aveugle, elle tendit le téléphone vers Daniel tout en se cramponnant au volant afin de réduire le mouvement au maximum.

Elle sentit que Daniel s'emparait de l'appareil.

— Oui, bien sûr, répondit-il.

Quand elle avait fait sa connaissance, il avait vingt-quatre ans et elle vingt-six. Il devait donc avoir trente ans maintenant. Sa voix s'était faite plus grave, mais il avait toujours cette façon de parler lente et réfléchie.

— Oui, je peux le faire. Pas de problème, j'ai fini ma journée. J'étais en train de rentrer chez moi.

— Merci, murmura-t-elle, soulagée.

— Je vais vous ramener chez votre frère, Arlette.

Arlette ?

Andy avait dû citer son prénom et Daniel l'avait mal entendu. Ainsi, il ne l'avait pas reconnue. Elle pensa que c'était mieux ainsi. De fait, cet incognito la soulageait. Elle espérait même que Daniel aurait oublié leur aventure.

Après réflexion, elle se dit qu'il ne fallait pas trop y compter, il devait forcément se rappeler les quelques jours qu'ils avaient passés ensemble. Ils avaient vécu quelque chose de tellement fort qu'elle ne pouvait envisager qu'il ne se souvienne plus d'elle. C'était tout bonnement impossible.

Six ans plus tôt, ils avaient passé un week-end passionné dans un *bed and breakfast* romantique où Daniel l'avait invitée. Puis ils s'étaient revus pendant les deux semaines suivantes, tout aussi intenses. Et puis elle l'avait plaqué. Ou bien était-ce lui ? Difficile à dire. Aujourd'hui encore, elle était incapable d'expliquer pourquoi.

Mais elle n'était pas la seule à porter la responsabilité de cette rupture brutale. Tout n'était pas sa faute. Ils avaient eu tous les deux des raisons profondes de mettre fin à leur aventure. Et autant de motifs de colère et de regret. Depuis, elle n'avait fréquenté aucun autre homme. Sa liaison avec Daniel lui avait révélé des aspects de sa propre personnalité qu'elle ignorait jusque-là et qui l'avaient perturbée. Elle avait trouvé plus rassurant de se jeter à corps perdu dans son travail plutôt que de se lancer dans de nouvelles histoires d'amour hasardeuses.

Mais si elle gardait encore les cicatrices de leur passion comme marquées au fer rouge, comment aurait-il pu oublier ? Forcément, il s'en souvenait, lui aussi.

Pour l'instant, il ne voyait en elle que la sœur d'un copain, affligée d'une terrible migraine, et il s'appliquait à jouer son rôle de bon Samaritain. Très bien.

Elle sentit qu'il la soulevait d'un côté par le coude et que, de l'autre côté, il avait glissé la main sous son bras pour l'aider à sortir de sa voiture. La tâche paraissait impossible, elle était incapable de marcher. Aurait-elle dû lui donner son vrai prénom pour ne pas prolonger l'équivoque ? Même si elle l'avait voulu, elle n'en aurait pas été capable.

D'ailleurs, elle ne souhaitait pas le faire, parce que…

Parce que, tout simplement.

Parce que c'était plus facile qu'il ne sache pas qui elle était.

En tout cas, pas encore. Pas tant qu'elle ne se trouvait pas en un lieu plus sûr que le bord d'une route de campagne.

Cinq ans et demi plus tôt, quand Andy était passé par une sale période de stress et de surmenage, elle lui avait conseillé d'aller se reposer dans ce même *bed and break-*

fast. Il avait trouvé le Vermont si apaisant qu'il s'y était installé et depuis, il y exerçait.

Elle était soulagée de pouvoir se reposer sur Daniel qui continuait à la soutenir. Pour sûr, il n'avait encore pas vu son visage. De toute façon, il ne la reconnaîtrait sûrement pas tant elle devait avoir mauvaise mine. Elle savait que sous le coup de la migraine, son teint devenait gris et les cernes sous les yeux la rendaient quasiment méconnaissable. En plus, à l'époque de leur aventure, elle était teinte en blonde et portait les cheveux ultra-courts.

— Je... j'ai le vertige..., murmura-t-elle.

— Oui, laissez-moi faire, je vais vous aider.

Elle se laissa faire docilement, totalement désorientée et incapable de coopérer. Finalement, il se résolut à la soulever dans ses bras. Elle n'eut pas la force de protester et se laissa aller contre lui. Toute son énergie passait dans son application à respirer.

Certes, elle n'était pas très lourde, mais elle était tout de même une femme adulte. S'il devait être pénible pour lui de la porter, il n'en montra rien. Il s'appliquait à ne pas la secouer et elle lui en fut reconnaissante.

Reconnaissante aussi de lui offrir son épaule où reposer sa tête douloureuse. Dès qu'elle faisait l'effort de la soulever, les derviches illuminés reprenaient leur sarabande sous ses paupières closes. Calée contre la chemise en coton de son sauveteur, tiède de la chaleur de ce mois de juillet, elle respirait une odeur fraîche de menthe qui provenait sans doute de son après-rasage.

C'était bon, cette odeur d'homme. Elle l'aurait reconnue entre mille ! Voilà que lui revenaient à l'esprit une foule de souvenirs sensuels et délicieux. Elle lutta de toutes ses forces contre ces sensations vertigineuses et préféra se concentrer sur sa respiration. Ses cheveux balayaient son visage. Elle aurait aimé qu'il les repousse, mais elle n'osait pas parler. Pourtant…

Touche mes cheveux, Daniel… Caresse mon visage. Tu l'as déjà fait, tu t'en souviens ?

Non, jamais, au grand jamais elle ne lui demanderait une chose pareille, même si elle avait été en état de parler.

Ils arrivèrent enfin à la voiture de Daniel. Une fois installée, elle se sentit aussi épuisée que si elle venait de courir un marathon. Elle avait hâte de retrouver Andy. Dès qu'elle le verrait, elle lui demanderait un antalgique plus puissant que celui qu'elle utilisait habituellement. En attendant, elle allait rester appuyée contre le tableau de bord, les bras croisés au-dessus de la tête, en espérant que le monde allait enfin s'arrêter de tourner.

— Merci… réussit-elle tout de même à articuler.

— Pas de quoi, répondit-il sur un ton parfaitement professionnel. Vous n'êtes pas très lourde.

Toujours cette façon calme et concise de parler… comme si les mots risquaient de déclencher un tsunami émotionnel s'il en prononçait trop à la fois.

— Les clés sont restées sur votre voiture ? Inutile de parler, vous n'avez qu'à hocher la tête.

— Oui, souffla-t-elle néanmoins.

Dans son état, parler était moins douloureux que bouger.

— Je vais garer votre voiture à l'écart de la route. C'est en vous voyant arrêtée à cet endroit que j'ai pensé qu'il était nécessaire de venir voir si vous alliez bien. Vous êtes trop près du bord.

— Désolée…

— Je comprends. Heureusement, il n'y a pas beaucoup de circulation à cette heure de la journée.

Elle demeura penchée, les yeux fermés, pendant que Daniel Porter allait déplacer sa voiture.

Quelques instants plus tard, il posait son sac sur ses genoux et la clé de contact dans sa main gauche.

— Vous la tenez bien ?

— Oui.

— Il y a autre chose dans vous avez besoin ?

— Ma valise… dans le coffre.

— Bien sûr. J'aurais dû y penser. J'en ai pour une minute.

— Merci.

Un instant plus tard, il prenait le volant.

La maison du docteur McKinley n'était distante que de quelques kilomètres. Elle se trouvait dans une rue du vieux Radford, bordée de maisons de style victorien qui dataient de l'époque de gloire de la petite ville, où l'exploitation des carrières de marbre faisait vivre la région.

Cette rue avait ensuite connu une période de déclin. Daniel se souvenait que dans son enfance, certaines de ces maisons avaient été quasiment abandonnées tandis que d'autres avaient été divisées en appartements puis louées à des familles aux revenus trop faibles pour les maintenir en bon état.

Mais cette époque était bien révolue. A présent, le quartier était devenu l'un des plus chic de la ville et il attirait les commerces le plus à la mode, restaurant gastronomique, bureau d'architecte, salon de beauté haut de gamme… Chacun était signalé par un panneau peint, planté dans un gazon impeccablement entretenu.

La maison du médecin ne bénéficiait pas de la même signalisation puisque son cabinet était en ville. Daniel se demanda si sa passagère se manifesterait quand ils arriveraient devant. Il comprit d'un simple coup d'œil qu'elle en était incapable. Mais heureusement, il connaissait l'adresse exacte du docteur.

La jeune femme assise à côté de lui était si menue qu'il avait l'impression qu'elle ne s'alimentait pas correctement. A moins que ce ne soit le stress qui brûlait toutes les calories qu'elle ingurgitait ? Tout à coup, sans pouvoir se l'expliquer, il éprouva un bizarre sentiment de familiarité. L'avait-il déjà rencontrée ? C'était bien possible si elle avait l'habitude de rendre visite à son frère. Radford était une petite ville, on finissait toujours par y croiser tout le monde.

Mais il sentait qu'il y avait quelque chose en plus la concernant. Cette impression de déjà-vu l'avait saisi quand il s'était trouvé assis à côté d'elle dans la voiture. Un peu comme s'il l'avait déjà eue comme passagère.

Il se promit d'y réfléchir plus tard. Pour l'heure, il avait hâte de l'amener à bon port et de la savoir entre de bonnes mains.

2564... 2570... voilà, ils étaient arrivés. La maison était coquette avec sa couleur crème et vert foncé et son porche refait à neuf.

Il s'engagea dans l'allée.

— Vous avez une clé de la maison ?

— Non, mais je... je sais où il la met.

Elle donnait l'impression de fournir un effort démesuré pour prononcer le moindre mot.

— Dites-moi où elle se trouve, j'irai la chercher.

Elle lui expliqua où se trouvait la cachette. Il fut soulagé d'apprendre que ce n'était ni le dessous du paillasson ni le pot de géranium à côté de la porte, mais sous le rocher gris placé à côté du quatrième laurier-rose de l'allée. Tout le temps qu'il la cherchait et qu'il ouvrait la maison, elle resta dans la voiture.

Il s'approcha de la grande maison qui avait été divisée en deux appartements. Il ouvrit celui auquel correspondait la clé et retourna à la voiture chercher sa passagère. Elle s'accrocha à lui comme s'il était le seul point fixe dans tout l'univers, mais, cette fois, elle réussit à marcher.

Et tout à coup, alors qu'il la tenait serrée contre lui une seconde fois, la mémoire lui revint. Le souvenir se fraya un chemin jusqu'à sa conscience malgré le changement de coupe et de couleur des cheveux, le visage blême à moitié caché par les grosses lunettes noires et sa maigreur inquiétante.

C'était Scarlett.

Scarlett Sharpe.

Seigneur…

Scarlett Sharpe était donc la sœur d'Andy McKinley ?

Il se demanda si elle l'avait reconnu. Probablement pas, vu l'état dans lequel elle se trouvait. Il se souvint d'avoir annoncé son nom à Andy, mais avait-elle seulement entendu ? Et si oui, avait-elle fait le lien ?

Et surtout, est-ce qu'elle se souvenait de lui ?

La colère, l'embarras mais aussi le souvenir troublant des émotions qu'ils avaient partagées autrefois lui revinrent à la mémoire. Il s'efforça de ne rien trahir de ce qu'il éprouvait. Mieux valait qu'elle ne le reconnaisse pas… A vrai dire, vu les difficultés qu'elle avait à mettre un pied devant l'autre, il était bien peu probable qu'elle soit plus habile à faire un lien entre ses idées. Cette pensée le rassura un peu.

— Je ne peux pas vous laisser toute seule ici, vous êtes trop mal, déclara-t-il calmement.

— J'ai juste besoin de m'allonger.

Que faire ?

Il l'aida à gravir l'escalier du perron.

Quand ils s'étaient connus, six ans plus tôt, même s'il n'avait que vingt-quatre ans, il était très mûr pour son âge. Pourtant, la violence du sentiment qu'il avait éprouvé pour elle lui avait complètement fait perdre pied.

Ce souvenir ne le réjouissait guère…

Heureusement, il n'avait rien à voir avec ce qu'il était en train de vivre en ce moment.

— Je vais attendre avec vous le retour de votre frère.

C'était la seule décision prudente étant donné l'état de la jeune femme.

Elle ne répondit rien.

Une fois à l'intérieur, il demanda :

— Où voulez-vous aller ?

— Sur le canapé.

Apparemment, elle était arrivée au bout de ses forces.

Il l'aida à s'allonger, glissa un coussin sous sa tête.

— Vous pouvez fermer les rideaux, s'il vous plaît ? La lumière est trop vive.

Il s'exécuta et scruta son visage, dans l'espoir de le voir enfin se détendre.

Elle gardait toujours les yeux fermés derrière ses lunettes sombres, mais paraissait moins souffrir. L'obscurité devait effectivement la soulager.

Il pouvait donc la regarder tout à loisir. Six ans plus tôt, elle était blonde, avec des cheveux très courts, et elle n'était pas maigre comme aujourd'hui. Il se rappelait très bien les formes féminines de son corps, la courbe de ses fesses, la rondeur de ses seins. Il l'aurait reconnue plus vite si elle n'avait pas autant changé.

— Voulez-vous que j'aille vous chercher un verre d'eau ?

— Oui. Merci.

Quand il revint, le verre à la main, elle lui demanda :

— Vous pouvez m'aider à boire ?

D'une main, il souleva légèrement sa tête et, de l'autre, approcha maladroitement le verre de ses lèvres. C'était là des gestes intimes. Est-ce qu'elle les accepterait si elle savait qui il était ?

Sans doute pas.

— Partez maintenant, souffla-t-elle. Merci.

— Non, je reste avec vous. Je ne veux pas vous laisser seule dans cet état.

Ils restèrent silencieux un long moment. Enfin, elle répéta :

— Merci.

Ensuite, chacun plongea dans le silence.

Andy finit par arriver. Scarlett entendit le bruit de sa voiture, puis ses pas précipités dans l'escalier et sur la terrasse de bois qui faisait le tour de la maison. Il débeula dans le salon, essoufflé :

— Merci infiniment d'être resté, Daniel. Scarlett, comment te sens-tu ?

— Un peu mieux… répondit-elle en essayant de mettre un rien de gaieté dans sa voix. Le problème, c'est que je n'y vois strictement rien.

— Laisse-moi examiner tes yeux.

Elle entendit Andy venir s'asseoir sur la table basse, devant le canapé. Daniel devait se tenir quelque part en retrait. Ils étaient restés ensemble au moins un quart d'heure sans échanger la moindre parole. Elle espérait qu'il mettait ce silence sur le compte de son état de santé et qu'il n'avait toujours pas deviné qui elle était réellement. Mais comment savoir ? Il n'avait jamais été bavard et elle n'était pas en état de repérer des indices qui lui auraient permis de se faire une idée claire de la situation.

Pour l'instant, elle était seulement très heureuse qu'Andy soit enfin auprès d'elle.

— Ouvre les yeux, commanda-t-il.

Elle obéit. Des ronds de lumière troubles et douloureusement aveuglants se mirent à danser devant elle.

— Tes pupilles ne se contractent pas, déclara Andy. Voilà pourquoi tu perçois autant de clarté.

— Je m'en rends bien compte !

Un instant plus tard, Andy reprit :

— Tu te ronges toujours les ongles, Scarlett ?

— Qu'est-ce que ça a à voir avec ma migraine ? protesta-t-elle tout en cachant le bout de ses doigts dans ses mains.

— Je ne vais pas t'apprendre que la migraine peut très bien être la conséquence du stress. Exactement comme les ongles rongés.

Afin d'éviter le sermon qu'elle sentait venir, elle déclara tout de go :

— J'ai démissionné.

— Quoi ?

— Oui, tu as bien entendu. J'ai démissionné de l'hôpital.

Elle faisait attention à parler lentement et à mi-voix afin de ne pas exacerber sa douleur.

— Papa ne le sait pas, poursuivit-elle. Il croit que je suis venue ici en vacances. Je passerai bien ici un mois comme prévu, mais, ensuite, je ne retournerai pas au City Children Hospital.

Andy demeura un instant sans voix, puis il reprit :

— Quand est-ce que tu comptes le lui annoncer ?

Le frère et la sœur savaient aussi bien l'un que l'autre que leur père n'approuverait pas pareille décision.

— Dès que je saurai ce que je ferai après mon mois de vacances.

— Tu veux dire que tu n'as pas encore d'idée ?

— Non. J'y réfléchirai pendant le mois qui vient. Papa sera furieux, je le sais parfaitement. Il est même tout à fait capable de ne plus m'adresser la parole pendant des années, mais tant pis !

— Eh bien…

— Eh bien quoi ?

— Il y a longtemps que je pense que tu travailles

trop, mais je ne croyais pas que tu aurais le courage de démissionner.

— Moi non plus !

A vrai dire, elle était un peu effrayée de son coup de tête. Voulait-elle réellement abandonner la médecine ? Laisser tomber sa spécialité de cancérologue en pédiatrie ? Elle ne savait pas. Mais ce dont elle était sûre et certaine, c'est que le fait d'être le brillant sujet de la famille ne la rendait pas heureuse. Même si son père était persuadé que c'était cela qui devait faire son bonheur.

— Tu crois qu'un mois va te suffire pour te reconvertir ? demanda Andy d'une voix anxieuse.

— Je n'en sais rien…

Si elle n'était plus médecin, qu'est-ce qu'elle voulait faire de sa vie ? Elle n'en avait pas la moindre idée. Et même pas l'ombre d'un projet.

Choqué par cette révélation, son frère n'était pas près d'abandonner si vite le sujet.

— Tu veux dire que tu ne sais pas à quoi tu vas employer ton temps ici ?

Cette fois, elle avait une réponse toute prête.

— Je vais travailler le bois.

— Tu plaisantes ?

— Pas du tout. Je veux apprendre à faire quelque chose de mes mains. Quelque chose qui me permette de créer.

Créer au contact d'une matière sensuelle, pensa-t-elle, mais elle n'osa pas prononcer le mot à haute voix. Sensuel, le bois ? Voilà qui paraissait peut-être bizarre, mais elle le sentait comme ça.

— Je ne suis pas très douée pour le tissage ni les travaux d'aiguille, alors je me suis tournée vers autre chose.

— Tu m'épates !

— Je suis entrée en contact avec un ébéniste de Radford, Aaron Bailey. Il fabrique des meubles qui me plaisent et il est d'accord pour me prendre comme stagiaire bénévole aussi longtemps que je le souhaite.

— Scarlett, c'est une bonne nouvelle.

— Oui, je sais, murmura-t-elle.

Elle s'enjoignit de ne surtout pas remuer la tête en parlant pour ne pas exacerber la douleur.

— Je m'accorde quelques jours de repos et je commence chez lui lundi prochain. Je lui ai bien dit que j'étais prête à commencer par balayer la sciure dans son atelier, histoire de voir comment je réagis à cette ambiance de travail. Ça me permettra peut-être de me connaître un peu mieux pour m'orienter ensuite.

— Franchement, Scarlett, je trouve ça génial !

— Merci, frangin. Tu vois, de temps en temps, j'arrive à te surprendre avec mes bonnes idées.

Malgré sa migraine, elle avait bien noté qu'Andy avait prononcé son prénom à plusieurs reprises. Cette fois, Daniel Porter ne pouvait pas ne pas avoir entendu puisqu'il se tenait tout près d'eux. Même s'il n'avait rien dit, il savait désormais qui elle était, bien qu'elle ait beaucoup changé.

Est-ce qu'il savait qu'elle l'avait reconnu ? Est-ce qu'il savait qu'elle savait… Oh ! la, la, sa tête allait exploser si elle voulait envisager tous les cas de figure. Autant laisser tomber.

De toute façon, elle se trouvait dans une situation bizarre qu'elle éclaircirait plus tard, si besoin était.

— Je vais te chercher un antalgique plus fort que celui que tu as pris, déclara Andy. Ensuite, j'irai à l'épicerie. Est-ce que tu veux que je te rapporte quelque chose ?

— N'oublie pas que tu as prévu d'aller à New York cet après-midi, lui rappela-t-elle. Et moi, je dois m'installer à côté dans ton appartement de location. Je n'ai pas l'intention de rester affalée sur ton canapé à me faire servir.

— Je peux retarder mon voyage en attendant que tu te sentes mieux. Je partirai demain ou samedi.

— Pas question. Claudia t'attend. Elle a envie de te voir. Tu vas la retrouver dès aujourd'hui, comme prévu.

Elle savait à quel point ce voyage était important pour son frère. Il avait assuré des gardes pendant deux week-ends d'affilée afin de se libérer pendant les six jours qu'il avait prévu de passer avec son amie Claudia.

Claudia recommençait à travailler à temps partiel le lundi suivant, trois jours par semaine. Malgré cette réduction de sa charge de travail, elle était tout de même très anxieuse à l'idée de laisser à la crèche son bébé de trois mois. Andy voulait être auprès d'elle et du petit Ben pour cette reprise. Ensuite, ils avaient prévu de revenir ensemble à Radford le jeudi suivant jusqu'au dimanche après-midi.

Leur arrangement paraissait un peu compliqué au premier abord, mais étant donné que Claudia était vraiment ce qui était arrivé de mieux à Andy depuis des années et qu'il était amoureux fou de la jeune femme, Scarlett n'avait aucune envie de bouleverser leurs plans.

A vrai dire, elle ne pensait pas que pareille organisation allait durer bien longtemps, surtout avec un bébé, mais cette fois au moins, elle ne serait pas celle qui aurait rendu leur rencontre plus compliquée. Sans doute avec le temps trouveraient-ils une solution plus facile à vivre. Ce qui comptait plus que tout, c'est qu'ils étaient amoureux et bien décidés à mettre toutes les chances de leur côté pour réussir leur histoire.

— Tu crois que tu vas être capable de te débrouiller dans l'état où tu es ?

— Ça ira mieux dans quelques heures.

En fait, elle savait bien qu'elle faisait preuve d'un excès d'optimisme en donnant une telle réponse. Sa dernière migraine, moins violente que celle d'aujourd'hui, l'avait tenue éloignée de son travail pendant deux jours. Et quand elle avait repris, son corps et son cerveau fonctionnaient au ralenti. Elle avait dû prendre sur elle pour résister à sa fatigue tant physique que mentale. Rester seule ici, même en prenant des antalgiques puissants, n'allait pas être une partie de plaisir.

Andy ne disait rien.

Elle le sentait hésiter. Il avait hâte d'arriver à New York, mais il était médecin et savait de quoi il retournait. Impossible de lui raconter des histoires.

— Non, je ne peux pas t'abandonner dans cet état, déclara-t-il enfin en s'efforçant de ne pas manifester sa contrariété.

— Mais si, je t'assure…

— Non. Je vais téléphoner à maman pour voir si elle peut venir passer deux jours avec toi.

— Surtout pas ! s'écria-t-elle.

S'il téléphonait à leur mère, cela revenait à mettre leur père au courant de son état ; or, ce dernier ne croyait pas aux migraines causées par le stress. A ses yeux, ce genre de sottises était peut-être valable pour les autres, mais certainement pas pour la famille McKinley. En plus, elle ne voulait absolument pas qu'il apprenne déjà qu'elle avait démissionné de son poste à l'hôpital. Même s'il finissait par comprendre et acceptait de lui pardonner, ce qui n'était pas du tout évident, il la presserait de prendre des décisions concernant son futur. Elle sentait très bien qu'elle n'était pas prête pour cela. Elle avait besoin de se ressaisir au calme, pas de se retrouver sous la férule, bien intentionnée certes, mais outrageusement pesante, d'un *pater familias* autoritaire et culpabilisant.

D'après lui, les McKinley étaient des médecins que rien ne pouvait abattre. Par conséquent, elle préférait ne pas se confronter à lui tant qu'elle ne se sentirait pas invincible, avec des réponses à toutes les questions qu'il ne manquerait pas de lui poser.

Il avait déjà suffisamment mal réagi quand elle lui avait annoncé qu'elle prenait quelques semaines de congé. C'était tout de même un comble ! En tant que benjamine de la famille et seule fille, elle aurait dû être celle que l'on gâtait le plus. En fait, c'était bien ce qui se passait, si ce n'est que la façon que leur père avait de la gâter était un peu trop originale.

Dès qu'elle avait su lire, il n'avait eu de cesse de lui faire passer des tests, des concours de mathématiques et de lui offrir des livres scientifiques. Les récompenses qu'il lui offrait pour ses notes excellentes étaient des séjours en colonies de vacances spécialisées pour enfants surdoués ou des visites dans les musées. C'était sa manière de lui prouver tout l'amour qu'il lui portait, mais, toute petite, elle avait en même temps senti la pression qu'il mettait sur elle et la fierté excessive qu'il retirait de ses brillants succès.

— De toute façon, reprit-elle, dans le meilleur des cas, étant donné le trajet, maman ne pourrait pas arriver ici avant ce soir, ce qui te ferait perdre une journée avec Claudia.

Elle avait toujours aussi mal lorsqu'elle faisait l'effort de parler, mais elle avait tellement à cœur de ne pas contrarier les plans de son frère qu'elle tenait à défendre sa position.

Jusque-là, Daniel Porter n'avait pas dit un mot. Ils l'entendirent s'éclaircir la voix.

— Je peux rester ici avec ta sœur en attendant qu'elle se sente mieux, Andy.

— Non... je ne peux pas..., protesta ce dernier.

— Ecoute, c'est seulement une question de quelques heures ce soir. Cette nuit tout au plus, et je ne dois pas regagner mon poste avant demain matin, 10 heures.

— Mais...

— Tu sais bien que je te suis redevable depuis cette arrestation au mois de mars dernier.

— Cela n'a rien à voir, Daniel. C'était professionnel. Aujourd'hui, il s'agit de quelque chose de personnel.

— Tu as tort de raisonner comme ça. Je risque fort de ne pas avoir l'occasion de te rendre de service professionnel d'ici longtemps.

Andy demeura silencieux. Daniel aussi.

Puis le téléphone sonna.

C'était Claudia. Même dans l'état désastreux où elle se trouvait, Scarlett remarqua combien la voix de son frère s'était faite douce pour lui parler.

— Non, ne t'inquiète pas. J'ai seulement un peu de retard, excuse-moi.

Il écouta un moment, puis reprit :

— Je pense arriver avant la nuit.

Voilà. Il avait pris sa décision. Daniel Porter allait rester.

— Moi aussi, je suis très impatient, poursuivit-il.

Elle était sûre qu'il souriait.

La conversation téléphonique terminée, il reprit sa voix normale.

— Daniel, j'apprécie réellement ta proposition et je l'accepte avec plaisir.

— Et moi, je suis content de te rendre service.

— Je vais aller chercher les médicaments pour Scarlett à mon cabinet en ville et je reviendrai les apporter ici.

— Parfait.

— Est-ce que je peux aussi te faire une liste de courses ? Comme j'avais prévu de partir, je n'ai pas de provisions.

— Pas de problème.

Elle entendit le plancher craquer sous le poids de Daniel et en déduisit qu'il s'approchait d'elle.

— Scarlett, il faudra m'aider à établir cette liste et me dire de quoi vous avez besoin.

Il l'avait appelée Scarlett… C'était clair désormais qu'il savait parfaitement qui elle était.

Malgré ses yeux clos et la sensation de martèlement contre ses tempes, elle sentait que Daniel était aussi mal à l'aise qu'elle. Dans le fond, sa migraine était presque un avantage dans cette situation bizarre. Au moins, elle n'avait pas à se demander s'il fallait le regarder ou si elle allait rougir en lui parlant. C'était bien la première fois de sa vie qu'elle tirait un quelconque avantage de cet horrible handicap ! Ce n'était pas suffisant pour alléger l'atmosphère, mais c'était mieux que rien.

— Je voudrais de la soupe. Et du pain grillé.

— Pense aussi à ce que, toi, tu as envie de manger ! s'exclama Andy. Tu n'es pas obligé de te mettre au régime soupe-pain sec à cause de la migraine de ma sœur !

Sa voix était toute gaie maintenant. Visiblement, il était soulagé à l'idée de prendre bientôt la route sans pour autant abandonner sa sœur.

— Je vais d'abord m'occuper de sa voiture, dit Daniel. Je vais retourner au poste et demander à un collègue de m'y conduire. C'est tout près d'ici. Ensuite, j'irai faire les courses. Je ferai aussi un saut chez moi pour prendre quelques affaires et me changer.

— Parfait. Allons voir ce qui me reste comme provisions.

Les deux hommes quittèrent la pièce. Elle en éprouva un véritable soulagement de se retrouver seule un moment. Leurs voix lui parvenaient depuis la cuisine. Ils étaient en train de faire la mise au point avant le départ d'Andy.

— Elle n'a qu'à dormir chez moi cette nuit, suggéra Andy. C'est inutile de la faire déménager à côté dans un appartement où il n'y a rien pour l'accueillir.

Elle entendit ensuite la porte du réfrigérateur s'ouvrir et se refermer.

— Il faut acheter du lait et du pain.

— Je note.

— Merci encore, Daniel. Quand je pense que tu me rends ce service alors que tu ne la connais même pas…

Erreur, pensa-t-elle. Il la connaissait… Il la connaissait même très bien !

Cinq minutes plus tard, Andy s'excusa encore une fois auprès d'elle et assura qu'il allait revenir avec le traitement nécessaire.

Elle entendit le bruit de sa voiture qui démarrait, puis s'éloignait. Ensuite, un silence inconfortable s'installa entre eux.

— Tu peux mettre la télé en marche si tu veux, dit-elle.

— Qu'est-ce que tu aimerais regarder ?

— Rien, c'est pour toi. Tu dois t'ennuyer à mourir.

— Non, je vais lire. J'ai commencé un policier super.

— Parfait.

Il avait dû feuilleter le livre près d'elle car elle entendit le bruit des pages.

— Tu devrais essayer de dormir, déclara-t-il.

Elle entendit craquer le fauteuil placé à côté d'elle. Il avait dû s'y asseoir.

— Je vais essayer, répondit-elle, docile.

Hélas, le sommeil ne se laissa pas apprivoiser. Le temps passa, s'étirant avec une lenteur insupportable, comme tout à l'heure quand elle se trouvait dans sa voiture au bord de la route.

— S'il te plaît, mets la télé tout doucement, ça me distraira un peu.

Elle l'entendit se lever.

— Volontiers, si cela ne doit pas te déranger.

— Non, au contraire.

Il chercha sur différentes chaînes un programme qui soit intéressant. Elle entendit des coups de feu, des rires enregistrés, des bouts de chanson… Puis la météo, une émission culinaire, un western, enfin un policier dont elle reconnut les dialogues.

— Stop ! Laisse ça.

— Tu veux ce policier ?

— Oui. Je l'ai déjà vu.

Effectivement, et plutôt trois fois qu'une, tard le soir après une journée épuisante ou après avoir parlé avec les parents d'un enfant gravement malade. Les histoires de détectives la détendaient et lui permettaient d'oublier la dureté de son quotidien à l'hôpital.

— Je le connais tellement bien que je peux mettre les images sur les dialogues, expliqua-t-elle.

C'était un programme qui lui convenait parfaitement. Une intrigue bien nouée et un *happy end*. Rien de compliqué, rien de triste, sa vie l'était déjà bien suffisamment.

— Désolée, poursuivit-elle, c'est sûrement moins intéressant que ton livre.

— Peu importe. De toute façon, je n'arrive pas à me concentrer pour lire.

Ah… maintenant, je sais que tu sais…, pensa-t-elle.

Mais ils ne s'étaient encore rien dit, tout en ayant spontanément recommencé à se tutoyer depuis le départ d'Andy.

Elle se sentait de plus en plus mal à l'aise.

— C'est drôle, la vie des gens…, dit-elle.

Apparemment, elle parlait du film, mais évidemment, il pouvait très bien comprendre qu'elle faisait allusion à leur propre histoire.

— Oui, répondit-il, laconique.

— On voit où commence leur histoire, mais on se demande comment elle va finir…

— C'est vrai.

Je sais que tu sais… pensait-elle. *Est-ce que nous allons continuer à faire comme si de rien n'était ?*

— Est-ce que je peux t'apporter quelque chose ? demanda-t-il.

— Non, merci. Ou plutôt, si. Encore un verre d'eau, s'il te plaît.

— Tout de suite.

Comme il se levait, elle ouvrit les yeux et réussit à apercevoir sa silhouette au moment où il entrait dans la cuisine. Non, elle n'avait pas oublié la largeur de ses épaules, ni sa haute taille. Puis elle referma les paupières, un peu soulagée de découvrir que la lumière du jour lui avait paru moins violente.

Un instant plus tard, il était de nouveau près d'elle. Elle entendit le froissement de sa chemise quand il se pencha sur elle, puis ses doigts se pressèrent contre son visage pour lui présenter le verre comme il l'avait fait tout à l'heure. Avant de se mettre à boire, elle éprouva une sensation de douceur sensuelle, malgré la douleur à la tête.

Est-ce que Daniel avait changé depuis leur séparation ? Le peu de lui qu'elle avait entrevu plus tôt à travers son brouillard migraineux ne la renseignait guère.

Un éclair de mémoire jaillit dans son esprit. Elle le revit tel qu'il était six ans plus tôt, lorsqu'elle l'avait rencontré pour la première fois. Un court instant, ce souvenir intense réussit à lui faire oublier son mal de tête.

Elle se trouvait alors à l'hôpital, en train d'examiner un enfant qui se plaignait de douleurs au ventre. En faisant le décompte des symptômes qu'elle avait diagnostiqués, le bilan lui paraissait de mauvais augure. L'accueil en pédiatrie où elle se trouvait à ce moment-là était séparé de l'hospitalisation générale, mais cela ne l'empêchait pas d'entendre le remue-ménage qui se déroulait à côté. Un drogué en cure de désintoxication, apparemment plus fort et plus violent que les autres, devait se débattre tandis que des agents de sécurité tentaient de le maîtriser.

Après avoir terminé son examen et promis aux parents que les examens nécessaires seraient effectués le plus rapidement possible, elle avait gagné le couloir afin de retourner au sixième étage où se trouvaient les lits de pédiatrie.

C'est alors qu'elle était tombée sur Daniel. Elle avait été impressionnée par ses larges épaules et l'allure intimidante que lui conférait son uniforme. En passant près de lui au moment où il venait prêter main-forte aux personnes occupées à maîtriser le drogué, elle lui avait jeté un coup d'œil et ce simple regard lui avait suffi pour comprendre le contrôle qu'il avait de lui-même et sa détermination. Certains préposés à la sécurité n'avaient pas du tout cette allure digne et réservée. On les sentait au contraire émoustillés à l'idée d'imposer leur force physique, voire leur brutalité. Ils se présentaient en souriant sur les lieux d'intervention, et plus il y avait de violence, plus ils se délectaient à l'idée d'utiliser la leur. Daniel contrastait totalement avec eux par son calme et son air professionnel.

Et ce qui ne gâchait rien, il avait en plus un physique agréable, avec son visage aux traits bien dessinés, ses cheveux noirs coupés court et ses grands yeux noirs au regard sensible. Jusque-là, elle avait toujours été attirée par les hommes élégants, assez intellectuels, mais cette fois, ce fut bien différent.

Cette fois et les jours qui suivirent également. Elle était absolument fascinée par son extraordinaire présence physique.

Il était totalement différent de son ex-mari, Kyle Sharpe, dont elle utilisait encore le nom à cette époque. Lorsqu'il lui avait jeté un regard avant d'intervenir, elle avait été immédiatement séduite. Au lieu de monter à son étage, elle était restée sur place à regarder la scène, espérant croiser une nouvelle fois son regard.

— Calmez-vous maintenant, avait dit Daniel au malade de sa voix grave et posée. Je suis là pour vous aider.

Le malade s'était arrêté de crier.

— Vous allez venir avec moi, avait repris Daniel. Je m'occupe de vous.

Il s'était approché du malade qui paraissait subjugué par son calme et sa carrure. Daniel avait posé la main sur son épaule, une main protectrice. C'était terminé. Le malade l'avait suivi sans opposer de résistance, comme soulagé.

Elle était arrivée à la porte battante et avait regagné son étage où un autre monde l'attendait.

Le premier regard qu'elle avait posé sur Daniel avait dû sans doute la trahir plus qu'elle ne l'avait cru. Oui, elle avait dû se livrer sans le savoir car, par la suite, quand ils se croisaient dans un couloir, il lui adressait un sourire. Ensuite, il s'était mis à la saluer, puis il avait pris l'habitude de s'arrêter pour parler un moment avec elle.

Ces moments se prolongèrent de plus en plus et, malgré sa visible réticence au bavardage, il ne paraissait jamais pressé de mettre fin à leurs échanges.

Ce petit jeu de séduction avait duré un certain temps, et puis un jour, ou plutôt un soir, il l'avait invitée à prendre un verre. Un repas. Et ils s'étaient retrouvés au lit.

A cette époque, elle était encore terriblement blessée par son divorce. Son mariage avait pris fin de la plus horrible manière et Kyle s'était remarié très vite après leur séparation. A croire qu'il voulait lui montrer qu'elle ne comptait pour rien à ses yeux et tenait à détruire le peu de confiance qui lui restait après ce triste épisode.

C'était bien de Kyle de se comporter de cette façon…

Mais c'était sans doute parce qu'elle se trouvait dans cette période de désert affectif et de souffrance morale qu'elle avait répondu aussi rapidement et intensément à Daniel, qui était diamétralement opposé à Kyle.

Très vite pourtant, malgré des moments partagés pleins de joie et de complicité sensuelle, elle était revenue à un peu plus de raison. On ne construit pas une relation solide simplement en choisissant le contraire de ce qu'on avait jusque-là ! Daniel était un homme sans la moindre affectation, droit, proche de la nature, mais elle s'était jetée à son cou à cause du malaise dans lequel elle se trouvait. Même si elle s'était trouvée dans une période plus apaisée de sa vie, il n'y avait aucune chance pour que leur histoire puisse durer. Ils avaient été aussi fous l'un que l'autre de vouloir essayer.

Daniel regardait Scarlett toujours allongée sur le divan. Est-ce qu'elle s'était endormie ? C'était difficile à dire. Depuis un bon moment, elle n'avait ni remué ni parlé et sa respiration s'était faite calme et régulière. Il jeta un coup d'œil sur sa montre. Il était près de 15 heures et Andy n'allait pas tarder à revenir avec les médicaments promis.

La télé diffusait à présent une autre histoire policière, mais, contrairement à Scarlett, il préférait celles qui se déroulaient dans les hôpitaux. Finalement, il trouvait amusant de constater que chacun aimait à se changer les idées dans un univers différent de son quotidien.

De nouveau, il examina la jeune femme et, une fois de plus, il s'efforça de retrouver le visage et le corps de celle qu'il avait connue six ans plus tôt. C'était difficile et peut-être était-ce mieux ainsi ? Autrefois, elle arborait des cheveux ultracourts, d'un blond peroxydé un peu trop voyant. Aujourd'hui, ils étaient longs, naturellement châtain doré, ce qui lui convenait beaucoup mieux.

Mais la grande différence était ailleurs. En vain, il essayait de retrouver les courbes douces de son corps… Où étaient-elles passées ? Perdues dans la fatigue, le stress, la souffrance. Elle avait horriblement maigri, au point d'être presque devenue méconnaissable. Daniel essayait de découvrir ce qui lui avait permis de retrouver en elle la Scarlett d'autrefois. Ce n'était pas sa voix, c'était quelque chose de plus difficile à cerner.

Quelque chose… oui, quelque chose qui se nichait dans les souvenirs que son corps avait d'elle quand ils faisaient l'amour. Cette façon qu'elle avait de fermer les yeux au moment où elle s'abandonnait totalement. La façon qu'elle avait de remuer sous lui pour adopter son rythme. L'intensité avec laquelle elle était possédée par leur complicité physique, aussi violente que celle qui la clouait sur le divan en ce moment, aveuglée par la lumière et la souffrance.

Leur liaison n'avait duré que peu de temps, mais jamais il n'avait rencontré une entente physique aussi parfaite. Ni avant de la connaître ni après.

Diable…, se dit-il. Pourquoi évitait-il de mentionner leur ancienne relation ? Le souvenir des moments qu'ils avaient passés ensemble au lit, le sentiment de félicité absolue qu'il éprouvait alors… Si jamais ils évoquaient le passé, elle devinerait qu'il n'avait jamais réussi à l'oublier. Et cela ne pouvait mener à rien.

Plus il essayait d'imaginer la scène, plus elle lui paraissait improbable. Comment demander d'un air détaché, dans la situation qui était la leur en ce moment :

— Alors, Scarlett, tu te souviens de moi ?

Mieux valait, oui, nettement mieux, laisser les choses en l'état.

En tout cas pour l'instant.

Scarlett recommença à se sentir humaine dès que les médicaments apportés par Andy firent leur effet aux alentours de 18 heures. Il avait déposé le sachet avec l'ordonnance, attrapé son sac de voyage et disparu avec la vitesse d'un homme pressé de retrouver la femme de sa vie.

Après l'avoir aidée à prendre ses comprimés, Daniel était sorti faire les courses et elle l'entendait maintenant ranger les provisions dans la cuisine. Il avait conservé la clé cachée dans le jardin, ce qui lui permettait d'aller et de venir librement.

Une fois les courses rangées dans les placards et le réfrigérateur, elle l'entendit revenir dans la salle de séjour.

— Est-ce que je peux faire quelque chose pour toi, maintenant ?

Il avait retrouvé sa voix de professionnel, grave, neutre et précise. Pas de mots inutiles. Pas d'hésitation.

— Oui, trouve-moi un autre film policier à la télé avant que je sois obligée de tuer quelqu'un moi-même pour me distraire !

La plaisanterie ne le fit pas rire. En fait, ce qu'elle venait de dire n'était pas très drôle. Difficile d'avoir le sens de l'humour quand on sort à peine de l'atelier d'un forgeron sadique...

Il chercha un instant et s'arrêta sur un téléfilm.

— Parfait, dit-elle.

— Je vais te faire chauffer un peu de soupe ?

— Oui, volontiers.

Lorsqu'il revint quelques instants plus tard, elle réussit à s'asseoir et à boire sa soupe dans un bol. Ensuite, elle grignota les toasts qu'il lui présentait sur une serviette en papier.

Lorsqu'elle osa enfin ouvrir les yeux, elle découvrit avec plaisir que sa vision était moins trouble et que la lumière ne lui faisait plus mal. Elle n'y voyait pas encore distinctement, mais c'était déjà un réel progrès. En fait, elle avait l'impression de renaître.

Daniel s'approcha pour lui retirer le bol des mains sans qu'elle ait besoin de le demander.

— Merci. Je me sens nettement mieux, même si ma vision n'est pas encore normale.

— Tu as meilleure mine. Tu es beaucoup moins pâle que tout à l'heure.

— Cette soupe m'a fait beaucoup de bien.

— Je peux t'en faire chauffer encore un peu, si tu veux.

— Volontiers, si cela ne t'ennuie pas.

— Un autre toast ?

— Oui. Mon estomac se remet en place, lui aussi.

Elle se tut un moment, puis laissa échapper :

— Comment se fait-il que tu saches si bien me soigner ?

Il ne répondit pas tout de suite. Puis, un peu à contrecœur, il répondit :

— Ma mère a été longtemps malade quand j'étais petit.

Cet aveu la surprit. Six ans plus tôt, il ne lui avait jamais parlé de son enfance. Pas une seule fois il n'y avait fait la moindre allusion.

En fait, elle avait bien deviné qu'il avait connu des moments difficiles, mais il ne lui avait jamais parlé de sa mère. Il ne lui avait rien confié de personnel, même pas à propos de quelque chose d'aussi grave.

— Elle est morte il y a quelques mois, ajouta-t-il, comme s'il avait deviné la question qu'elle n'osait formuler. Elle n'avait pas peur de mourir et était même soulagée de partir.

Confuse, elle balbutia quelques mots de condoléances, aussi embrouillés que si elle avait été coupable de ne pas savoir. Peut-être qu'à l'époque, Daniel aurait-il davantage parlé de lui si elle n'avait pas été si outrageusement préoccupée d'elle-même ? Si son ex-mari ne l'avait pas quittée avec un énorme poids d'émotions pénibles à évacuer… Si elle n'avait pas été aussi effrayée par l'intensité physique de sa relation avec Daniel, alors que toute sa vie, c'était son intelligence qui l'avait fait vivre et sur son intelligence seule qu'elle avait pris l'habitude de compter ? Si elle lui avait manifesté davantage de confiance, tout simplement. Car même des choses qui les unissaient, elle n'avait pas osé parler. Alors que dire de tout ce qui les séparait ?

Il faut dire aussi qu'ils avaient passé au lit le plus clair du temps de leur relation et que là, évidemment, ils avaient des sujets de conversation plus palpitants que leurs familles respectives.

— C'est du passé, maintenant, conclut-il.

Et elle comprit qu'ils pouvaient passer à autre chose. Mais quoi ? Elle avait beau se torturer les méninges pour trouver quelque chose à dire, elle ne trouvait rien.

Heureusement, il fit preuve de plus d'imagination qu'elle. De façon très adroite, il aborda un sujet neutre.

— Ton frère a réellement effectué un joli travail de restauration dans cette maison.

— C'est vrai, même si ce n'est pas lui qui a tout fait. Les précédents propriétaires avaient déjà commencé le travail avec beaucoup de goût. J'ai vu des photos de la maison, prises dans les années 1970, c'était un véritable taudis.

— A ce point ?

— Oui. La maison était mal distribuée. Les boiseries étaient en plastique, la cuisine et la salle de bains étaient peintes en couleur caca d'oie. Bref, c'était une horreur ! Et je ne te parle pas des trous dans le plancher… J'imagine que des familles entières de rats y avaient trouvé refuge.

Il eut un petit sourire.

— Je me souviens de cette mode pour les couleurs bizarres. Notre réfrigérateur était vert épinard !

— Voyons, tu n'es pas assez vieux pour avoir connu cette période !

— Tu sais, certaines personnes n'ont pas les moyens de changer leur cuisine ou de repeindre leur maison chaque fois que la mode change…

— C'est vrai.

Et voilà ! Ils étaient déjà en plein cœur d'une conversation qui aurait dégénéré en dispute six ans plus tôt, parce qu'à partir de là, ils en seraient venus à parler du milieu modeste dans lequel il avait grandi, ce qui impliquait l'affreuse peinture épinard ou caca d'oie, et le milieu favorisé dans lequel elle-même avait évolué, dans une maison toujours décorée à la pointe de la mode. Elle aurait trop parlé, rendu la situation encore plus délicate, tandis que lui se serait tu, en refoulant quantité d'émotions pénibles, voire douloureuses.

Allaient-ils se disputer aujourd'hui ? Ou plonger dans l'un de ces longs silences dont elle avait horreur ?

A sa surprise, il se mit à rire.

— C'est drôle comme les souvenirs changent la perception qu'on a des choses.

— Qu'est-ce que tu veux dire ?

— Eh bien, quand j'étais jeune, je détestais ces couleurs criardes. Maintenant, je les vois comme un simple détail. Bref, un souvenir de guerre !

Elle approuva.

— Quand je pense que les gamins d'aujourd'hui se plaignent de leur vie alors que nous, nous étions obligés de supporter nos cuisines vert épinard !

— Oui… Mais comme dit le proverbe, ce qui ne tue pas rend plus fort.

— Sans doute.

Ils continuèrent à parler, sans jamais évoquer ouvertement leur liaison passée. Daniel montrait sa réserve habituelle. Elle se livrait davantage et prenait chaque confidence qu'il lui faisait de retour, si minime soit-elle, comme une véritable victoire.

Jamais ils n'auraient pu renouer leur relation avec autant d'aisance si le contexte avait été différent. Tout cela était possible seulement parce qu'elle n'y voyait pas, parce qu'il fallait qu'il l'aide, et parce qu'ils avaient passé un certain temps avant de réaliser qu'ils se connaissaient déjà.

Lorsque le silence s'installa un peu plus tard, ce ne fut pas un silence pesant, mais un moment de calme bienfaisant. Il regardait le film dont elle se contentait d'écouter la bande-son. De temps à autre, il éclatait de rire et elle se délectait de l'entendre. Il avait une façon de rire rassurante et contagieuse, qui créait une complicité aussi sûrement qu'une conversation. Peut-être même plus. Ce rire lui faisait l'effet d'une caresse réconfortante et elle aurait aimé que le film soit plus drôle pour la ressentir plus souvent.

La soirée s'étira tranquillement, sans beaucoup de paroles, mais riche d'émotions profondes qui n'avaient pas besoin d'être formulées pour être éprouvées. Rien de tout cela n'était superficiel comme elle aurait pu s'y attendre. Se serait-elle trompée sur la qualité de leur brève relation ?

Depuis qu'ils s'étaient séparés, elle n'avait jamais pu penser à lui sans être perturbée par des émotions et des sentiments inconfortables. Pour autant, elle n'avait pas envie de s'appesantir sur ces souvenirs pour le moment.

Le moment était venu de prendre son médicament et de monter se coucher. Il lui apporta les comprimés avec un verre d'eau et elle les avala, heureuse de pouvoir respecter l'horaire prévu sans que la douleur soit revenue.

— Merci beaucoup, Daniel.

— De rien. Je t'accompagne dans l'escalier ?

— Volontiers.

Elle se mit debout et sentit ses jambes se dérober sous elle. Heureusement, Daniel était tout près d'elle. Il l'attrapa par le coude tandis qu'elle se cramponnait des deux mains à sa chemise et se laissait aller de tout son poids contre sa poitrine.

Dès qu'elle tenta de s'écarter de lui, elle recommença à vaciller et il dut l'aider à se remettre sur ses pieds. Puis le malaise s'estompa et, mis à part sa vue toujours brouillée, elle se sentit presque dans son état normal.

Il lui passa un bras autour de la taille et elle trouva cela bien agréable. Elle n'était pas encore à même de discerner les traits de son visage, mais elle reconnaissait son parfum de santal et de menthe mêlés.

— Je peux te préparer un lit sur le canapé, si tu ne te sens pas de monter l'escalier, dit-il.

— Non, merci. J'ai envie de dormir dans un vrai lit. Ça vaut la peine que je fasse un effort !

— Oui, je comprends.

Les mots demeurèrent en suspens, comme pour leur laisser le temps d'évoquer tous les lits dans lesquels ils avaient dormi ensemble. Il y en avait eu un certain nombre pendant la courte période de leur relation. Le grand lit à baldaquin du *bed and breakfast* de Radford, aux coussins rebondis, mais aussi la couchette inconfortable de la salle de garde de l'hôpital, la fois où Daniel avait glissé une chaise sous la poignée de la porte pour la coincer… Son lit à elle, dans l'appartement de ses parents à Manhattan où elle était retournée vivre après son divorce d'avec Kyle et où elle était restée le temps de son internat. Elle avait profité de l'absence de ses parents un week-end pour inviter Daniel à l'y rejoindre. Il avait regardé les hauts plafonds, les tableaux accrochés aux murs, la vue magnifique sur Central Park et ne lui avait pas caché qu'il était étranger à ce style de vie privilégié. Une découverte dérangeante car elle lui faisait clairement percevoir la différence entre les milieux d'où ils provenaient l'un et l'autre.

Pourtant, une fois dans son lit, cela n'avait plus compté du tout. Non, une fois qu'ils étaient l'un contre l'autre, plus rien n'avait d'importance, hormis leurs deux corps affamés de baisers et la magie des caresses qu'ils échangeaient.

Pendant ces semaines brèves et intenses, c'est surtout cela qu'ils avaient connu : des lits, du sexe et la volupté de dormir dans les bras l'un de l'autre.

Ce bonheur avait été si violent, si nouveau pour elle qu'elle en avait eu peur. Et alors…

— On y va ? demanda-t-il.

— Oui, d'accord.

Mais avant qu'ils aient commencé à gravir les marches, il reprit :

— Tu ne crois pas que nous devrions le dire ?

— Dire quoi ?

— Tu le sais très bien. Ce que nous gardons pour nous depuis un moment.

Il lui prit la main et la serra dans la sienne.

— Tu te souviens de moi ?

— Bien sûr.

Elle ouvrit les yeux, mais cette fois encore, ce fut un brouillard lumineux qui s'offrit à sa vue.

— Oui, même si je ne peux pas te voir pour le moment.

Tout en disant cela, elle découvrait qu'on accorde beaucoup trop d'importance à la vue. Son corps n'avait pas besoin d'y voir pour retrouver les émotions d'autrefois. La chaleur de la main de Daniel lui causait la même brûlure délicieuse qu'autrefois. Peut-être devrait-elle la lâcher ? S'éloigner de lui ? Elle n'en fit rien. Et lui non plus.

— Tu n'es plus blonde ?

— Non. Cette teinture, c'était… disons, une réaction à mon divorce.

— Tu ne m'en as jamais vraiment parlé. C'est tout juste si tu l'as mentionné deux ou trois fois.

— Nous ne parlions pas beaucoup tous les deux, tu te rappelles ?

— C'est vrai.

— D'ailleurs, je n'ai toujours pas envie d'en parler.

— C'était si terrible que ça ?

— Pire encore. Mon mariage lui-même était abominable.

— Tu crois que c'est à cause de ça que nous sommes tombés dans les bras l'un de l'autre ?

— Je ne sais pas. Je me suis souvent posé la question, mais je n'ai pas la réponse.

Il relâcha un peu la pression de sa main, et elle eut envie de crier pour qu'il recommence à la serrer.

— Tu refusais de m'écouter…, rappela-t-elle.

— … tu ne m'écoutais pas non plus !

— Bref, c'est allé de mal en pis.

— Et nous avons rompu.

— Tu étais très en colère le dernier jour, tu te rappelles ?

— Toi aussi ! s'empressa-t-il de rétorquer.

Elle faillit lui répondre qu'elle en avait eu assez d'être toujours celle qui parlait le plus alors qu'il refusait de se livrer. Elle devait faire un effort pour lui dévoiler ses désirs et ses sentiments alors qu'elle était encore sous le coup de son divorce.

Mais c'était bien ce qui s'était passé. Il avait refusé de se confier à elle. Il avait laissé un mur les séparer. Est-ce qu'elle lui en voulait encore ? Elle avait bien des torts, elle aussi. Ne serait-ce que son impatience…

— Je crois que nous avons tous les deux commis des erreurs, reconnut-elle.

— Je suis bien d'accord, acquiesça-t-il simplement. La colère est mauvaise conseillère. On finit par dire des choses qu'on ne pense pas et qu'on regrette ensuite. Et après, on est terriblement malheureux !

Il parlait comme quelqu'un à qui la vie avait enseigné cette dure leçon. A quelle occasion avait-il découvert cela ? Encore une fois, elle réalisa à quel point ils se connaissaient peu tous les deux.

— Est-ce que, si jamais tu as pensé à moi depuis que nous ne nous sommes plus vus, c'est de la colère que tu ressentais ?

— Non. Et toi ? demanda-t-il.

— Moi non plus. J'avais plutôt le sentiment que notre

rupture était inévitable. J'y ai longuement réfléchi et je ne vois pas comment notre histoire aurait pu se terminer autrement. Nous étions un peu décalés l'un par rapport à l'autre. Moi surtout, en fait.

— Je ne sais pas.

Elle se souvenait très bien que juste après sa rupture avec Daniel, elle avait décidé que, décidément, elle n'était pas faite pour les histoires d'amour. C'était trop effrayant. Trop préoccupant. Et trop en contradiction avec ce qu'on lui avait enseigné et qu'elle avait jusqu'à présent parfaitement mis en actes, c'est-à-dire un brillant cerveau toujours sur le qui-vive et un corps sans exigences démesurées.

Bilan ? Un mariage raté et une liaison avortée. Même sa parfaite entente sexuelle avec Daniel n'avait pas suffi à les garder ensemble plus de quelques semaines. En fait, cet accord presque miraculeux présentait plus un problème que la solution à ses inquiétudes. Il ne pouvait que la tromper et l'empêcher d'évaluer leur relation la tête froide.

Pourtant, quelque temps après la fin de leur liaison, elle avait eu envie de tomber de nouveau amoureuse, à condition toutefois de respecter quelques règles de prudence. La première étant de ne pas brusquer les choses, la seconde, de garder le sexe le plus longtemps possible hors jeu. Mais elle n'avait pas eu l'occasion de mettre son plan à exécution car aucun homme n'était sorti avec elle plus d'une ou deux fois. Ce qui était parfaitement normal étant donné le peu de liberté dont elle disposait. Quel homme aurait accepté de toujours passer après le travail de son amoureuse ?

La voix de Daniel la sortit de sa rêverie.

— Tu t'es déjà demandé pourquoi c'était si bon entre nous ?

Tout à coup, l'air se fit lourd de tous les souvenirs qui leur revenaient à la mémoire à tous les deux. Oui, leurs corps se rappelaient parfaitement. Soudain, elle eut envie

de pencher la tête pour poser la joue contre la poitrine de
Daniel. Ou encore mieux, de lever le menton vers lui et
de lui tendre sa bouche. Ce serait délicieux, elle le savait.
Elle trouverait le parfum de son haleine, la douceur de
ses lèvres... cela ne pouvait pas avoir changé malgré les
années écoulées.

Elle sentait ses genoux faiblir sous elle, mais cette
fois-ci, ce n'était pas à cause de sa migraine. Son corps
commençait à fondre de douceur à mesure qu'elle prêtait
plus attention à la force qui émanait du corps de Daniel.
Et elle absorbait avec avidité la délicieuse chaleur qui lui
arrivait par vagues sans cesse renouvelées.

— Je... je ne sais pas...

Incroyable ! Elle n'y voyait toujours pas clair, mais son
corps était capable de désir comme aux plus beaux jours.
Sans vraiment l'avoir voulu, elle se serra contre Daniel et
leurs jambes se trouvèrent en contact. Ou plus exactement,
un des genoux de Daniel se glissa entre ses jambes.

— Dans le fond, est-ce que nous avons vraiment besoin
de savoir ?

Tout à coup, le monde parut se limiter à eux deux : elle
et lui, dans les bras l'un de l'autre, leurs corps se rappelant
parfaitement ce qu'ils essayaient de mettre en mots avec
tant de maladresse.

Il posa une main sur sa hanche. Elle en sentit la chaleur
et ne pensa pas un instant à se dérober.

— Tu te souviens ? souffla-t-il.

Pour toute réponse, elle pressa sa jambe un peu plus
fort sur le genou de Daniel.

— Tu n'as pas oublié comme c'était bon ? reprit-il.
C'était parfait, merveilleux.

— Oui, mais nous avons tout gâché.

— Non, Scarlett. Nous avons gâché beaucoup de choses,

mais pas ça ! Jamais. Pas une seule fois. Nous avons fait l'amour la première fois que nous sommes sortis ensemble et jamais, pas une seule fois, la magie qui fonctionne entre nous n'a manqué le rendez-vous.

Tout en se demandant s'il n'était pas en train de commettre la plus grosse bêtise de sa vie, Daniel murmura à Scarlett d'aller se mettre au lit, mais pas toute seule comme elle l'avait prévu…

Avait-il vraiment prononcé ces paroles ? Allait-il de nouveau se lancer dans cette aventure qui l'avait déjà rendu si malheureux ? Pour l'instant, il ne savait pas s'il devait regretter de s'être arrêté au bord de la route pour la secourir ou se réjouir d'avoir retrouvé son grand amour gâché.

Son corps, lui, ne se posait pas tant de questions. Il avait la réponse toute faite, mais fallait-il l'écouter ? Il se rappelait toutes les caresses que Scarlett aimait tant, comme le petit baiser derrière l'oreille, ou le baiser appuyé sur ses lèvres si douces. Cela suffirait pour qu'elle s'abandonne, exactement comme autrefois, mais n'était-ce pas une folie de plonger de nouveau dans leur relation tumultueuse ?

Pourtant, malgré toutes les raisons qui faisaient que leur histoire n'avait pas marché, il la désirait comme un fou. Son corps lui affirmait que rien de tout cela n'avait d'importance. Le passé était le passé. Le moment présent était ce qui comptait. Hélas, il savait que l'instant présent ne dure pas et que, par contre, le poids de ce qui avait été fait et dit demeure.

Allait-il céder à l'appel de ses sens ou pas ?

Tu le regretteras demain matin, disait une petite voix.

Profite de ce que t'offre la vie ! protestait une autre.

Scarlett vaut bien mieux qu'une aventure d'une nuit, reprenait la première. *Réfléchis bien avant de tout gâcher de nouveau !*

Et pourquoi est-ce que ce serait seulement l'affaire d'une nuit ? Pourquoi le regretterais-tu ?

Tandis qu'il se débattait avec sa conscience, Scarlett prit la décision à sa place. Il sentit son corps frémir sous ses doigts. Sa sensibilité au plaisir était d'autant plus grande que la douleur qui l'avait torturée tout l'après-midi venait de céder grâce à l'action des médicaments prescrits par Andy.

— Montons ! fit-elle d'un ton sans réplique. Il y a un grand lit là-haut.

Elle lui prit la main et la glissa entre ses cuisses. Le message était clair.

Comme elle rendait les choses simples ! C'est déjà ce qu'elle avait fait six ans plus tôt, tout au début de leur aventure, mais il s'étonnait encore de sa spontanéité.

Elle n'avait jamais utilisé le sexe comme une monnaie d'échange, ni comme une manière de prendre le pouvoir sur lui, ni comme une stratégie. Non, même à la fin de leur liaison, elle était restée simple et sans détour, incapable de la moindre manipulation.

Le dernier jour, ils avaient fait l'amour juste avant de se séparer, avec une volupté désespérante, comme s'il n'y avait absolument aucun problème entre eux.

— Tu as tout à fait raison, reconnut-elle, nous avons sans doute gâché beaucoup de choses, mais jamais ce moment-là.

Ces quelques mots suffirent à lui faire perdre ses derniers scrupules. Il la souleva dans ses bras. Non pas parce qu'elle en avait besoin, comme dans l'après-midi, au bord de la route, mais parce qu'en découvrant qu'elle le désirait autant que lui, il ne pouvait plus attendre pour la sentir contre lui.

— Daniel, souffla-t-elle dans son cou, comment est-ce que tu fais pour que j'aie autant envie de toi ?

A ces mots, il éprouva un sentiment de triomphe.

Ils étaient à égalité devant le désir.

Tous les deux souhaitaient ce qu'ils allaient faire.

Dire qu'il avait passé la soirée à s'empêcher de la regarder pour éviter d'être tenté ! En dépit de ces précautions, il avait tout de même vu l'expression de son visage changer, la couleur revenir sur ses joues et son corps se détendre au fur et à mesure que la douleur reculait. Il l'avait aidée à boire sa soupe. Il l'avait regardée manger son toast et vu à quel point cela la réconfortait.

A quelques reprises, il avait vu qu'elle essayait d'ouvrir les yeux pour ensuite grogner de déception quand elle était obligée de refermer ses paupières aux longs cils noirs. Il aurait aimé pouvoir partager sa souffrance chaque fois qu'elle s'appliquait à parler lentement et en remuant le moins possible alors qu'elle était d'un tempérament vif et impatient.

Non, il n'en avait pas fini avec elle. Ni elle avec lui…

Six ans plus tôt, ils avaient laissé leur histoire en suspens et non pas écrit le mot « fin ».

S'ils l'avaient cru tous les deux, c'est qu'ils s'étaient trompés.

— J'ai peur…, souffla-t-elle.

— Ne crains rien, je ne vais pas te laisser tomber.

— Idiot ! J'ai peur de tout, sauf de ça !

— Tu as changé d'avis ?

Ils venaient d'arriver en haut de l'escalier. Il la reposa sur ses pieds, sans la lâcher, comme s'il craignait qu'une fois leurs corps à distance l'un de l'autre, le courant ne passe plus entre eux.

— Non, mais il n'empêche…

Elle lui caressa le bras et, aussitôt, il sentit sa peau se hérisser, en attente d'autres caresses.

— C'est important d'être honnête dans les relations physiques.

Elle parlait comme quelqu'un qui sait à cause d'une mauvaise expérience les bêtises à ne pas commettre. Donc, se dit-il, ce n'était pas le fait de leur histoire puisque sur ce plan-là, ils avaient tout réussi. C'était sûrement un souvenir de son mariage.

— Oui, c'est vrai. Eh bien, si je veux être honnête moi aussi, je dois t'avouer que j'ai autant peur que toi.

— C'est vrai ?

— Oui, j'ai peur que ce ne soit pas aussi bon qu'autrefois.

Elle haussa les épaules.

— Tu vois, moi, j'ai peur exactement du contraire.

Elle prit appui sur les passants de sa ceinture, comme si elle avait besoin de ce support, et appuya le front contre son épaule. Il posa le menton dans les cheveux soyeux, exactement comme si c'était là leur lieu naturel.

— Qu'est-ce que tu appelles « le contraire » ?

Il avait du mal à imaginer ce à quoi elle faisait allusion, mais il sentait très bien sa main glisser sur le devant de son jean.

— J'ai peur que ce soit *trop* bon. J'ai peur de perdre la tête et de ne plus savoir ensuite ce que je veux faire de ma vie.

— C'est déjà arrivé ?

— Oui. Sans que je puisse savoir dans quelle mesure c'était lié à ce que nous faisions ou à l'échec de mon mariage.

— Cette fois-ci, il n'y aura plus cette ombre au tableau.

— C'est vrai.

— Et je peux t'avouer que je te désire si fort que ça me fait presque mal.

— Parfait, répondit-elle.

Elle laissa échapper un petit rire.

— Parce que pour moi, c'est la même chose.

Il se mit à l'embrasser. Pourquoi attendre davantage ? Il voyait sa bouche toute proche de la sienne. Elle était douce, un tout petit peu sèche, sans doute à cause de ses médicaments, mais il aurait tôt fait d'y remédier à petits coups de langue. Elle lui répondit aussitôt avec allégresse et entrouvrit la bouche pour lui permettre d'approfondir ce baiser qu'elle désirait de toute son âme.

Cet encouragement muet l'enhardit. Il prit entre ses dents sa lèvre inférieure, la caressant de la langue et la mordillant tour à tour. Elle le laissa faire en soupirant de plaisir. Ils avaient faim l'un de l'autre et s'embrassèrent comme s'ils ne devaient jamais en être rassasiés.

Parfois, un baiser, c'est juste un baiser.

Parfois, c'est beaucoup plus.

Cette fois-ci, c'était un baiser qui les pénétrait jusqu'aux os. Et pourtant, ce n'était que le début… mais un début enchanteur, sans précipitation, complètement magique.

— J'adore quand tu m'embrasses, dit-elle en reprenant son souffle.

— Et j'adore t'embrasser !

Elle le prit par la main pour l'entraîner dans le couloir. En la voyant tituber, il s'inquiéta de nouveau de son équilibre et se hâta de se rapprocher d'elle pour la soutenir.

— J'ai besoin d'aller aux toilettes, dit-elle.

Il se sentit rougir. Comment serait-il jamais à l'aise avec ce genre de trivialités ? Horriblement gêné, il l'aida à se diriger vers la salle de bains et s'assura qu'elle était suffisamment stable avant de l'y abandonner.

Il alla chercher dans son sac le petit sachet de préservatifs qu'il avait eu la précaution de prendre chez lui, au cas où… Quand il revint dans la chambre plongée dans la pénombre, elle avait déjà retiré son chemisier et, encore revêtue de son soutien-gorge bleu pâle, était en train de se débarrasser de sa jupe. Une culotte du même bleu pâle apparut. Il se souvint qu'elle ne portait jamais de Bikini, ni de string, ni rien de ce style. Non, elle préférait les sous-vêtements souples, de soie, ceux qui montent jusqu'à la taille et flottent librement autour des cuisses. Il avait appris à les aimer car ils lui permettaient de glisser facilement la main par-dessous pour caresser ses fesses rondes et fermes.

Il avait bien dû faire ça une centaine de fois… et il avait envie de recommencer.

En voyant qu'elle s'apprêtait à retirer son sous-vêtement, il l'arrêta d'un geste.

— Non, pas encore !

Il s'approcha, glissa la main sous la soie bleu pâle… Scarlett avait maigri, certes, mais ses fesses avaient encore des formes bien féminines. Il les retrouva avec délice tandis qu'elle s'appuyait contre lui, écrasant ses petits seins contre sa poitrine. Lorsqu'elle s'écarta un peu, il vit les pointes dressées à travers la fine étoffe qui les recouvrait. Elle avait envie de lui autant qu'il avait envie d'elle.

Il éprouva un profond sentiment de puissance devant la preuve manifeste de son désir.

Moi ? Je suis capable de te troubler à ce point ? Quelle chance ! Oui, quelle chance, parce que tu me bouleverses au-delà des mots, avec tes tout petits seins et tes jolies fesses rondes…

Serré contre elle, il sentait à travers la soie du vêtement le doux renflement de son pubis et, encore une fois, il s'extasia de sentir leurs corps aussi complémentaires.

Il passa les bras dans son dos et dégrafa le soutien-gorge qu'elle fit glisser le long de ses épaules avant de le jeter par terre sans même regarder où il atterrissait. Ensuite, il attrapa l'élastique de la petite culotte sage et dégagea le ventre si doux. Au passage, il s'attarda un instant sur la toison bouclée de son sexe. Il entendait sa respiration devenir de plus en plus saccadée. Elle enjamba le bout de soie tombé à ses pieds et se retrouva toute nue devant lui.

Elle était belle. Plus que belle.

Elle était à lui.

Il avait toujours su, quand ils faisaient l'amour, qu'elle s'abandonnait totalement, qu'ils étaient faits l'un pour l'autre. C'était inexplicable, mais c'était là, niché entre eux comme un secret précieux dont ils étaient les seuls à connaître l'existence. L'avait-il oublié après leur séparation ? Non, mais il avait préféré douter de la véracité de ses souvenirs.

Est-ce que dans le passé, leur attirance réciproque était aussi violente qu'aujourd'hui ?

Peu importait… Les six années écoulées n'avaient rien changé à ce qu'il éprouvait en ce moment.

Avec une impatience maladroite, il se débarrassa à son tour de ses vêtements. T-shirt, jean et boxer se retrouvèrent à leur tour sur le sol. Puis il se rapprocha d'elle qui l'attendait, debout. Elle avait entrouvert les yeux, mais ne paraissait pas encore y voir nettement. D'ailleurs, elle les referma.

— J'ai préféré ne pas ouvrir la lumière, expliqua-t-elle.

— Tu as bien fait. Il ne faut pas que tu aies mal.

— Ça va nettement mieux que tout à l'heure. Si tu préfères y voir, tu peux allumer la veilleuse.

Elle se glissa sur le lit, par-dessus les couvertures, et attendit, souriante, impatiente. Elle l'attendait, lui, Daniel, qu'elle n'avait plus vu depuis si longtemps.

— Non, j'aime bien faire l'amour dans la pénombre.

— Pourquoi ?

— Je trouve que c'est très agréable de deviner plutôt que de voir complètement.

— Qu'est-ce que tu aimes deviner, dis-moi !

— Tu veux vraiment que je te dise tout ?

— Oui, bien sûr.

Il s'allongea à côté d'elle et commença son inventaire.

— Ton corps. Ta peau, ta bouche. J'aime deviner l'humidité sur tes lèvres.

— Et encore ?

— Tes seins. Les pointes de tes seins surtout, quand elles sont dressées comme maintenant. La courbe de ta taille, la rondeur de tes hanches quand tu es couchée sur le côté.

— Et quand je suis sur le dos ?

— La finesse de tes cuisses. La toison si douce que je vais caresser. Et les trésors qu'elle cache mais que je vais retrouver très vite.

— Je suis sûre que tu ne vois pas tout ça !

— Quelle importance ? Je me souviens. Et j'ai des yeux au bout des doigts.

Il se laissa rouler sur elle. Il n'avait plus envie de parler. Il voulait prendre sa bouche, redécouvrir son corps, sentir les mains de Scarlett sur sa peau, sur son sexe dressé. Il voulait savoir s'ils allaient revivre la magie de leurs rencontres passées.

Il fit glisser ses mains partout sur son corps. Il lui caressa les seins, puis en taquina la pointe avec sa langue, les mordilla à petits coups de dents. Contre lui, Scarlett haletait, soulevait ses hanches d'impatience. Alors il se fit plus hardi, glissa sa main entre les cuisses à la peau si douce, remonta jusqu'à la toison brune, bouclée et soyeuse. Sa main connaissait le chemin, retrouvait les gestes qu'elle aimait entre tous, les caresses qui la faisaient gémir de plaisir. Inlassable, il les lui prodigua jusqu'à ce que son halètement lui fasse comprendre qu'elle était tout près de l'orgasme.

A ce moment-là, elle le supplia de la pénétrer. Elle voulait le sentir en elle, elle voulait se remplir de lui. Il s'exécuta avec délices. Il plongea en elle avidement et donna quelques puissants coups de reins qui la firent crier de volupté. Il se retrouva au sommet du plaisir plus vite et plus puissamment qu'il n'aurait jamais cru possible.

Ensuite, ils retrouvèrent le calme et restèrent allongés dans les bras l'un de l'autre.

Il avait peur de parler. Trop souvent dans le passé, ils avaient été maladroits avec les mots. Ils s'étaient blessés, ils avaient souffert. Et puis, ils avaient fini par se séparer. Cette fois, ils avaient une seconde chance et il ne voulait rien dire qui puisse compromettre leur entente.

Autrefois, il avait parfois eu l'impression que Scarlett faisait exprès de le blesser, comme si c'était le seul moyen à sa disposition pour se protéger elle-même. Il avait bien deviné qu'elle avait besoin de cette parade et, malgré tout, il n'avait jamais été capable de ne pas lui répondre sur le même ton. La conversation s'envenimait et tournait finalement à la bagarre.

Il n'était pas homme à faire de longs discours, loin de là, mais, hélas, il avait toujours su trouver des répliques courtes et blessantes comme des flèches. Et chaque fois, malheureusement, il avait fait mouche, parce qu'il connaissait suffisamment Scarlett pour savoir où se trouvaient les défauts de sa cuirasse.

Non, pas question de reproduire le même schéma. Il aimait trop se trouver dans ses bras, sentir sa respiration dans son cou. Plus jamais, il se le jurait, plus jamais il ne lui poserait la moindre question susceptible de la mettre mal à l'aise et de les séparer.

5

Scarlett dormit d'un trait jusqu'au lendemain matin. Cela faisait des mois, voire des années qu'elle n'avait pas aussi bien dormi. Le soleil brillait dans la chambre quand elle ouvrit les yeux, mais il lui fallut un moment avant de se rappeler l'horrible migraine qui l'avait terrassée la veille.

Aujourd'hui, la lumière ne la gênait plus.

Et elle y voyait parfaitement clair, sans que sa vision soit troublée par des lueurs diffuses et douloureuses comme la veille dès qu'elle tentait d'ouvrir les yeux.

Mis à part un sentiment de fatigue générale, elle se sentait pratiquement revenue à son état normal et, lorsqu'elle s'étira dans le lit à la manière des chats qui jouissent de leur bien-être, son corps ne ressentait que le plaisir d'exister.

Elle était une femme comblée et ce sentiment était merveilleux.

La seule ombre au tableau, c'est que Daniel n'était pas à côté d'elle alors que toute la nuit, elle avait senti son corps tiède tout près du sien et entendu les mots d'apaisement qu'il lui soufflait à l'oreille dès qu'elle était sur le point de s'éveiller.

Elle jeta un coup d'œil sur le réveil. Il était 9 h 30. Elle avait dû dormir plus de onze heures ! Elle se rappela que Daniel devait se présenter au tribunal à 10 heures. Il devait donc se trouver en route vers White River Junction. Elle ne tarda pas à trouver une feuille de papier posée sur la table de chevet.

« Je n'ai pas voulu te réveiller.́ J'espère que tu te sens
mieux qu'hier. Tu te rappelles que je devais témoigner au
tribunal ce matin ? Je pense être de retour vers 17 heures.
J'ai hâte de te retrouver et de voir comment tu te sens. D.

« P.-S. : Tu es si belle quand tu dors ! »

Comment elle se sentait ? Après une nuit pareille, dans
une forme olympique, forcément ! Et bien plus encore.
Elle se sentait belle, féminine, en accord avec elle-même.
Il y avait des lustres et des lustres qu'elle n'avait éprouvé
pareil bonheur. Qui, depuis des années, lui avait donné
l'occasion de se sentir belle, que ce soit au lit ou ailleurs ?
Depuis quand n'avait-elle pas ressenti le bien-être profond
qu'elle éprouvait ce matin ?

C'était fabuleux, et effrayant en même temps. Lequel
de ces deux sentiments allait l'emporter ?

Avec mille précautions, elle descendit du lit, mais la
migraine avait bel et bien disparu. Un rayon de soleil inon-
dait les draps froissés, elle entendait les oiseaux chanter et
frémir les feuilles des grands arbres du jardin, à l'arrière
de la maison d'Andy. L'univers entier lui paraissait tout
neuf, comme lavé par une pluie bienfaisante. Comme
c'était bon d'y voir de nouveau, de garder son équilibre et
de ne plus avoir dans sa tête ce forgeron dément acharné
sur son enclume !

Après avoir pris sa douche, elle sortit de sa valise une
jolie robe d'été en coton beige clair à ramages vert tendre
qu'elle enfila en chantonnant de bonheur, puis descendit
dans la cuisine se verser un grand verre de jus d'orange.
Tous ces gestes simples de la vie quotidienne lui appa-
raissaient ce matin comme autant de trésors qu'elle se
réappropriait peu à peu.

Pour l'instant, elle refusait de se demander quelle part de
ce bien-être revenait à Daniel et quelle part était simplement

liée au fait qu'elle se trouvait dans le Vermont, bien loin de la routine épuisante de son travail.

Elle voulait seulement profiter de l'instant présent, jouir du bien-être de son corps et laisser les délicieux souvenirs de la nuit passée envahir son esprit.

Allons… à quoi bon se raconter des histoires ? Si elle se sentait si heureuse et comblée, c'est à Daniel qu'elle le devait.

La journée entière se déroula dans le même climat de félicité. Allongée dans l'herbe, elle prit un bain de soleil, paressa dans la balancelle de la véranda, lut un roman en entier, ce qui ne lui était pas arrivé depuis… des siècles !

Pourtant, cela ne lui suffisait pas, il lui fallait bien davantage. Elle devait arriver à se mettre dans la peau d'une femme qui n'exercerait pas la médecine, qui n'aurait pas à assumer la responsabilité et les crève-cœur que sa fonction ne manquait pas de lui apporter. Bref, il lui restait à sortir du moule dans lequel son père l'avait enfermée et qu'il appréciait tant, celui de la fille la plus brillante de la famille. Au diable son quotient intellectuel ! Au diable tous les concours du monde ! Elle avait envie de vivre. Oui, vivre, tout simplement.

Tout se passa fort bien jusque vers 16 heures. A ce moment-là, elle s'assit devant l'ordinateur d'Andy, une tasse de café et deux biscuits au chocolat posés dans une assiette à côté d'elle.

Elle avait envie de découvrir ce que proposaient les sites du Vermont pour préparer ce qu'elle ferait quand elle ne serait pas occupée à l'atelier d'Aaron Bailey. Par exemple, un restaurant sympa où elle pourrait dîner avec Daniel, un petit hôtel où passer un week-end en amoureux, un joli coin pour un pique-nique près d'une rivière ou une plage tranquille au bord du lac… Elle ne manquait pas d'idées pour occuper son temps de la manière la plus agréable possible.

Elle commença néanmoins par consulter sa boîte e-mails. Depuis quelque temps, elle s'était montrée très négligente vis-à-vis de ses amis, ce serait sympa de leur envoyer de ses nouvelles maintenant qu'elle avait du temps de libre.

Le premier e-mail qui lui sauta aux yeux provenait de son amie Kristin, médecin comme elle.

> Est-ce que tu sais que Kyle et Julie se sont séparés ? écrivait Kristin.

Scarlett avala de travers une gorgée de café qui lui brûla la gorge.

> C'est Steph Goldrick qui me l'a appris, poursuivait Kristin. Il paraît que Julie est retournée en Caroline du Nord. Apparemment, leur mariage était un peu trop parfait pour être réel. J'ai préféré te l'écrire avant que tu ne l'apprennes par d'autres sources. Juste au cas où... Bisou, Kristin.

Juste au cas où ?

Qu'est-ce que Kristin entendait par là ? Jamais elle n'avait imaginé reprendre la vie commune avec Kyle. D'ailleurs, personne ne pouvait envisager une chose pareille ! Pourtant, la nouvelle de l'échec de son second mariage ne lui procurait aucun plaisir. Après tout, puisqu'ils n'étaient plus ensemble, autant lui souhaiter d'être heureux avec quelqu'un d'autre...

En revanche, ce qui la mettait franchement mal à l'aise, c'était le « juste au cas où ». Le sentiment de légèreté et de bien-être qu'elle avait ressenti jusqu'à maintenant venait de s'évanouir. Elle connaissait suffisamment Kyle pour comprendre ce « trop parfait ». Il faisait tellement d'efforts pour se hisser à la hauteur d'un idéal inaccessible ! Elle en avait payé le prix, et Julie aussi, sans aucun doute.

Elle referma l'ordinateur, plus troublée qu'elle ne voulait l'admettre. Heureusement, un bruit de moteur dans l'allée annonça l'arrivée de Daniel qui rentrait un peu plus tôt que prévu.

Elle sourit, rejetant instantanément dans un coin de son esprit les pensées moroses que lui avait inspirées le mail de Kristin. Elle ne voulait pas laisser le passé gâcher son bonheur présent comme six ans plus tôt. Son mariage était terminé, le divorce avait été prononcé, et chaque fois qu'elle faisait l'amour avec Daniel, il la faisait grimper au septième ciel. Et pourtant, Kyle avait continué à exercer son emprise sur elle durablement. Cette fois, elle était déterminée à ne pas se laisser faire.

Elle avait appris les fiançailles de Kyle avec Julie une semaine après le début de sa liaison avec Daniel. Un mois plus tard, juste après le désastreux week-end où elle et Daniel avaient rompu, elle avait trouvé une photo de leur mariage affichée dans la salle de repos des médecins à l'hôpital. Un de ses bons amis, à moins que ce ne soit lui-même — il en était bien capable ! —, était venu afficher la preuve de son nouveau bonheur afin que nul ne l'ignore…

Comment avait-il pu se remarier aussi vite ? N'avait-il pas éprouvé le besoin, comme elle-même, de prendre un peu de temps pour réfléchir et éviter de commettre encore une erreur ? Heureusement, elle avait su se montrer plus raisonnable. Son expérience malheureuse avec Daniel lui avait bien prouvé qu'un temps de réflexion est indispensable pour ne pas se jeter tête baissée dans une nouvelle union vouée à être aussi désastreuse que la première.

Apparemment, ce mariage éclair était terminé lui aussi et cela ne la surprenait pas. Kyle était un homme difficile à supporter au quotidien. Très difficile ! Quel soulagement de savoir qu'il ne faisait plus partie de sa vie et qu'elle était à l'abri de son ego surdimensionné.

Par la fenêtre du bureau, elle aperçut Daniel traverser le jardin de devant à grands pas, puis grimper l'escalier du perron. Il avait dû passer chez lui se changer car, à la place des vêtements de la veille, il portait un jean et une chemise ordinaire. L'énergie qui émanait de lui chassa aussitôt l'humeur sombre qui menaçait de l'engloutir. Le cœur joyeux et plein d'impatience, elle se précipita dans l'escalier à sa rencontre.

Derrière la porte d'entrée, elle tomba sur un Daniel radieux. Son sourire disait clairement à quel point il était heureux de la trouver en bonne forme.

— Tu vas mieux aujourd'hui ?

— C'est peu de le dire ! Je suis une autre femme.

— Je ne t'ai pas appelée parce que j'avais peur de provoquer une nouvelle migraine en te réveillant, mais j'avais hâte de savoir comment tu te sentais.

Il la dévorait des yeux et le rayonnement qui émanait de lui semblait créer un champ d'énergie positive auquel elle se trouva incapable de résister.

— Tu vois, nous avons fini de bonne heure ! s'exclama-t-il d'un ton joyeux.

— Tu devras y retourner plus tard ?

— Non. Pas pour ce cas. La culpabilité du prévenu était évidente et le jury l'a tout de suite épinglé. J'ai un autre témoignage la semaine prochaine, mais c'est une bricole. Un récidiviste pour des histoires de non-respect du code de la route. Là aussi, ce sera vite réglé.

— Les délits me paraissent moins graves ici que dans les grandes villes.

— Heureusement ! Nous avons des arbres, des montagnes, du bon air… ce qui n'empêche tout de même pas de temps à autre un crime plus sérieux.

Elle lui sourit et s'appuya contre le chambranle de la porte. Voilà que ça recommençait… Ses genoux paraissaient ne plus pouvoir la soutenir, comme si une vague de… de quoi ? Elle n'aurait su dire. C'était ce qui lui arrivait quand elle était en présence de Daniel. On aurait dit que le simple fait de respirer le même air que lui l'enivrait aussi sûrement qu'une coupe de champagne bue à jeun. Et cette griserie était parfaitement délicieuse. Elle se sentait légère, belle, importante, elle devenait un trésor dont personne à part Daniel ne connaissait l'existence. Cet état second la mettait en relation avec un aspect de sa personnalité qu'elle ne connaissait pas du tout et dont elle avait peine à croire qu'il existait bien chez elle. Où était le brillant docteur Scarlett Sharpe, cancérologue en pédiatrie ? Inconnu au bataillon ! Disparu, volatilisé. Ne restait qu'une jeune femme à la sensualité exacerbée, indifférente à tout ce qui n'était pas les caresses de Daniel ou la douceur du soleil sur sa peau.

Six ans plus tôt, cette métamorphose l'avait effrayée. Elle découvrait aujourd'hui qu'il en était de même. C'était une sensation trop puissante, sur laquelle elle était incapable de mettre un nom. Or il fallait qu'elle puisse la nommer si elle voulait continuer à voir Daniel. Ne pas pouvoir désigner par des mots quelque chose d'aussi intense lui était insupportable car elle avait l'impression de perdre tout contrôle de sa vie.

Daniel s'avança dans le couloir.

— J'ai pensé que nous pourrions dîner tranquillement ici. Qu'est-ce que tu en penses ?

— Parfait.

— Simple ou un peu élaboré ?

— Simple. Mais…

— Mais ?

— Pas tout de suite…

Avait-elle réellement fait cette suggestion ? Sur ce ton qui ne prêtait pas à confusion ?

Il n'eut aucune difficulté à comprendre ce qu'elle insinuait. Ses yeux noirs se mirent à briller encore davantage, son sourire s'accentua et, cette fois encore, ils furent tous les deux happés par le magnétisme qui circulait entre eux. Non seulement elle sentait ses genoux se dérober sous elle, mais son cœur battait à tout rompre tandis que des picotements bien connus couraient sur sa nuque. Elle désirait Daniel si fort que tout son corps était sens dessus dessous et éprouvait la sensation que leurs deux corps étaient faits l'un pour l'autre de toute éternité. La clé et la serrure. La main et le gant. C'était fabuleux et c'était terrifiant.

Parce que cela ne cadrait pas avec ce qu'on lui avait enseigné. Depuis son plus jeune âge, on lui avait appris l'importance des mots. Si on ne peut pas mettre un nom sur quelque chose, c'est que ce quelque chose n'existe pas, point final.

Explique-toi clairement, Scarlett, avait l'habitude de lui demander son père. *Trouve les mots pour le dire !*

Et généralement, elle les trouvait, elle arrivait à analyser, à expliquer, et son père était fier d'elle.

Mais aujourd'hui ? Elle était totalement démunie face à ce qu'elle éprouvait.

Démunie de mots, certes, mais pas démunie de sensations ! Avec le regard de Daniel posé sur elle, son corps eut tôt fait de vaincre la peur.

Il lui passa un bras autour de la taille et l'embrassa sur la bouche après l'avoir embrassée dans le cou. Il sentait bon. Toujours ce parfum de menthe poivrée, et il ne cherchait pas à dissimuler l'envie qu'il avait d'elle.

Une fois à l'intérieur de la maison, il lui caressa les seins, les fesses, comme si elle lui appartenait depuis toujours. Comment savait-il où poser les mains pour que ce soit si bon ? Comment pouvait-il être si simple, si direct ? Avec lui, pas de simagrées, pas de fausse pudeur. Juste le désir à l'état pur.

— Tu as toujours l'intention de t'installer dans l'appartement d'à côté ?

— Oui, bien sûr. Je pense déménager demain. Pourquoi ?

— Parce que, quand ton frère sera de retour, je n'ai pas l'intention de me balader tout nu dans sa maison.

Ah… Ainsi, il avait l'intention de se promener tout nu ? Chic ! Le projet lui convenait à merveille.

— Demain, à coup sûr, se hâta-t-elle d'ajouter.

— Je t'aiderai à transporter tes affaires et à t'installer. Il n'y a pas grand-chose à déménager, mais je ne veux pas que tu te fatigues. Tu avais l'air complètement épuisée hier.

— C'est normal après une migraine pareille.

— Peut-être, mais je sais que ton frère s'inquiète pour toi.

— Il se fait trop de souci.

— Tout de même…

Elle préféra changer de sujet de conversation.

— Tu as l'intention de rester ce soir ?

— Sauf si tu me mets dehors.

— Tu sais bien que c'est la dernière chose que j'ai envie de faire !

Il se mit à rire, puis s'empara de sa bouche. Il l'embrassait sérieusement cette fois, tandis que ses mains se faisaient de plus en plus précises à travers la robe en cotonnade.

On peut apprendre tant de choses sur un homme en faisant l'amour avec lui ! On peut réapprendre aussi. Daniel était exubérant, tendre, généreux et inventif. Il savait l'encourager dans un souffle : « Oui, comme ça ! Encore… » et il savait aussi l'écouter quand elle lui répondait : « Oui, ça me plaît, continue ! » Il lui disait ce qu'il aimait chez elle, sa poitrine, la couleur de la pointe de ses seins, les mèches de cheveux qui frisottaient sur sa nuque… il lui soufflait tout cela à l'oreille, avec des mots parfois osés qu'elle adorait entendre prononcer sur ce ton tendre et amoureux.

Oui, quand ils faisaient l'amour tous les deux, elle aimait tout ! Absolument tout.

Ils émergèrent sur le coup de 19 heures, comblés et affamés. Scarlett était ravie que Daniel lui ait déjà promis de passer la nuit avec elle. La question était réglée, elle n'avait pas besoin de se torturer les méninges pour choisir le moment où elle pourrait le lui demander.

Encore allongée dans le lit, elle le regarda s'habiller. C'était drôle au possible de le regarder enfiler son jean trop vite, comme un gamin impatient d'aller jouer. A un moment donné, il sautilla sur une jambe et faillit tomber, ce qui déclencha leur fou rire à tous les deux. Il attrapa sa chemise posée sur le sol et l'enfila par la tête, sans défaire les boutons que, dans leur précipitation à faire l'amour la veille, il avait laissés fermés.

— Tu me regardes comme si tu étais au spectacle ! remarqua-t-il.

— C'est exactement ce que tu es en train de m'offrir : un spectacle. Tout le contraire d'un strip-tease, mais c'est très divertissant tout de même. Tu peux recommencer à sauter comme tout à l'heure ?

— Impossible ! C'était la part d'improvisation du numéro.

Il croisa les bras et la considéra. Les joues toutes roses, avec ses longs cheveux châtains emmêlés par leur nuit d'amour, elle avait remonté le drap sous sa poitrine nue. Ses yeux noisette pailletés d'or pétillaient de malice.

— Et toi, tu m'offriras bientôt un petit spectacle à ta façon ? demanda-t-il.

— Mmm… si tu y tiens…

— Et comment ! Fais-moi ce plaisir ce soir, ce sera le moment que je préfère.

— Je vois… du style « tout à l'heure, j'enlève le haut » ?

— Parfaitement. Et le bas aussi, bien entendu.

— Tu n'as tout de même pas envie que je me procure une guêpière en dentelle et des bas résille ?

— Pourquoi pas ? J'aime mettre du piment dans la vie.

La nuit s'annonçait torride et la fin de journée merveilleuse. Le soleil brillait encore lorsqu'ils décidèrent d'aller dîner dans un steak-house sans prétention où elle avait déjà mangé avec Andy et leurs parents. Le petit jardin situé à l'arrière leur permettrait de savourer la douceur de cette soirée d'été. Lorsqu'ils pénétrèrent dans l'établissement, Daniel y fut accueilli comme un habitué et on leur attribua tout de suite une table dans un coin tranquille, loin du va-et-vient des clients et du service.

— Qu'est-ce que tu aimerais manger ?

— Qu'est-ce que tu me conseilles avec la bière ?

— Des manchons de poulet rôtis avec des épices ?

Elle le regarda bien en face, malicieuse.

— Oui, j'aime mettre du piment dans ma vie.

— Parfait. Nous sommes faits pour nous entendre.

Elle hocha la tête.

— Oui, sur un certain plan, cela ne fait pas de doute, notre collaboration fonctionne bien.

Ils se sourirent à l'idée que le serveur qui arrivait sur ces entrefaites avait entendu la dernière phrase et devait sans doute imaginer qu'ils étaient en pleine conversation de travail.

Daniel poursuivit, imperturbable :

— J'ai hâte de participer à notre prochaine réunion.

— Avec quelle équipe ? La bleue ou la beige ?

— Celle que j'apprécie le plus : la noire.

— Désolé de vous interrompre, dit le garçon en faisant

un pas en arrière. Je peux venir prendre la commande un peu plus tard.

— Non, nous avons fait notre choix, répondit Daniel.

Ils burent chacun une nouvelle gorgée de bière, délicieusement fraîche et pétillante. Ni l'un ni l'autre ne se pressait, savourant voluptueusement le moment présent.

— Il nous faudrait trouver un nom pour ce genre de rencontre, reprit Daniel.

— Tu veux parler de celle de ce soir ?

— Oui. Entre autres, ajouta-t-il en prenant la main de Scarlett par-dessus la table.

Lui aussi cherchait à définir ce qui les liait, et pas plus qu'elle, il n'y réussissait.

Elle repoussa ses cheveux et le regarda dans les yeux.

— Je comprends ce que tu veux dire, mais je ne sais pas lequel…

C'était précisément la question qu'elle se posait un peu plus tôt, lorsqu'il était rentré du tribunal. Fallait-il parler d'une amourette de vacances ? D'un flirt un peu sérieux ? D'une aventure sans conséquence ?

— Tu me repasses la patate chaude, c'est ça ? plaisanta-t-il.

— Non, je suis à court de mots autant que toi !

Elle prit une profonde inspiration. Il était grand temps de sortir de cet embarras. Ils ne pouvaient pas continuer à parler de séances d'effeuillage sans nommer ce qui leur arrivait ni en envisager la suite à y apporter.

Parle, Scarlett ! se dit-elle.

— Notre relation s'est mal terminée la dernière fois. Je crois que c'est parce qu'il y avait un contraste trop grand entre ce que nous vivions au lit et le reste.

— Nous étions des personnes différentes de maintenant. Dans une situation différente elle aussi.

— Tu crois ? Je n'en suis pas aussi sûre que toi.

— Tu te rappelles ce week-end ?

Il se pencha sur elle, puis regarda leurs mains réunies. Elle pressa la main de Daniel. Il fallait qu'il comprenne à quel point ce contact était important pour elle.

— Oui. J'aimerais bien que nous en parlions.

Certes. Mais comment aborder le sujet ? Le brouhaha des conversations dans le petit jardin était plus fort à présent. Comment savoir si cela allait leur permettre de protéger leur intimité, ou au contraire les obliger à hausser le ton eux aussi ?

Elle se pencha en avant à son tour et faillit renverser son verre de bière en rapprochant son visage de celui de Daniel. La courte distance qui les séparait leur permettait de parler sans crier. Et de s'embrasser aussi…

Presque.

Elle était tout près de sa bouche, mais ne pouvait pas la toucher. Daniel fronça les sourcils et serra les lèvres.

— Est-ce que tu sais que l'atelier d'Aaron Bailey où tu vas travailler se trouve à quelques centaines de mètres de ma maison ? Tu vas passer devant chez moi chaque fois que tu iras chez lui.

Il avait parlé sur un ton qui ne permettait pas de dire si la situation le satisfaisait ou pas.

— Je ne sais pas où tu habites. Et pas davantage où se trouve l'atelier d'Aaron. Je lui ai seulement parlé au téléphone.

— En fait, je devrais dire « la maison de ma mère », parce que j'habite la maison qui était celle de sa famille. C'est là que j'ai grandi et que j'ai passé toute ma vie, à part les cinq années où j'ai travaillé à New York. J'y reste en attendant qu'elle soit vendue. D'ailleurs, ma sœur Paula doit venir bientôt pour m'aider à m'en occuper.

— Tu ne m'as jamais parlé de ta mère autrefois. C'est seulement hier que j'ai appris qu'elle était restée malade pendant toute ton enfance. Je le regrette, j'aurais bien aimé faire sa connaissance.

— Ce fameux week-end, j'avais prévu de t'emmener chez elle. Elle t'attendait.

Il secoua la tête tristement.

— Et puis, j'ai dû lui annoncer que votre rencontre n'aurait pas lieu parce que tu préférais retourner en ville.

— Tu ne me l'as jamais dit ! Comment voulais-tu que je devine ? Je ne suis pas capable de lire dans ta tête, Daniel. Mon intuition féminine a des limites.

— Je sais…

— Pourtant, tu as l'air de me reprocher d'avoir déçu ta mère.

Il laissa échapper un soupir.

— Je suis désolé si c'est ce que tu ressens. Ce n'est pas ce que je souhaite.

— Je voulais y venir peu à peu, voir si je pouvais te faire confiance.

Elle se raidit, vexée par cette réponse. Il lui donnait à penser qu'il avait cherché à la manipuler afin de la juger.

— Me faire confiance en quel sens ? Pour me dire que tu n'avais pas eu une enfance facile ? Que ta mère était malade ? Que j'étais le genre de personne avec qui il faut prendre des gants pour parler de soi parce que je viens d'un milieu favorisé ?

— Oui, répondit-il simplement.

Il arborait maintenant un air buté et mécontent, exactement le même que celui qu'elle lui avait vu six ans plus tôt.

— Je n'aime pas le mot « manipuler », précisa-t-il. Ce n'était pas du tout mon projet. Je voulais seulement ne pas brusquer les choses. Il me semblait que tu aurais du mal à accepter le contexte dans lequel j'ai été élevé. C'est difficile à raconter, d'autant plus que mes obligations n'ont fait qu'augmenter quand la maladie de ma mère s'est aggravée parce que Paula et Jordan n'étaient pas sur place pour m'aider.

— Daniel, je ne pense pas m'être jamais comportée d'une manière qui t'autorise à penser une chose pareille.

Elle était blessée. Comme s'il l'avait giflée. Comme s'il lui avait reproché d'être snob, ce qui prouvait bien qu'il n'avait pas compris quel genre de personne elle était réellement. Pourtant, il la connaissait de façon très intime ! Comment pareille réaction était-elle possible ?

— C'est toi qui m'as obligée à mal réagir !

— Tu plaisantes ?

— Pas du tout. Tu m'as imposé un inventaire de tes malheurs comme s'il s'agissait d'une visite guidée.

— Ce n'est pas ce que je voulais.

— C'est ce que j'ai ressenti. Premier stop : voici l'endroit où à l'âge de sept ans, je ramassais les bouteilles vides et les canettes en métal pour récupérer l'argent du recyclage. Deuxième stop : voici l'endroit où, à l'âge de neuf ans, j'ai été agressé et où on m'a volé l'argent que je venais de recevoir. Troisième stop : voici le caniveau où, à l'âge de douze ans, j'ai ramassé mon père évanoui. Il venait de se soûler jusqu'à perdre conscience.

— Mais Scarlett, je n'ai rien inventé ! C'était bel et bien ma vie.

Leurs mains étaient toujours unies sur la table, mais il paraissait très en colère.

— Je n'en doute pas, répliqua-t-elle, mais tu m'as tout jeté à la figure d'une manière crue et provocante.

— Tu sais que je ne suis pas très doué pour m'exprimer.

— Sauf quand tu as décidé de l'être. Et cette fois, tu n'as pas parlé au hasard.

— J'ai été le plus direct possible.

— Il n'y a pas de mal à se montrer direct. Mais cette

fois-ci, tu voulais délibérément me choquer et me faire du mal.

— Me faire du mal à moi, surtout…

— Je n'en sais rien. En tout cas, tu ne partageais pas ton enfance avec moi, tu me la jetais à la tête, comme un paquet de boue. Quand tu as eu terminé ton exposé, tu m'as jeté un regard provocant, comme si tu t'attendais à ce que je secoue cette saleté de mes vêtements.

Il demeura silencieux.

— Je ne t'avais donné aucune raison d'imaginer que j'allais réagir comme ça.

Elle se rendit compte à cet instant qu'elle tremblait de tous ses membres, sans doute sous l'effet de cette confrontation ajoutée au souvenir désagréable qu'ils évoquaient. Elle s'étonna une nouvelle fois du gouffre qui existait entre leur entente parfaite au lit et leur malaise dès qu'ils abordaient des sujets personnels !

— Ta réaction n'a pas été très aimable, se défendit-il.

— Ça t'étonne ? J'ai trouvé insupportable ta façon de me présenter ta vie de cette manière violente et crue. Puisque tu avais décidé de t'imposer à moi d'une manière aussi brutale, j'ai préféré tout laisser tomber et te demander de me ramener chez moi.

— Tu parles de violence, de brutalité… Tu y vas un peu fort, non ?

— Pas du tout. Tu m'as agressée émotionnellement. Et crois-moi, j'en connais un rayon sur la question parce que Kyle était comme ça.

Elle réfléchit un instant.

— Enfin… pas exactement. Il était malhonnête. Il trichait sur ses émotions, mais ça revenait au même parce que parler avec lui ne servait à rien. Ou seulement à envenimer la situation.

— Je ne te mentirai jamais au sujet de mes émotions.

Je te le promets. Je suis sans doute très maladroit, mais je ne joue pas la comédie.

— C'est ce qui s'est passé ce jour-là ?

— Sans aucun doute. Les mots ne sont pas faciles à trouver. Mon père buvait. Nous n'avions pas d'argent. Tu crois que je peux t'expliquer ça avec des mots doux ?

— Ma réaction ne vient pas de là. C'est ta manière agressive de me parler ou de me taire des choses importantes qui m'a fait craquer. La preuve, c'est que tu ne m'avais même pas dit que ta mère était malade !

— Tu es pourtant venue faire l'amour avec moi après cette dispute, tu te rappelles ?

Comme si c'était possible d'oublier un moment pareil !

L'appartement de Daniel. C'était la première fois qu'il l'y emmenait, mais elle l'avait à peine regardé. Elle ne se souvenait de rien, seulement de la façon presque sauvage qu'ils avaient eue de se donner l'un à l'autre.

— Je ne sais pas pourquoi nous avons fait ça, reprit-elle. Peut-être pour nous dire adieu ? Ou pour essayer de nous réconcilier avec le seul moyen que nous avions à notre disposition ?

— Je retiens la deuxième hypothèse sans hésiter. Le sexe entre nous a toujours été une réussite parfaite.

Elle se souvenait parfaitement avec quelle fougue ils s'étaient caressés, embrassés jusqu'à se dévorer, pris et repris inlassablement, comme pour se fondre l'un dans l'autre et ne plus jamais se séparer.

— Ce jour-là justement, j'ai compris que ça ne pouvait pas suffire, qu'il ne fallait pas dépendre d'une entente physique si intense qu'elle me faisait peur.

— Je n'ai jamais connu de nuit plus belle que celle-ci, Scarlett.

Elle non plus, mais elle ne voulait pas l'avouer.

— Voilà qui ne fait que renforcer ce que je viens de dire.

Le serveur venait de leur apporter leur repas. De nouveau, il avait entendu la fin de leur conversation, mais, cette fois, il ne pouvait plus imaginer qu'il s'agissait d'une discussion d'affaires.

Elle sentit son regard posé sur elle tandis qu'elle plongeait une aile de poulet dans un petit bol de mayonnaise aux herbes.

— Tu ne crois pas que nous avons assez discuté ? Si nous en restions là ? dit-il.

Surprise, elle leva le nez vers lui.

— Parce que tu penses que nous venons de nous disputer ?

De fait, elle se demandait s'ils ne venaient pas cette fois encore d'atteindre le point de rupture.

— Tu veux dire que c'est fini entre nous ? reprit-elle, inquiète.

— Certainement pas. Une rupture entre nous, c'est vraiment la dernière chose que je souhaite.

— Ah… tant mieux. C'est pareil pour moi.

— Mais regarde un peu ce qui se passe, reprit-il calmement. Nous sommes en train de ressasser exactement ce qui nous a amenés à nous séparer la dernière fois.

— Tu crois que nous pouvons faire autrement ?

— Et toi, qu'est-ce que tu en penses ?

— Je crois que oui.

Elle reposa son aile de poulet sans l'avoir goûtée.

— Je sens… je suis en colère, mais je suis capable de te parler. Comment te dire ? Je ne me sens pas inquiète. Je veux que nous éclaircissions cette histoire, mais je n'ai pas peur. Je veux que nous soyons complètement honnêtes l'un envers l'autre et qu'ensuite, nous tournions la page.

Il prit sa main par-dessus la table.

— Qu'est-ce qui pourrait te faire peur ?

— Je veux dire que l'idée de discuter avec toi, et même de me disputer ne m'inquiète pas.

Il laissa retomber la main de Scarlett, comme découragé.

— Alors, c'est fini ? Tu veux que je te raccompagne chez toi et qu'on se quitte ?

— Non.

— Moi non plus.

Soulagée, elle prit une profonde inspiration, sans trop savoir si elle venait de recevoir un coup sur la tête ou, au contraire, d'être hissée sur un petit nuage.

— Au diable les discours, Daniel…

— Volontiers. Alors, je reste passer la nuit avec toi ?

— Oui.

— Et tu seras d'accord pour faire l'amour jusqu'à demain matin sans chercher à décortiquer par le menu tout ce que je t'ai dit il y a six ans ?

— Oui.

— Tu renonceras à chercher tout de suite une solution à tous nos problèmes ?

— Oui. Mais ce qui me plaît le plus, c'est ta première proposition.

— Vraiment ?

— Oui.

Elle rougit un peu, puis ajouta à mi-voix :

— Faire l'amour jusqu'à demain matin me paraît la meilleure partie du programme.

Cela dit, elle baissa le nez dans son assiette. Est-ce qu'elle avait tort ou raison d'être si pressée de se retrouver dans le lit de Daniel ?

Cinq minutes plus tôt, ils se disputaient, elle avait même cru qu'il ne voulait plus la voir… Est-ce que le sexe n'était pas un remède trompeur ? Une illusion de solution ?

Elle se redressa. Elle venait de promettre à Daniel de

ne pas chercher toutes les solutions… Autant commencer tout de suite.

D'un petit coup de tête, elle rejeta ses cheveux en arrière.

— Ne me regarde pas comme ça, Daniel, sinon nous n'aurons même pas la patience de terminer notre repas !

6

Daniel passa tout le week-end avec Scarlett pour l'aider à s'installer dans l'autre partie de la grande maison victorienne qu'Andy avait transformée en deux appartements indépendants. Par un accord tacite, il était entendu qu'ils n'aborderaient ni de près ni de loin le sujet qui les avait opposés la veille.

Ils passeraient leurs moments de loisir à faire l'amour, pas la guerre.

C'était une grosse bêtise, sans doute…

Ou juste un petit faux pas sans conséquence ?

Scarlett en doutait. Un plaisir sexuel aussi intense ne pouvait être que dangereux.

Mais comment y résister ?

Tout son stock de sous-vêtements noirs, beiges, rouges, en dentelle, en soie ou en coton y passa dès qu'ils avaient du temps libre. Daniel s'avéra un chef de manœuvres de plus en plus performant et elle s'avéra très habile à le seconder ou à le mener à l'attaque. Pendant les périodes de repos, ils regardaient un film, riaient, ou trinquaient en grignotant ce qu'ils trouvaient dans le réfrigérateur. Ils ne prirent même pas la peine d'enfiler leurs vêtements, leurs sorties de bain s'avérant largement suffisantes pour les activités qui les occupaient.

L'horrible migraine avait complètement disparu pour laisser place à des sensations infiniment plus agréables. Quand ils ne faisaient pas l'amour, elle avait la délicieuse impression de flotter sur un nuage cotonneux de sensualité comblée.

Elle dormait dans les bras de Daniel la nuit, mais aussi dans l'après-midi, enveloppée dans sa tiédeur, ce qui lui procurait un profond sentiment de bonheur et de sécurité.

Le lundi matin, Daniel se leva sur le coup de 7 h 30, bien à contrecœur. Il devait rentrer chez lui retrouver son uniforme et ses responsabilités, ce qui ne l'enchantait guère. Comme elle, il avait bien du mal à reprendre pied dans le quotidien… Conclusion : un week-end parfait était tout de même une épée à double tranchant ! Malgré tout, ils ne regrettaient rien, bien au contraire, et rêvaient déjà de recommencer.

Une tasse de café à la main, elle le regarda s'installer dans sa voiture, puis sortir de l'allée pour rejoindre la route. Elle lui fit un signe de la main, désolée à la pensée qu'elle ne le reverrait pas avant le lendemain après-midi puisqu'il devait assurer une garde prolongée. Heureusement, de son côté, elle était attendue par Aaron Bailey à 9 heures.

D'après les diverses conversations qu'elle avait eues avec lui ou son épouse au téléphone, elle savait qu'Aaron était un homme dans la cinquantaine, qui avait quitté l'entreprise dans laquelle il travaillait autrefois pour se consacrer à son amour du bois.

C'est grâce à sa belle-sœur Alicia qu'elle était entrée en contact avec lui. Alicia avait commandé à Aaron une salle à manger en érable pour l'appartement de Park Avenue qu'elle partageait avec Michael Junior, le frère de Scarlett. Ce dernier gagnait fort bien sa vie en tant que chirurgien orthopédiste et comme de surcroît il avait eu le flair de faire quelques bons placements, ils jouissaient d'un train de vie très privilégié.

Alicia, d'ordinaire assez réservée, n'avait pas tari d'éloges sur Aaron et son travail. Si bien que Scarlett s'était déplacée pour découvrir la merveille que lui vantait sa belle-sœur. Elle n'avait pas été déçue. Le choc esthétique qu'elle avait éprouvé en découvrant les veines du bois et la finition soignée des détails sculptés lui avait révélé un autre monde, bien plus près de la nature que celui dans lequel elle évoluait quotidiennement. Elle avait aussitôt eu envie d'entrer en contact avec cet ébéniste et s'était enfin sentie capable de prendre la grave décision de démissionner de l'hôpital.

Maintenant qu'elle était en route vers les Bailey, elle se sentait un peu nerveuse. Est-ce que ce léger malaise était seulement dû au fait qu'elle allait rencontrer Aaron ? Elle relut les instructions qu'il lui avait données :

« Tournez à droite sur Whetstone Road. Le chemin qui conduit chez nous part à gauche en haut de la colline. Il vous suffira ensuite de rouler encore cinq kilomètres pour vous trouver en face de notre maison. »

Ce qui signifiait que d'ici deux kilomètres, elle allait passer devant la maison occupée actuellement par Daniel.

Etait-ce cela qu'elle appréhendait ?

Certainement. Elle avait même une boule dans la gorge. Daniel ne lui avait pas donné suffisamment de précisions pour lui permettre de reconnaître sa maison de famille, mais elle savait qu'elle se trouvait sur son itinéraire.

Tout de suite après avoir pris le virage à gauche, elle se mit à surveiller son cadran de kilométrage. Le paysage qui s'offrait à elle était semi-rural. Quelques maisons plus ou moins soignées et quelques fermes s'élevaient çà et là. Certaines d'entre elles étaient bien entretenues et paraissaient prospères, avec des chevaux qui broutaient alentour. D'autres au contraire étaient à moitié démolies, pratiquement à l'abandon.

Etait-elle déjà passée devant la maison de Daniel ?

Sur la droite, elle avait remarqué une jolie petite maison

peinte en bleu pâle, entourée d'un gazon fraîchement tondu sur lequel régnait un peuple de pimpants petits nains de jardin au milieu de pots garnis de fleurs en plastique.

Sur la gauche, c'était une maison dans le style ranch qui avait attiré son regard, avec sa belle terrasse de bois toute neuve qui faisait le tour de la maison. Dans le grand jardin, un amas de vieilles voitures plus ou moins cabossées paraissait trôner là depuis des années. Il y en avait peut-être une centaine garées dehors ou entassées dans un hangar à demi écroulé.

Aucune de ces habitations ne ressemblait à ce qu'elle avait imaginé de la maison d'enfance de Daniel. Qu'est-ce que sa mère malade aurait bien pu faire avec ce tas d'épaves rouillées ? Quant aux nains de jardin, seul un amour immodéré pour ce genre de créatures pouvait donner envie d'en mettre partout dans un jardin fleuri de plastique… Est-ce que c'était le cas de Daniel ? Est-ce qu'elle venait de découvrir la passion cachée de son amoureux ?

Non, elle avait du mal à imaginer Daniel dans le rôle de Blanche-Neige. Elle avait déjà dû dépasser sa maison sans la reconnaître.

De toute façon, je suis ici pour Aaron Bailey, pas pour Daniel ! se dit-elle à haute voix, comme pour mieux entendre la mise en garde.

Le fait d'être ainsi préoccupée par Daniel la mettait en colère contre elle-même. Elle était venue à Radford pour changer de style de vie, pas pour avoir des peines de cœur ! La migraine qui l'avait terrassée quatre jours plus tôt l'avait épouvantée. Elle n'avait jamais autant souffert. C'était vraiment le signe qu'elle devait trouver un moyen de reprendre sa vie en main et elle y était bien décidée. La suggestion d'Alicia qui l'avait aidée à passer à l'acte, sa décision de louer l'appartement d'Andy, de démissionner de l'hôpital, tout cela avait été fait pour lui permettre de retrouver un bien-être dont elle avait perdu la notion.

Voilà ce à quoi elle devait consacrer son énergie. A cela, et à rien d'autre. Cette coupure était nécessaire. Ensuite seulement, elle prendrait des décisions concernant son avenir. Auparavant, elle voulait explorer son côté manuel, laisser place à sa créativité, ce qu'elle n'avait jamais eu le temps de faire dans le passé, sans doute parce que l'éducation qu'elle avait reçue n'avait jamais valorisé ce genre de talent. Il lui faudrait aussi affronter son père, ce qui ne serait sûrement pas une partie de plaisir, elle en frémissait à l'avance.

Depuis longtemps déjà, Andy lui disait qu'elle fuyait dans son travail, qu'elle avait tort de lui laisser prendre toute la place dans sa vie. Il avait parfaitement raison. Elle-même venait de se rendre compte qu'elle y laissait non seulement sa joie de vivre, mais aussi sa santé.

Elle voulait changer, trouver un nouvel équilibre. Et pour cela, il était hors de question qu'elle renonce à son stage chez Aaron, tout simplement parce qu'elle avait découvert qu'elle pouvait passer son temps à faire l'amour avec Daniel.

Une fois cette résolution prise, elle se sentit un peu soulagée et poursuivit sa route jusqu'à la maison d'Aaron sans se laisser distraire. Elle la reconnut au premier coup d'œil car le chemin de gravillon qui y conduisait était bordé de troncs d'arbres sculptés comme des totems. Une enseigne de bois sculpté annonçait : « Aaron Bailey, ébéniste ». Impossible de se tromper.

Elle s'engagea donc dans le chemin et parvint à une clairière où était nichée une petite maison de bois entourée d'un jardin verdoyant. Sur la gauche se trouvait l'atelier. Long, tout en rondins, avec une porte sur le côté.

Dans le jardin, une femme était occupée à arracher de mauvaises herbes. En apercevant la voiture approcher, elle se redressa, se frotta les mains contre son tablier en toile grossière et s'avança vers elle. Ses cheveux gris attachés en queue-de-cheval lui donnaient un air campagnard fort sympathique.

— J'imagine que vous êtes Scarlett ?

— Oui, c'est bien ça.

— Je suis Judy, la femme d'Aaron. Il est dans son atelier. Je vous y accompagne. Ensuite, nous rentrerons prendre le café.

— Volontiers. Merci beaucoup !

La journée entière fut passionnante. Après le délicieux café expresso accompagné de biscuits à la cannelle faits par Judy, Scarlett accompagna Aaron qui l'aida à faire ses premières armes dans le travail du bois. Un délicieux parfum de sciure fraîche régnait dans l'atelier, bien différent de l'odeur lourde et entêtante des désinfectants dans laquelle elle était habituée à évoluer. Aaron accepta sa présence aussi naturellement que si elle avait toujours fait partie du paysage et elle eut la surprise de se sentir parfaitement à son aise dès le départ.

Sur le coup de 15 heures cependant, elle eut un moment de passage à vide qui n'échappa pas au regard apparemment distrait d'Aaron.

— Tu en as largement assez fait pour une première journée déclara-t-il. Rentre chez toi te reposer.

Elle balaya les copeaux et la sciure, nettoya les outils qu'elle avait utilisés pour donner forme à son premier objet : une boîte qui, selon Aaron, serait terminée à la fin de la semaine.

Tout ce qu'elle avait découvert au cours de cette journée lui avait plu : les odeurs, d'abord, mais aussi le fait de scier, de limer, de décaper.

— Une première journée… si jamais tu as l'intention de revenir, ajouta Aaron. Ce n'est pas obligatoire.

— Oh ! Oui, j'ai envie de revenir ! Si vous voulez toujours de moi.

— Alors, à demain, Scarlett.

Sur le chemin du retour, intriguée, elle observa de nouveau le petit ranch envahi par les vieilles voitures, puis le cottage peuplé de nains et de fleurs artificielles.

Cet amoncellement de carcasses plus ou moins rouillées, mais encore rutilantes par endroits, avait quelque chose d'attirant. Certes, elles étaient hors d'usage et occupaient beaucoup trop d'espace, mais elles avaient l'air de cacher des trésors sous leurs carrosseries cabossées. Certaines paraissaient remonter aux années cinquante, ou même encore plus loin. Il y avait là de quoi faire le bonheur d'un mordu de voitures anciennes, un peu comme un brocanteur peut faire celui d'un collectionneur d'objets anciens.

Malgré elle, elle se mit à espérer que c'était bien celle-ci la maison de Daniel, mais elle n'avait aucun moyen d'en être sûre. Toujours est-il qu'elle trouvait dans ce paysage d'épaves à la peinture écaillée une sorte de séduction qu'elle n'aurait su expliquer.

En continuant sa route, elle passa devant des maisons qui ne pouvaient pas être celle de Daniel, car des plaques de bois ou en fer affichaient le nom du propriétaire. Seule une d'entre elles demeurait anonyme, mais elle paraissait trop récente pour que ce soit la bonne.

Son esprit était encore occupé par ces conjectures lorsqu'elle posa les clés dans l'entrée de l'appartement qu'elle occupait. Elle venait à peine de pénétrer dans le salon que son téléphone portable sonna dans son sac. C'était sans doute Daniel… Elle se hâta d'ouvrir son sac et prit la communication.

Mais elle se figea en reconnaissant la voix de son interlocuteur et regretta de s'être ainsi dépêchée.

— Scarlett ?

Kyle…

— Oui. Kyle ?

Elle avait parlé d'un ton aussi neutre que possible.

— Il y a longtemps que je n'ai pas de tes nouvelles…

— En effet.

Le mail de son amie Kristin ne l'avait pas préparée à ce coup de fil, mais elle n'avait aucun mal à garder ce ton froid.

— J'avais envie de savoir comment tu allais. Tu es où en ce moment ?

— Chez mon frère, dans le Vermont. Je suis en vacances.

Elle jeta son sac sur le canapé et se dirigea vers la cuisine.

Kyle continua à lui poser des questions. Est-ce qu'elle avait l'intention de rester longtemps chez Andy ? Est-ce qu'elle était en bonne santé ?

Scarlett donna des réponses aussi évasives que possible. De toute façon, elle-même ne connaissait pas les réponses ! Méfiante, elle se borna au style de conversation qu'elle aurait pu tenir avec n'importe lequel de ses collègues.

En fait, elle attendait que Kyle lui fasse part de sa séparation d'avec Julie, mais il n'en fit rien. Il n'aborda que ses succès au golf et le nouveau cabinet de radiologie qu'il venait d'ouvrir à Manhattan où les clients affluaient. Il lui annonça même fièrement le montant de son chiffre d'affaires de l'année précédente. Il était monstrueusement élevé.

— Bien sûr, l'argent n'est pas ce qui compte le plus dans la vie, ajouta-t-il, mais tout de même…

Elle se contentait de dire « oui » ou « non », de temps à autre, mais il était intarissable.

— Et toi, Scarlett, qu'est-ce que tu fais ? demanda-t-il enfin.

— Je te l'ai dit, je suis en vacances.

Point final.

Kyle finit par comprendre que le coup de fil avait assez duré. Il raccrocha, non sans avoir conclu :

— C'est super d'avoir repris contact avec toi !

Elle n'était pas du tout du même avis.

Après avoir rangé son téléphone, elle se dit qu'il n'y avait aucune raison pour qu'une conversation aussi banale et superficielle lui laisse le goût de cendre qu'elle avait dans la bouche. Et pourtant…

Quelques heures plus tard, elle n'avait toujours pas réussi à se débarrasser de cette désagréable impression.

— Daniel, c'est moi.

— Scarlett ?

Le simple fait d'entendre la voix de Scarlett lui fouetta le sang.

— Tu as besoin de moi ?

— Eh bien… Excuse-moi de t'appeler au travail. Je sais que nous étions convenus de ne pas nous voir ce soir, mais… essaie de venir tout de même. S'il te plaît.

Elle paraissait tendue, inquiète.

— Je ne finirai pas avant ce soir 22 heures.

Il n'était que 16 heures pour l'instant.

— Tant pis. Passe me voir si… si cela ne te dérange pas trop.

— Ça me fait plaisir au contraire. Je passerai, ne t'inquiète pas.

— Merci, je t'attendrai.

— Tu es sûre que tu vas bien ?

— Oui. C'est que… J'ai besoin de toi.

— Pour quoi faire ?

— J'ai besoin que tu sois dans mon lit.

Elle paraissait agacée, ou effrayée, il n'arrivait pas savoir exactement. En quelques mots, elle lui avait communiqué sa nervosité, indéniable. S'il avait pu quitter son poste immédiatement, il l'aurait fait.

Les aiguilles de la pendule n'en finissaient pas d'arriver sur le « 10 ». Enfin, le collègue qui devait le remplacer pour la nuit arriva. Il se changea rapidement dans le local où il pouvait laisser son uniforme et sauta dans sa voiture pour aller retrouver Scarlett.

Debout sous le porche, elle l'attendait. Dès qu'elle l'aperçut, elle se précipita dans ses bras et cacha son visage contre sa poitrine.

— Tu veux me parler ? demanda-t-il en la serrant contre lui.

— Non. Certainement pas.

Tout en parlant, elle avait relevé le visage vers lui pour l'embrasser.

— Qu'est-ce qui t'est arrivé pour que tu sois dans un état pareil ?

Elle faisait son possible pour trouver sa bouche afin de le faire taire. D'habitude, il aimait ce geste car il se méfiait des mots qui sont si facilement traîtres. Ce soir pourtant, il ne se montra pas du tout coopératif.

— Je veux d'abord que tu m'expliques ce qui t'est arrivé. Tu n'es pas dans ton état normal.

Elle ne l'écoutait pas. Elle l'embrassait. A pleine bouche. Il se sentit faiblir. Comment résister alors qu'il avait rêvé de cela toute la journée ? Son parfum, sa douceur, ses gémissements de plaisir, tout lui revenait en bloc et lui ôtait toute capacité de résistance.

Une fois la porte refermée derrière eux, elle l'attira vers le canapé. Les rideaux étaient tirés, la lumière tamisée. Il fit passer le T-shirt beige qu'elle portait par-dessus sa tête. Il aperçut sa poitrine moulée par le soutien-gorge en dentelle marron foncé, petite, ferme, tentante comme un fruit. La peau plus sombre des aréoles de ses seins dépassait un peu de la dentelle… Il y avait déjà de quoi perdre la tête.

En moins de temps qu'il n'en faut pour le dire, ils se retrouvèrent nus. Tous les deux avaient oublié que s'ils se retrouvaient, c'est parce qu'elle lui avait adressé un coup de fil anxieux et qu'il en avait été inquiété. Le monde s'était réduit aux sensations qu'ils éprouvaient dans les bras l'un de l'autre, puis, très vite, au rythme qu'ils trouvèrent ensemble et qui s'accéléra jusqu'à ce qu'ils éclatent tous les deux dans un grandiose feu d'artifice multicolore.

Un peu plus tard, alors qu'ils se reposaient sur le canapé, en train de retrouver leur respiration, il se rappela la raison qui l'avait ramené chez elle.

— Scarlett, qu'est-ce qui t'est arrivé aujourd'hui ? Tu viens de faire l'amour comme on s'accroche à une bouée de secours, n'est-ce pas ? Maintenant, dis-moi ce qui t'a fait plonger.

Elle essaya de s'en tirer par une pirouette.

— J'aime ce style de bouée de secours !

— Je comprends. Moi aussi. Mais maintenant que tu as la tête hors de l'eau, il ne faut pas en profiter pour te taire.

— Comme si tu me donnais le bon exemple, toi, Daniel-le-taiseux !

— Tu as raison, je ne me confie pas assez, mais cette fois, c'est toi qui fais des cachotteries. Je veux bien faire l'amour avec toi par plaisir, mais pas parce que tu as besoin d'oublier quelque chose dont tu refuses de me parler.

Elle demeura silencieuse. Puis elle se nicha contre lui, comme un petit chien qui se rassure en cherchant la place la plus confortable dans son panier.

— Tu as raison. En fait, c'est tout simple à dire. Mon ex-mari m'a appelée au téléphone. Soi-disant pour prendre de mes nouvelles. Je ne comprends pas pourquoi au lieu de rester indifférente, je me suis sentie menacée.

Il émit un petit sifflement :

— Il voulait prendre de tes nouvelles ? Mais ça fait six ans que vous êtes divorcés !

— Une de mes amies m'a annoncé il y a quelques jours dans un mail qu'il venait de se séparer de sa seconde femme. Lui n'a pas abordé le sujet.

— Mmm… C'est un peu bizarre en effet. Pourquoi est-ce que tu ne m'as pas parlé de ce mail ?

— Je ne voulais pas gâcher les bons moments que nous passons tous les deux en revenant sur le passé.

— Bah… Tu accordes trop d'importance à tout ça.

— Sans doute.

Elle se redressa et réfléchit un moment.

— En fait, je n'ai pas été vraiment surprise quand j'ai reconnu sa voix.

— Ah bon ?

— C'est bien dans son style de faire ce genre de choses. Pour lui, les relations humaines ne sont qu'une variante du jeu d'échecs. Il aime diversifier les angles d'approche pour voir s'il est toujours maître du jeu.

Il comprenait mieux à présent sa réaction et sentit ses nerfs se tendre comme une corde à violon.

— Il veut que tu retournes avec lui !

— Il n'a jamais dit ça.

— Alors, pourquoi est-ce qu'il t'a appelée ?

Elle semblait choquée par son analyse, mais, en fait, il était certain de faire preuve de clairvoyance en la circonstance.

— Tu dois avoir raison. Il n'a pas abordé le sujet, mais il devait tâter le terrain.

— J'espère que tu l'as envoyé promener ?

— C'était difficile. La conversation a été très neutre et polie. Il n'a fait aucune allusion déplacée.

— Et toi, qu'est-ce que tu lui as dit ?

— Rien. Je l'ai écouté un moment et, quand il a raccroché, je t'ai appelé.

A présent, il était furieux.

— A sa place, si j'avais le projet de te faire revenir, je te jure que je te le dirais clairement. Et si un jour j'ai l'occasion de recommander à ton ex d'aller se faire foutre, je te jure qu'il le comprendra au quart de tour !

— Kyle et moi n'avons jamais entretenu ce style de relations spontanées. C'est d'ailleurs ce qui nous a causé des problèmes. Il partait du principe que tout devait être rationnel et contrôlé. Nous débattions de tout, exactement comme deux étudiants en train de participer à une table ronde. Les émotions n'avaient pas leur place dans notre relation parce que Kyle estimait qu'elles perturbent tout et qu'elles échappent à la logique. C'était sur ces bases que fonctionnait notre relation et, franchement, j'ai cru assez longtemps que c'était un bon système.

Il leva les yeux vers elle, stupéfait de ce qu'il entendait.

— Tu comprends, reprit-elle, cette vision des relations humaines cadrait parfaitement avec l'éducation que j'ai reçue. Il m'a fallu du temps pour me rendre compte que privilégier l'intellect et le raisonnement donne une approche de la vie complètement faussée. Mais une fois que je l'ai eu compris, je me suis rebellée.

— Et ta rébellion est passée par là quand tu m'as rencontré…

Il caressa la courbe de ses hanches, puis glissa la main entre ses cuisses, jusqu'à la fente douce et humide qui venait de l'accueillir.

— Tu veux dire que j'ai découvert le sexe-révolte avant le sexe-refuge, c'est bien ça ? demanda-t-elle en relevant le visage vers lui.

— Oui. Dès le début, le sexe entre nous a été super, incroyablement super. Mais je ne veux pas que ce soit parce que tu te révoltes, comme autrefois, ou parce que tu te protèges, comme aujourd'hui.

— C'est ça le message que mon corps t'a transmis ? Seulement ça ?

— Non, reconnut-il.

— Tant mieux. Tu vois, il y a des moments où j'aimerais que nous soyons comme les animaux, privés de parole. Parce que, finalement, les mots nous servent essentiellement à cacher nos pensées.

— C'était comme ça avec Kyle ?

— Un peu, oui. Il se servait des mots pour envelopper nos sentiments ou pour prétendre que nous n'en avions pas. Ou pire, pour remplacer les sentiments que nous n'éprouvions pas. Pendant la durée de notre mariage, j'avais pris l'habitude de laisser faire parce que, dans le fond, ça me plaisait qu'il me trouve intelligente.

— Comme s'il y avait le moindre doute là-dessus ! Je ne te cache pas que j'ai du mal à te tenir pied.

— Arrête tes complexes ! Je n'ai jamais eu le sentiment que tu faisais des efforts pour être à égalité avec moi.

Il hocha la tête.

— Pourquoi est-ce que tu ne prends pas ton intelligence pour un fait acquis au lieu de toujours chercher à en donner des preuves ?

— Kyle aimait que je sois comme ça. Il n'y avait jamais de place pour la sensibilité ni pour aucune démonstration d'affectivité. Parfois, j'avais envie de crier, de sangloter, de rire, mais je n'avais pas le droit de le faire. Toutes ces réactions n'étaient pas reconnues comme…

Elle chercha le mot adéquat, mais ce fut lui qui le lui souffla :

— … valides, c'est ça ?

— Oui, exactement. C'est le mot parfait. Elles ne comptaient pas. Comme si elles étaient impures d'une certaine façon. Mais moi, je voulais leur donner leur place ! Je veux que mon corps et ses réponses physiques, animales, soient pris en compte.

— Bien sûr. Elles sont très importantes pour moi, lui assura-t-il.

C'était profondément vrai. Elles étaient même la clé qui lui permettait de la comprendre.

Il aimait la façon qu'elle avait de réagir comme un diapason qui donnait la note juste dès qu'il la faisait vibrer. Parfois, elle-même paraissait surprise de réagir de la sorte, comme si une grande partie d'elle-même, encore mystérieuse, venait de lui être révélée.

Pourtant, elle n'aurait jamais dû manquer de confiance en elle. Elle était intelligente et belle, drôle, pleine d'imagination. Très féminine. Et douée pour les relations humaines. Tout aurait dû être simple pour elle.

— Caresse-moi encore, demanda-t-elle.

— Tu es sûre ?

— Oui.

Il était tard à présent. Sûrement minuit passé. La chaleur du bel après-midi d'été s'était estompée, la maison avait retrouvé sa fraîcheur. Le bon sens leur aurait conseillé d'aller se mettre au lit. Mais Scarlett ne paraissait pas avoir envie de faire quoi que ce soit de sensé. Elle s'allongea sur lui, frottant délibérément ses seins contre sa poitrine. Malgré le soutien-gorge qu'elle portait encore, et qui, à vrai dire, ne faisait guère obstacle à leurs caresses, il en sentit les pointes dures et brûlantes.

— Tu veux rester ici ?

— Oui. Je suis très bien et je suis trop impatiente pour changer d'endroit.

— Comme tu voudras, je suis très bien moi aussi.

Il commença à taquiner le bout de ses seins. Le droit s'était échappé du soutien-gorge. Il avait remarqué que son sein gauche était un tout petit peu plus petit que le droit. Chaque fois qu'ils faisaient l'amour, il s'en rendait compte au moment où il prenait chacun de ses seins dans ses mains, comme pour les soupeser et les comparer. C'était un geste qu'il adorait, et elle aussi.

Comme chaque fois, elle répondit avec ardeur à ses caresses. Il souleva les seins menus jusqu'à sa bouche et en agaça la pointe brune de ses lèvres. Ils se durcirent encore davantage.

Les yeux clos, elle le suppliait :

— Oui, encore… oui…

Sa respiration s'était faite haletante.

— Comme ça ? demanda-t-il, en arrondissant ses lèvres et en suçant le mamelon avec force.

— Oui.

— Tu vas avoir mal !

— Non, tu me fais du bien, au contraire.

Il obéit docilement.

C'était merveilleux. Réel. Bien plus réel que tous les mots qu'ils auraient pu se dire en un moment pareil.

Ensuite, elle prit son sexe dressé dans sa bouche, le caressa des lèvres et de la langue jusqu'à lui faire perdre la tête. Elle se retira juste avant que son plaisir éclate. Il roula sur le côté et la pénétra, se poussant en elle de tout son élan, jusqu'à ce qu'elle rejette la tête en arrière, gémisse et pleure en criant son nom.

Oh… oui, Scarlett, c'est exactement ce que je veux… que tu prononces mon nom comme s'il était un mot magique…

Puis il perdit complètement la tête à son tour, bascula dans la volupté et se laissa tomber dans ses bras.

Ils s'endormirent tous les deux.

Quand il se réveilla, il sentit qu'elle lui caressait les cheveux.

— Je veux recommencer…, souffla-t-elle.

— Quelle coïncidence !

— On va au lit cette fois ?

— Volontiers.

— Porte-moi dans tes bras.

— Vraiment ?

— Oui, j'ai les jambes en coton, et c'est ta faute !

Il se mit à rire. C'était exaltant d'arriver à mettre une femme dans cet état.

— Dans ce cas, il faut que j'assume les conséquences de mes actes…

Il la souleva, gravit l'escalier, et, cette nuit-là, aucun des deux ne pensa plus à mentionner Kyle.

7

Le mercredi soir, Andy et Claudia arrivèrent de New York avec Ben, le bébé de Claudia. Scarlett les aida à vider la voiture qui contenait une quantité impressionnante de matériel destiné au petit garçon.

Evidemment, leur présence dans l'appartement voisin changea tout pour Scarlett et Daniel, vu qu'ils passaient la plupart du temps à faire l'amour, que ce soit dans la chambre ou sur le canapé. Ou dans la cuisine, appuyés contre le mur carrelé. Ou sous la douche quand ils la prenaient ensemble. Ou une fois la nuit tombée, allongés sur une couverture dans le jardin de derrière, après avoir soigneusement fermé le portillon.

Oui, quand ils étaient livrés à eux-mêmes, ils passaient le plus clair de leur temps à faire l'amour.

Même si Andy et Claudia vivaient dans un appartement indépendant du leur, ils étaient tout de même sous le même toit, partageaient le même jardin, la même terrasse. Leur liberté s'en trouvait réduite.

D'ailleurs, c'était cette même configuration des lieux qui avait permis à Claudia et Andy de faire connaissance. Claudia, qui avait délibérément choisi d'être mère célibataire, avait loué quelques mois l'appartement d'Andy pour que son bébé naisse à la campagne, dans un cadre tranquille. Elle pensait qu'après une période de repos au calme, elle reprendrait plus facilement son rythme citadin.

Evidemment, elle n'avait jamais imaginé trouver un

père pour son fils sur le palier voisin… et pourtant, c'est exactement ce qui s'était produit. Depuis leur rencontre, Andy et elle étaient très heureux, ce qui fait que, au lieu de rester définitivement à New York, ils occupaient deux résidences à mi-temps, tout au moins pour l'instant, en attendant que Claudia installe son bureau d'expert-comptable dans le Vermont.

Tout cela était très sympathique, d'autant plus que Scarlett appréciait davantage Claudia chaque fois qu'elle la rencontrait. Quant à Andy, il était en train de devenir un père attentionné pour le petit Ben, qui lui rendait déjà sourire pour sourire.

Malheureusement, le bébé pleurait souvent, ce qui était parfaitement normal, mais arrivait jusqu'aux oreilles de Scarlett. Et de toute façon, depuis l'arrivée de la petite famille, ni elle ni Daniel ne pouvaient manquer de se rendre compte qu'ils n'étaient plus seuls.

Par exemple, le jeudi matin où Daniel était resté prendre le petit déjeuner avec elle, leurs « voisins » avaient bien dû remarquer que sa voiture était restée garée dans l'allée toute la nuit. Maladroitement, elle avait essayé d'expliquer sa gêne à Daniel, mais elle n'avait pas su très bien comment s'y prendre. Même à ses propres oreilles, quand elle se le disait à haute voix : « J'ai l'impression de me trouver sous un microscope », elle trouvait que la phrase sonnait bizarrement.

— Où est le problème ? lui avait-il répondu. Nous sommes deux adultes consentants.

Tout en parlant, il avait renversé un peu de lait sur sa poitrine parce qu'ils étaient en train de manger leurs céréales au lit, mais il n'y prêta pas attention, tout occupé à trouver ses mots pour s'expliquer.

— Nous ne trompons personne. Nous ne nous exhibons

pas tout nus dans la rue. Franchement, je n'ai pas honte de ce que nous faisons.

Elle se trouva à court de mots. Ses sentiments étaient terriblement embrouillés ! La présence de Daniel dans son lit lui paraissait tout à fait convenable. Sexy mais irréprochable. Ses caresses l'enivraient. Souvent, à force de faire l'amour, elle avait l'impression d'être noyée dans un lac tiède par une belle journée d'été.

Est-ce que c'était seulement du sexe ? Non, il n'y avait pas de « seulement ». C'était bien davantage. C'était important, c'était parfait. Ce sexe-là avait complètement changé sa vie. Il avait fait surgir des possibilités qu'elle n'avait jamais entrevues jusque-là. Mais aussi des problèmes et des questions qu'elle ne s'était jamais posées.

La présence d'Andy juste à côté la forçait à se confronter à ces contradictions.

Pourtant, elle n'avait pas envie de disséquer et d'analyser tout cela comme Kyle lui avait donné l'habitude de le faire. Elle l'avait tellement fait avec lui pendant leur mariage et au cours de leur divorce que cette tournure d'esprit lui donnait la nausée maintenant.

L'intensité de la relation physique qu'elle entretenait avec Daniel l'ébranlait jusqu'au plus profond de son être, mais qu'est-ce que cela signifiait ? Que se passerait-il quand cette ardeur disparaîtrait ? Et est-ce qu'elle disparaîtrait ?

Une relation essentiellement basée sur l'entente sexuelle est vulnérable, c'était à peu près la seule certitude à laquelle elle était parvenue.

Le besoin physique qu'elle avait de Daniel, le courant quasiment magnétique qui circulait entre eux la soumettaient complètement au pouvoir de son amant. C'était largement suffisant. Elle ne voulait pas au même moment laisser à Andy et Claudia le moindre ascendant sur elle ni avoir à se préoccuper d'eux.

Pour préserver sa liberté, mieux valait qu'ils ne soient pas au courant de sa liaison.

Elle posa son bol sur la table de chevet et se jeta sur Daniel par-dessus les draps froissés. Il était calé sur deux gros oreillers. Il avait posé son bol lui aussi, mais il n'avait pas essuyé la goutte de lait qui brillait encore sur sa poitrine.

Elle se pencha sur lui et la lécha du bout de la langue. Elle lui trouva le goût du lait sucré, mais aussi celui un peu salé de la peau de Daniel. Elle le sentit frémir sous elle. Mon Dieu... comme elle était devenue sensuelle en peu de temps ! Et pleine d'initiatives...

Cette constatation l'inquiéta et elle se releva brusquement.

— Qu'est-ce qui t'arrive ? demanda-t-il.

— Rien. Tu as renversé un peu de lait sur toi, je l'ai essuyé à ma façon.

— Il y a autre chose, je le sens...

Il rejeta les draps loin de lui. Elle découvrit avec plaisir son sexe dressé.

— Malheureusement, poursuivit-il, ta petite liquette de soie rose m'empêche de garder les idées claires. Quelle idée de porter quelque chose d'aussi affriolant, avec des bretelles toutes fines et un soutien-gorge pigeonnant ! Si tu te mettais au lit avec une bonne vieille chemise en grosse toile, je serais bien plus sage...

Il ne termina pas son discours et passa à tout autre chose. Autre chose qu'il mena à terme avec brio et maestria, pour leur satisfaction à tous les deux.

Ce qui ne régla rien du tout.

— Est-ce que nous pourrions aller chez toi ce soir ? demanda-t-elle.

Ils étaient dans les bras l'un de l'autre, savourant les derniers moments qui leur étaient accordés avant que Daniel ne revête son uniforme et elle les vêtements de travail qu'elle mettait pour aller chez Aaron.

Il releva la tête.

— Pourquoi ? A cause d'Andy et de Claudia ?

— Il faut vraiment te donner une raison ?

— Pourquoi pas ?

— Eh bien… nous sommes restés tout le temps ici…

Elle s'écarta un peu de lui.

— Bon, c'est vrai, tu as raison. C'est parce qu'Andy et Claudia sont là, juste à côté. Je ne me sens plus vraiment libre maintenant.

— Tu es passée devant ma maison en te rendant chez Aaron. Tu es sûre que c'est là que tu veux venir me retrouver ?

— Je n'ai pas su laquelle était la tienne, mais j'espère que c'est celle que je crois.

— Pourquoi donc ?

— Eh bien… j'espère que tu ne mènes pas une vie cachée d'amateur de nains de jardin et de fleurs en plastique !

Il éclata de rire.

— Ne dis pas de mal de ma voisine ! Eileen est adorable. L'autre voisine, Sue, aussi. Elle est coiffeuse, c'est elle qui me coupe les cheveux.

— Dans ce cas…

— Dans ce cas, ma maison est celle où il y a les vieilles voitures rouillées. Oui, parfaitement.

Il avait parlé sur un ton presque agressif.

— C'est ce que j'espérais ! s'écria-t-elle.

— Quoi ? Ce que tu *espérais* ?

Il se redressa sur le coude, ahuri.

— Oui, reprit-elle. Elles m'ont paru intéressantes. Je suis sûre qu'un certain nombre d'entre elles sont des voitures de collection.

Elle se rapprocha de lui, comme pour combler la distance que le ton de sa voix venait de créer entre eux.

— Elles paraissent beaucoup moins intéressantes quand

on a vécu trente ans à côté d'elles, répondit-il d'une voix sourde.

Son visage s'était fermé. Il fronçait les sourcils.

— Je t'en prie…, souffla-t-elle. Raconte-moi.

— Non, c'est trop difficile.

— Essaie. Aide-moi à comprendre.

— Je les ai vues s'empiler et se mettre à rouiller.

— C'est ce qui se passe avec les vieilles voitures.

— Elles appartenaient à mon père, mais il n'en faisait jamais rien. Il les a accumulées pendant des années et des années. Pour les acheter, il dépensait de l'argent que nous n'avions pas. Elles occupaient de la place qu'il aurait pu consacrer à un jardin potager.

Elle écoutait, attentive à ne pas interrompre ce qui était la première confidence qu'il lui faisait.

— Il aurait au moins pu construire un hangar digne de ce nom pour les abriter s'il pensait qu'elles avaient de la valeur ! Ma mère se disputait sans arrêt avec lui à cause de ces voitures, mais il avait toujours des projets grandioses pour les utiliser. Aussi vagues que grandioses, bien entendu.

— Par exemple ?

— Eh bien, parfois, il parlait de les restaurer. D'autres fois, il voulait créer un musée. Ou les détailler pour les vendre en pièces détachées. Et puis un beau jour, il est parti et il n'est jamais venu nous en débarrasser.

Un silence prolongé s'ensuivit.

— Et puis ?

— Et puis, il est mort. Juste avant mes quinze ans.

Elle se lova contre lui, un peu abasourdie. Jamais il ne s'était autant confié. On aurait dit que quelque chose s'était dénoué chez lui, libérant une parole longtemps refoulée.

— Voilà pourquoi les vieilles voitures sont toujours là, conclut-elle.

— Oui, mais plus pour très longtemps. J'en ai assez de ce dépotoir qui pourrit le paysage.

Il roula sur le côté et descendit du lit. Elle le regarda s'habiller.

— Je les vois plutôt comme quelque chose d'original et d'intéressant à exploiter.

Mais il poursuivait son idée.

— Je vais m'en débarrasser. Ma sœur a prévu de venir bientôt, je crois te l'avoir déjà dit. Nous allons faire le tour de la maison, du jardin et des remises, faire le tri dans tout ce fatras et jeter toutes les saletés accumulées. Après ça, nous pourrons mettre la maison en vente. Il nous a fallu un peu de temps pour avoir le courage de nous décider.

Son regard demeura fixe un instant. Il pensait certainement à la mort de sa mère dont la maladie avait duré longtemps, mais dont le deuil était encore tout frais.

— Paula et Jordan vont venir choisir ce qu'ils veulent garder. Ensuite, j'essaierai de voir si quelqu'un s'intéresse aux voitures. Quand mon père est mort, ma mère était déjà trop malade pour s'occuper de tout ça. Elle avait besoin de tranquillité. Chaque fois que nous essayions d'aborder le sujet avec elle, elle nous demandait un petit délai avant de s'en occuper et, finalement, elle n'a jamais eu le courage ni la force de s'y attaquer.

— Je comprends ça ! Tu imagines le dérangement et le bruit causé par les camions ou les tracteurs chargés de déménager cet énorme tas de véhicules hors d'usage ? Ç'aurait été une torture pour ta pauvre mère.

Elle jeta un coup d'œil sur le réveil. Il était temps pour elle aussi de s'habiller. Elle se leva à son tour.

— La maison m'a paru très jolie, en particulier la terrasse de bois qui a l'air toute neuve.

— C'est moi qui l'avais aménagée pour que ma mère

puisse prendre l'air tranquillement. Même si elle donnait sur ce tas de vieilles ferrailles.

Elle ouvrit la penderie, à la recherche de ses vêtements.

— Daniel, j'ai envie de venir chez toi ce soir. Ça m'est égal qu'il y ait des voitures dans le jardin.

— Je préfère te prévenir, c'est encore pire quand on les voit de près.

Elle eut nettement l'impression qu'il la provoquait, comme il l'avait déjà fait six ans plus tôt, en projetant sur son enfance la lumière la plus crue, juste pour voir comment elle allait réagir.

Elle interrogea ses motivations profondes, se demandant si elle allait tenir le coup ou prendre les jambes à son cou.

C'est ce qu'elle avait fait la dernière fois…

Mais ce n'était pas pour les raisons qu'il imaginait. Loin de là.

En tout cas, ce soir, elle se montrerait plus courageuse, elle serait forte.

— Tu vas tenir le choc, Scarlett ?

— Oui, bien sûr.

Puis elle ajouta en enfilant un soutien-gorge immaculé :

— Ce qui m'inquiète plus que les voitures, étant donné que tu vis tout seul, c'est l'état de ta salle de bains…

— Elle est parfaitement décente ! protesta-t-il, un peu vexé par ce qu'elle insinuait.

— Dans ce cas, je ne vois rien qui s'oppose à ma venue chez toi.

— Scarlett, tu essaies de prendre tout ça à la légère, mais je ne suis pas dupe de ton petit jeu.

Elle prit le temps pour agrafer son soutien-gorge, enfiler sa petite culotte assortie avant de lever le visage vers lui.

Cette fois-ci, ses dessous affriolants ne semblaient pas suffisants pour le distraire de leur conversation. Les sourcils froncés, il serrait la mâchoire et pinçait les lèvres.

Elle décida d'attaquer directement le problème.

— Tu en reviens toujours à cette vieille question ? Tu crois encore que je suis incapable de supporter le milieu d'où tu viens ?

— C'est à cause de ça que nous avons rompu !

— Non.

— Alors, explique-moi pourquoi tu es partie.

Silence.

Honnêtement, elle était incapable d'expliquer les raisons de sa fuite. Car c'était bien d'une fuite qu'il s'était agi, mais tant d'autres éléments entraient en ligne de compte ! Confus et compliqués, ils tourbillonnaient dans sa tête, la plongeant dans un état de confusion qu'elle n'arrivait pas à débrouiller. C'était sans doute la même chose pour Daniel.

Qu'est-ce qui était important dans leur relation ? Quels étaient les points de fragilité ?

— Allez…, reprit-il, explique-moi.

— Ce n'est qu'une petite partie du tableau.

— Tu plaisantes ! ironisa-t-il.

— Non. Tu te trompes si tu crois que le fait d'avoir eu une enfance confortable m'a empêchée de douter de moi, de mes choix. Si j'avais eu les idées claires, tu crois que j'aurais épousé un homme comme Kyle ? Tu imagines que je n'ai pas de regrets ?

— Eh bien, parlons-en !

— Non.

— Pourquoi ?

— Parce que je suis exactement comme toi. J'ai peur.

— Dis-moi de quoi tu as peur, Scarlett. C'est important pour nous deux.

Elle haussa les épaules.

— Eh bien… j'ai peur de cette espèce de coupure qui existe entre ce que je pense et ce que je ressens. Entre ma raison et mes sentiments, si tu préfères. Dès le départ, on m'a bourré le crâne d'un tas d'idées encombrantes sur mes capacités intellectuelles, puis sur mes responsabilités en tant que médecin. Bref, on m'a enfermée dans une boîte trop étroite pour que je m'y sente à l'aise.

— Qu'est-ce que tu comptes faire ?

— Je veux vivre autrement. Avec d'autres priorités. Des repères différents, mais je ne sais pas encore lesquels. Ce n'est pas en discutant cinq minutes avec toi que je vais les découvrir.

— Oui, je comprends, acquiesça-t-il à regret.

Il attacha ses chaussures.

— Il faut que je parte.

Ils se regardèrent, désolés. En ce moment, avec ou sans mots, ils étaient des étrangers l'un pour l'autre.

Avec un raclement de gorge, il reprit :

— Tu veux venir me retrouver chez moi vers 17 heures, quand tu auras fini chez Aaron ?

— Oui.

— Je rapporterai quelque chose pour dîner.

— Et moi, une bouteille de vin.

Ils entendirent Claudia sortir dans le jardin avec le bébé qui pleurnichait. D'une voix douce, elle essayait de le calmer en lui décrivant les fleurs du jardin et en lui parlant des oiseaux qui chantaient dans les arbres.

Une fois Daniel parti, Scarlett prit un peu de temps pour préparer quelques affaires qu'elle glissa dans son sac de voyage. Une vingtaine de minutes plus tard, elle aussi était au volant de sa voiture, en route vers l'atelier d'Aaron.

Elle s'arrêta pour acheter la bouteille de vin promise, puis ralentit en passant devant la maison au jardin rempli de vieilles automobiles. Maintenant qu'elle savait que c'était bien là que vivait Daniel, elle y prêtait une attention tout à fait différente. Ces voitures avaient appartenu à son père, voilà pourquoi il les détestait tant.

Bon, à franchement parler, cet amas de ferrailles n'était pas du meilleur effet. Certaines, empilées les unes sur les autres, exhibaient les allures étranges d'une sculpture moderne. D'autres, en meilleur état, étaient abritées sous des hangars de fortune, à moitié écroulés. Il y avait de quoi être contrarié, en effet, mais en même temps, cette espèce de musée en plein air exerçait sur elle une indéniable attraction.

Les voitures appartenaient à Daniel.

Elles faisaient partie de ce qui avait été sa vie.

Voilà ce qui faisait leur valeur.

Judy l'accueillit une fois de plus avec un café délicieux et une tranche de gâteau à la banane.

— Vous me gâtez ! dit Scarlett avec un sourire.

— J'adore faire de la pâtisserie et j'aime le bon café, voilà tout.

Un parfum de grains fraîchement moulus régnait dans la petite cuisine. Judy approcha sa tasse de ses lèvres et ferma les yeux de plaisir.

— Je crois que je préfère encore le parfum du café à son goût !

— Ici, déclara Scarlett, il y a toujours de bonnes odeurs : vos gâteaux, le café, le parfum de la sciure… J'adore cette ambiance.

— Je disais hier à Aaron que quand tu arrives ici, tu as l'air d'une gamine qui déboule dans un magasin de bonbons.

Scarlett sourit.

— Il y a de ça ! Mais je n'en ai pas honte. Je n'ai jamais rien fait qui ressemble à ce que je découvre ici. Mon métier de médecin me plaît beaucoup, mais c'est quelque chose de complètement différent. Même quand mes mains sont occupées, comme quand j'examine un patient, par exemple, ça n'a rien à voir avec ce que j'éprouve ici. C'est toujours quelque chose de froid, de clinique. C'est de la science, pas de l'artisanat, encore moins de l'art.

— Détrompe-toi, Scarlett. La science joue son rôle aussi dans ce que je fais, déclara Aaron. Il faut savoir prendre des mesures exactes et connaître les propriétés des différentes essences de bois.

— Oui, je comprends, reconnut-elle.

— Ce que je trouve excellent, reprit Judy, c'est que tu explores un aspect complètement différent de ta personnalité.

Bien sûr, cette remarque ne manqua pas de la renvoyer à ce qu'elle découvrait avec Daniel.

Un autre aspect de sa personnalité ? Et comment !

Daniel venait juste de rentrer lorsqu'elle arriva chez lui. Il s'arrêta près de sa voiture et, les clés à la main, il la regarda avancer dans la petite allée qui conduisait à la maison. Il portait encore son uniforme dont la chemise moulait sa poitrine bien musclée.

— Nous voici tous les deux en tenue de travail ! plaisanta Scarlett en secouant son jean et sa vieille chemise encore saupoudrés de sciure et de copeaux.

Elle sortit son sac de son coffre et se dirigea vers Daniel.

— Tu sens bon le cèdre, fit-il remarquer. C'est très agréable.

— Heureusement que ça te plaît, parce que c'est une odeur assez tenace.

Il ne répondit pas. Il demeurait debout, les bras ballants, les sourcils froncés.

Elle se rendit compte qu'elle avait parlé sur un ton de gaieté un peu forcé et qu'ils étaient tous les deux mal à l'aise de se trouver pour la première fois dans la maison où il avait passé son enfance, mais qu'il n'avait pas voulu lui montrer six ans plus tôt.

— Je regrette vraiment de ne pas être venue ici faire la connaissance de ta mère.

Il hocha la tête en silence.

Elle n'insista pas. Avait-elle dit quelque chose de déplacé ? Elle était sincère pourtant. Maintenant, elle ne savait plus comment rompre le silence qui venait de s'installer entre eux.

— Si tu me faisais faire le tour du jardin ? demanda-t-elle en faisant un geste large, de manière à bien lui montrer qu'elle n'était pas pressée d'entrer pour découvrir la cuisine, la chambre ou la salle de bains.

Au cas où il l'entraînerait au lit tout de suite ?

Et alors ? Est-ce que ça serait un problème ?

Il lui sembla que oui, aujourd'hui, en tout cas. Il y avait d'autres questions à régler d'abord. Ils devaient se prouver l'un à l'autre la force de leur relation, et faire l'amour, même bien, même très bien, ne les y aiderait pas.

Et il y avait toutes ces voitures…

— Tu es sûre ? demanda-t-il, comme s'il doutait de la sincérité de sa demande.

— Oui, bien sûr. Si tu me montrais les voitures ?

Il haussa les sourcils, dubitatif. Décidément, elle n'était pas la seule à être mal à l'aise. Du coup, elle changea de sujet.

— On dirait qu'il y a beaucoup de terrain autour de la maison.

— Oui, pas mal. Deux hectares.

Du regard, il fit le tour du propriétaire.

— Je vais vendre tout ça. Paula et Jordan, mon frère, sont d'accord. Notre mère nous a laissé la maison à tous les trois.

— Tu ne m'as guère parlé de ton frère. Qu'est-ce qu'il fait ?

— Il termine ses études de médecine.

— Super ! Pourquoi tu ne m'en as jamais parlé ?

— Il y a tellement de choses dont nous n'avons pas parlé…

— Il faudra que je le rencontre. Si jamais il a besoin d'un conseil au moment de choisir une spécialité, je peux lui donner des renseignements.

Malgré leur conversation, elle sentait qu'ils n'étaient pas en phase. Elle avait trop de questions à poser et trop de choses qu'il ne voulait pas dire. Une barrière imaginaire se dressait entre eux. « Défense d'entrer », y lisait-elle en lettres majuscules, et elle ne savait plus si elle avait envie d'être en colère ou envie de le plaindre.

— Si tu me montrais les voitures ? demanda-t-elle de nouveau.

— Tu es sérieuse ?

— Bien sûr !

Elle ne pouvait être *que* sérieuse, étant donné l'importance affective que ces voitures avaient aux yeux de Daniel.

— Tu l'auras bien voulu…

— Absolument.

A contrecœur, il commença à s'exécuter et l'entraîna dans un parcours compliqué qui circulait entre des rangées de carcasses plus ou moins rouillées.

En cours de visite, elle réalisa qu'il ne leur jetait pas le moindre coup d'œil, comme s'il avait décidé de les ignorer une bonne fois pour toutes. Il jouait le rôle de l'hôte bien élevé, qui fait les honneurs de la maison, et la conduisait d'épave en épave. Il devait bien y avoir une centaine de voitures échouées là, dans ce jardin de province. Plus même. Elles étaient abandonnées depuis si longtemps que de l'herbe poussait à l'intérieur de certaines d'entre elles. La plupart des pare-brise étaient cassés, les plaques d'immatriculation arrachées ou brinquebalantes.

Il conservait son expression tendue. Elle aurait aimé

le prendre par le bras, mais c'était trop tôt. Mieux valait attendre encore un peu.

— Tiens, dit-il enfin en la faisant pénétrer dans un hangar sommaire, fait de trois cloisons en planches. Je ne savais pas qu'il y avait une DeSoto des années cinquante. Ni cette Dodge Wayfarer… Il y a longtemps qu'on ne les fabrique plus.

— Tu ne les avais jamais vues ? Depuis le temps qu'elles sont là ?

Il se tourna vers elle, le visage fermé. La plaque « Défense d'entrer » avait été remise en place, en lettres de feu, cette fois.

Elle se fit toute petite.

— J'avais mieux à faire que de venir traîner ici, répondit-il enfin. Et puis… je n'ai pas envie de parler de ça, un point c'est tout.

Il croisa les bras sur sa poitrine, bien décidé à empêcher tout interrogatoire.

Mais elle posa la main sur son bras.

— Tu es sûr ? Vraiment sûr ?

— Oui. Alors, pourquoi est-ce que tu insistes ?

Parce que le sexe n'est pas tout dans la vie.

Parce que le sexe, ce n'est rien du tout s'il n'y a que ça, n'est-ce pas ?

Voilà la question qui la taraudait nuit et jour maintenant et à laquelle elle n'avait pas encore trouvé de réponse. Si leur relation devait durer, il fallait bien qu'ils trouvent autre chose que le sexe pour la maintenir.

— Parce qu'il me semble que nous devrions en parler.

— Quelle idée !

— Je crois que tu n'as jamais réellement regardé ton jardin, Daniel. Tu le vois bien pire qu'il n'est. Je t'assure que si tu ouvres les yeux, tu y découvriras des choses dignes d'intérêt.

— Tu te moques de moi.

— Pas du tout.

— Quoi, par exemple ?

— Regarde autour de toi.

Ils regardèrent tous les deux. Partout, il y avait des épaves de voitures. Avec leurs capots tordus, leurs portières arrachées, leurs pare-chocs emboutis, leurs peintures écaillées. Et partout, la rouille.

Pourtant, elles étaient belles. Aussi belles que le bois d'Aaron à ses différents stades de transformation. Elles arboraient des formes cabossées, certes, mais souvent superbes. Les couches de peinture écaillée offraient des superpositions de tons inattendues et séduisantes. Oui, elles étaient belles. Elles avaient une histoire. Plus encore, elles avaient du potentiel.

Daniel décroisa les bras et se passa la main sur la nuque. Il paraissait moins fâché. Assez surpris en fait. Elle avait l'impression qu'il se livrait secrètement un combat imprévu. Il donna un coup de pied dans un pneu et passa la main sur un rétroviseur.

Il regardait.

Il réfléchissait.

Il affrontait ses démons.

Cette fois pourtant, le silence qui les séparait encore paraissait laisser filtrer une lueur d'espoir. Elle y puisa le courage d'avancer doucement, de prendre le bras de Daniel et d'appuyer le visage contre son épaule. Il ne s'écarta pas, comme il aurait pu le faire. Il continuait à regarder les voitures.

— J'aime cette vieille dame, dit-elle en touchant du pied la calandre d'une épave qui affichait de son mieux les restes d'une peinture rouge autrefois glorieuse.

— Parce que c'est une dame ? demanda-t-il.

— Bien sûr. Regarde, elle s'est mis du rouge !

— Et celle-ci?

Il désignait une Ford des années soixante-dix qui, toutes portières ouvertes, paraissait se remettre d'une soirée trop arrosée en s'appuyant contre le mur du hangar.

— C'est un homme, il n'y a pas de doute. Un vieux beau, évidemment, avec tous ces chromes et cette peinture noire. Bref, le classique mauvais garçon, version chic!

Il se mit à rire.

— Tu as beaucoup d'imagination. Trop, peut-être?

Malgré tout, il l'attira dans ses bras brusquement et elle se laissa faire. Parce que c'était bon de se trouver là. Et au diable le reste!

Il enfouit le visage dans ses cheveux sans parler, mais ce silence n'était pas pesant. Au contraire, enfin, il les réunissait.

Tout au moins, autant qu'ils restaient dans les bras l'un de l'autre et tant que la colère ne prenait pas possession d'eux.

Je suis là, avec toi. Je te fais confiance. J'accepte ton enfance, tes parents, ta maison. Parle-moi, fais-moi confiance toi aussi.

Allait-il comprendre ce qu'elle essayait de faire passer par la tiédeur de son corps?

Il murmura quelque chose qu'elle ne comprit pas. Puis il prononça son prénom.

— Scarlett…

— Oui.

Et elle attendit.

Enfin, il se mit à parler.

— Il m'emmenait avec lui. J'avais à peine sept ou huit ans, mais il fallait que je l'accompagne et je détestais ça. Il avait une camionnette avec une remorque. Il avait déjà bu avant de partir. Nous allions à la recherche d'épaves. Parfois, il recevait de l'argent. Parfois, c'est lui qui en donnait quand la carcasse lui paraissait avoir quelque valeur. Il racontait aux vendeurs que nous avions le projet de les remettre en état. Au début, je le croyais et le week-end arrivé, je lui demandais : « On s'y met, papa ? » J'avais confiance et je m'imaginais plus tard au volant d'une belle voiture brillante, qui serait tout à moi.

Il s'arrêta de parler un instant, regarda Scarlett.

— Tu comprends, j'étais le fils aîné. Je recherchais une complicité virile avec mon père. Nous allions de temps à autre à des expositions… Je croyais qu'un jour, nous aussi, nous exhiberions comme un bijou notre Chevy des années cinquante, toute pimpante et rutilante de peinture neuve. Une fois ou deux, nous avions commencé à en retaper une, mais il avait toujours une bière à la main et, à la première difficulté, il abandonnait. Il me disait qu'il n'avait pas le bon outil, ou qu'il lui manquait une pièce… bref, il trouvait toujours une excuse pour rentrer et s'installer devant la télé avec d'autres bières.

Elle frissonna et il la serra davantage contre lui.

— Quand j'ai eu dix ou onze ans, j'ai compris que mon rêve ne se réaliserait jamais. Un peu plus tard, j'ai essayé de bricoler moi-même, mais ça le mettait dans une rage folle. Il disait que je n'y connaissais rien, mais tu crois qu'il aurait fait quelque chose pour m'apprendre ? Non, il préférait boire sa bière. Là-dessus, ma mère est tombée malade et je me suis occupé d'elle.

Voilà ce qu'avait été la relation de Daniel avec son père. C'était facile de comprendre de quel poids pesaient ces voitures, symboles d'une tristesse et d'une déception dont il n'avait pas réussi à se libérer.

— Quelle était la maladie de ta mère ?

— Un lupus qui avait envahi son visage et lui avait donné une maladie des reins et des problèmes cardiaques. Elle ne supportait pas le soleil et ne pouvait sortir que lorsqu'il s'était couché.

— Qui s'est occupé d'elle pendant que tu étais à New York ?

— Ma sœur et mon frère. Puis, comme Jordan était brillant, Paula et moi avons décidé de l'envoyer à l'université. C'est à ce moment-là aussi qu'elle s'est mariée et a suivi son mari à Boston. C'est pour la relayer que je suis rentré à Radford.

— Tu t'entendais bien avec ta mère ?

— Oui. C'était une bonne personne. Elle ne méritait pas ce qui lui est arrivé.

Elle sentit qu'il déposait un baiser sur le sommet de son crâne. Et puis il s'empara de ses lèvres. Très vite, elle eut envie de beaucoup plus que de simples baisers.

Je t'en prie, Daniel. Maintenant. Je veux sentir dans mon corps le lien que nous venons de créer entre nous avec des mots.

Il pencha la tête sur elle, tout aussi impatient. Si impatient que leurs joues se frottèrent durement et que leurs mâchoires se cognèrent l'une contre l'autre.

Elle sentait que son corps appartenait complètement à Daniel et que l'inverse était tout aussi vrai. Etait-ce possible ? Etait-ce souhaitable ? N'y avait-il pas un danger caché derrière cette griserie ?

Mais cette fois, ils étaient au-delà du sexe seul. S'ils restaient dans les bras l'un de l'autre comme maintenant, ils n'avaient pas besoin de penser à ce qui viendrait après.

— On garde la suite pour plus tard ? demanda-t-il.

Ils retournèrent vers la maison, serrés l'un contre l'autre.

Venait-il de comprendre que dans son effort pour ignorer les voitures de son père, il n'avait fait qu'accroître le pouvoir qu'elles avaient sur lui ?

8

— J'ai rapporté des steaks pour le dîner, mais je les ai oubliés dans la voiture, dit-il au moment où ils montaient l'escalier du perron. En te voyant arriver, je n'y ai plus pensé.

— C'est une excellente idée, allons les chercher !

Une fois le coffre ouvert, Scarlett ne put retenir un petit cri amusé :

— Mais tu as fait des provisions pour une armée entière !

Plusieurs gros sacs en papier brun débordaient de produits les plus variés.

— C'est que… je risque d'avoir une invitée ces jours-ci, et je ne sais pas trop ce qu'elle aime, alors j'ai pris un peu de tout !

« Un peu de tout » comprenait des pommes de terre, de la crème fraîche, de la salade, des céréales pour le petit déjeuner, trois sortes de pain, du lait entier et écrémé, de la glace, des pommes, et même un savon parfumé à la lavande.

— C'est bien ce que je pensais, conclut-elle après avoir tout déballé sur la table de la cuisine. Nous allons pouvoir soutenir un siège !

Mais tout en le taquinant, elle était extrêmement sensible à son désir de lui faire plaisir. Ce n'était pas nouveau. La semaine précédente, il avait déjà fait les courses plusieurs fois, il l'avait aidée à s'installer, mais, cette fois encore, elle était touchée de ses attentions.

Pendant qu'elle rangeait de son mieux cette avalanche de provisions, lui s'attela à la préparation de la grillade.

Il ouvrit la bouteille de vin rouge qu'elle avait apportée et enveloppa des pommes de terre dans du papier d'aluminium pour les faire cuire sur la braise.

Elle prépara une salade et mit le couvert sur la table du jardin. Chacun était occupé, ils ne se parlaient pas, mais l'ambiance était agréable et détendue. Elle décida d'en profiter sans se poser de questions. Pourquoi éprouvait-elle toujours ce besoin de raisonner, d'analyser ? Au diable ses vieux réflexes ! Ce goût pour la logique qu'on lui avait inculqué dès son plus jeune âge était plus un défaut qu'une qualité puisqu'il l'empêchait de vivre d'une manière naturelle et spontanée. Elle était devenue incapable de sentir à qui elle pouvait accorder sa confiance.

Daniel utilisa de grandes pinces pour retirer les pommes de terre de la braise avant de placer les steaks sur le gril. Une bonne odeur ne tarda pas à se faire sentir et parvint aux narines de Scarlett qui se mit à saliver. Elle rentra chercher la salade et s'arrêta un instant dans le hall avant de regagner le jardin. La maison était sympathique, les pièces spacieuses, lambrissées de pin clair et chaleureux. Les meubles étaient simples : deux canapés recouverts d'un velours bleu un peu fané se faisaient face. Des photos de famille étaient disposées sur une commode en pin. Sur les murs, plusieurs tapisseries en patchwork aux motifs compliqués et aux tons passés étaient suspendues comme des tableaux. Ils avaient été faits à la main et appartenaient certainement à la famille depuis plusieurs générations.

Lorsque Daniel vint la rejoindre, elle était plongée en contemplation devant l'un deux qui lui plaisait particulièrement. Sa construction géométrique parfaite et les tons contrastés utilisés pour la mettre en valeur en faisaient une véritable œuvre d'art.

— Ces quilts sont magnifiques ! déclara-t-elle.

— Je suis content qu'ils te plaisent. Ils ont été cousus par mon arrière-grand-mère et ma grand-mère.

— Quelle patience il leur a fallu pour assembler tous ces petits morceaux de tissu ! Et quel talent aussi. Je les trouve à la fois rigoureux et pleins d'imagination.

— Ma mère n'était pas douée pour les travaux d'aiguille. Elle n'a pas perpétué la tradition. Mais elle a tout de même veillé à les réparer chaque fois qu'une couture craquait.

— C'est pour cela qu'ils sont encore en si bon état.

— Je les ai trouvés enfermés dans un placard, mais il m'a semblé que c'était dommage de ne pas en profiter.

— Tu as bien fait, ils sont très beaux.

— Oui. Leurs couleurs sont passées, ils sont pleins d'imperfections, mais je les aime bien quand même.

— C'est justement ce qui les rend attrayants. Ils ont une histoire à raconter. Exactement comme les vieilles voitures qui sont dans le jardin.

L'odeur de grillade les détourna de leur conversation.

— Il faut que j'aille tourner les steaks !

— Je te rejoins dans un instant. Je peux regarder les photos ?

— Bien sûr !

Elle s'approcha de la commode et son regard fut tout de suite attiré par une photo assez grande sur laquelle elle reconnut Daniel, âgé d'une dizaine d'années, en compagnie de son frère et de sa sœur, d'une jeune femme qui devait être sa mère et de son père qui brandissait d'une main un gros poisson qu'il venait sans doute de pêcher. Dans son autre main, il tenait une bière. Derrière eux, une Ford de 1970 brillait de toute son étincelante carrosserie.

C'était la famille de Daniel. Son histoire. Imparfaite et douce-amère, mais c'était la sienne. C'était elle qui l'avait aidé à se construire.

— Viens manger, la viande est juste à point !

Elle obéit de bon cœur, émue de ce qu'elle venait de découvrir.

Le soleil avait commencé à descendre, la chaleur était moins forte. Daniel avait allumé des bougies à la citronnelle. Leur lueur vacillante et leur parfum très particulier transformaient ce dîner tout simple en une parfaite soirée d'été.

Il remplit leurs verres qui prirent des allures de rubis étincelants. Ils trinquèrent et savourèrent ensemble le vin généreux et fruité. Pendant qu'ils mangeaient, les ombres s'allongeaient doucement. Autour d'eux, dans la pénombre naissante, les vieilles voitures paraissaient monter la garde comme autant de grosses bêtes assoupies.

Pourquoi aurait-il fallu gâcher ce moment précieux avec des mots ?

La paix et le silence environnants parlaient d'eux-mêmes. Par contraste, elle se remémora l'hôpital, les appels téléphoniques incessants, les réunions avec les collègues, les conversations souvent bouleversantes qu'elle avait avec les parents des enfants malades, les allées et venues continuelles des infirmières…

Incontestablement, il lui fallait trouver un autre équilibre. Sa vie privée ne pouvait se réduire à une brève respiration entre deux interminables tunnels. Pourquoi ne pas faire comme Andy et quitter New York ? Elle n'était pas le genre de personne capable de supporter indéfiniment le stress et l'angoisse qui régnaient dans son service. Elle avait besoin d'un environnement plus paisible et de moments de détente plus fréquents.

D'après son père, c'était là le signe d'une faiblesse facile à surmonter avec un peu de volonté. En fille docile et bien éduquée, c'est ce qu'elle avait fait jusqu'à maintenant. Au détriment de sa santé… Mais pourquoi ne pas s'accepter tel qu'on est, avec ses atouts et ses limitations ? A quoi bon vivre dans le déni de sa véritable personnalité ?

Pourtant, ce serait une autre façon de se bousculer que de vouloir prendre toutes les décisions concernant son avenir moins d'un mois après son départ de l'hôpital. Elle devait absolument s'accorder un temps de réflexion.

Elle réalisa alors que Daniel était en train de la regarder, confortablement assis dans son fauteuil de jardin, ses longues jambes allongées devant lui, les doigts croisés derrière la nuque. Il allait sans doute lui demander à quoi elle pensait… ou lui raconter à quoi lui-même était en train de réfléchir ? Pas du tout. Il se contenta de dire :

— Comme on est bien !

Elle lui sourit.

— Oui, c'est vrai.

Ils restèrent encore assis un long moment. Assez pour qu'elle se sente encore davantage plonger dans le calme et le silence. Les grillons chantaient, des vers luisants se promenaient dans le jardin. Elle s'amusa à suivre des yeux leur cheminement lumineux. Même le bruit d'une voiture qui passait dans la rue lui parut agréable.

Elle leva les yeux et, cette fois encore, elle trouva le regard de Daniel posé sur elle. Aucun d'eux ne prononça le moindre mot, mais l'étincelle qu'elle voyait briller dans son regard en disait plus long que bien des discours. Le message fut encore plus clair lorsqu'il sourit.

Oh… elle avait envie de lui sauter au cou et de l'embrasser à perdre haleine ! Et bien plus encore…

Il l'avait compris.

Il se mit debout, lui tendit la main et ensuite… ensuite, le paradis les attendait.

Daniel ne sut pas exactement ce qui l'avait réveillé. Une voiture qui passait dans la rue ? Le bruit d'un animal qui se promenait dans le jardin ? Quoi qu'il en soit, il décida d'aller faire un tour dehors pour vérifier que tout était normal.

Scarlett dormait calmement à côté de lui. Sa respiration était régulière. Elle était toute nue, confiante, le dos calé contre sa poitrine. Les rondeurs qu'il lui avait connues autrefois commençaient à revenir, elle ne se rongeait presque plus les ongles, tout cela était très bon signe. Avec mille précautions afin de ne pas la réveiller, il s'écarta d'elle doucement, se leva et attrapa le bas de son pyjama qu'il avait laissé sous son oreiller.

En se redressant, il s'aperçut que la veille au soir, ils avaient oublié d'éteindre les lumières de la terrasse. Cette petite excursion au grand air lui permettrait de les éteindre.

De nouveau, un bruit lui parvint. Cette fois, il se souvint que dans leur hâte de se mettre au lit, ils étaient rentrés sans débarrasser la table. Voilà qui avait sans doute attiré un animal du voisinage, ravi de trouver un festin tout servi.

En effet, comme il arrivait dans le jardin, il aperçut un chat traverser le gazon en courant pour se réfugier dans la haie d'arbres et de buissons. Il avait renversé les assiettes et éparpillé les restes de nourriture dans le gazon.

— Désolé d'avoir interrompu ton repas ! dit-il en se baissant pour ramasser les couverts que l'animal avait fait tomber sur la terrasse.

Il les posa sur la table, puis laissa son regard se promener autour de lui. La lune brillait haut dans le ciel. Sa lumière irréelle éclairait les épaves des voitures. Il eut presque du mal à les reconnaître tant le spectacle qui s'offrait à lui était différent de celui auquel il était habitué. Les vieilles carcasses aux couleurs bariolées avaient laissé place à des formes inconnues et surprenantes sur lesquelles régnait une infinité de nuances de gris zébrées ici et là par des touches argentées.

Il les regarda longuement, médusé. On aurait dit qu'un tour de magie s'était produit pendant son sommeil. Scarlett avait raison. Une beauté étrange émanait de la scène. Et il y avait effectivement là un potentiel à mettre en valeur. Aux yeux des amateurs de vieilles voitures, il était propriétaire d'un trésor, ni plus ni moins ! Franchement, si ces épaves pouvaient faire le bonheur de quelqu'un, il serait le premier à s'en réjouir. Il se rappelait maintenant qu'au cours des années passées, il leur était arrivé à sa mère ou à lui de recevoir un visiteur intéressé par le dépôt qu'il avait entrevu au cours d'une promenade, mais ils n'avaient jamais donné suite. Il leur était même arrivé de trouver des messages dans leur boîte aux lettres : « Si ces véhicules sont à la vente, vous pouvez me contacter au… », mais là encore, ni sa mère, ni son frère, ni sa sœur, ni lui-même n'avaient jamais passé le coup de fil qui aurait pu aboutir à quelque chose.

Pourquoi ? Leurs raisons respectives étaient sans doute différentes, mais il voyait singulièrement plus clair quant aux siennes depuis qu'il avait parlé à Scarlett. Seigneur… Quel flux de paroles il avait déversé ! Jamais, aussi loin que remontent ses souvenirs, il n'avait autant parlé d'une traite. Et il ne lui avait même pas laissé le choix, elle avait été obligée de l'écouter.

En fait, il n'avait pas seulement parlé de la maladie de sa mère. Il avait compris que le fait de conserver dans son jardin ces voitures en mauvais état nourrissait la rancune qu'il éprouvait envers son père. Et tout cela pourquoi ? Pour rien ! Le passé ne changerait pas. Il avait cru en son père et il avait été déçu. Et alors ? Il n'était plus le petit garçon naïf d'autrefois, mais un homme capable de surmonter cette désillusion pour aller de l'avant.

Allez, Daniel, oublie tout ça ! Avance, vis ta vie.

Il empila les assiettes et les couverts, ramassa les déchets et alla déposer la vaisselle dans l'évier. Puis il éteignit les lumières et rentra. Il frissonna.

Quand il rentra dans la chambre, il trouva Scarlett réveillée.

— Où étais-tu parti ?

— Gâcher le festin du chat de notre voisin !

Il se glissa dans le lit.

— Méchant ! se moqua-t-elle en s'allongeant tout contre lui pour le réchauffer. Et maintenant, tu as des projets ?

— Oui, devine !

9

— Je trouve que tu as bien meilleure mine, ma chérie, déclara Helen, la mère de Scarlett, après avoir examiné sa fille avec attention.

Toute la famille McKinley dînait au restaurant ce soir-là et, bien entendu, Helen était heureuse de pouvoir complimenter Scarlett. Grâce au ciel, la jeune femme n'avait plus ce visage amaigri ni les cernes sous les yeux qui l'avaient tant inquiétée la dernière fois qu'elle l'avait vue avant son départ pour le Vermont.

— Ces vacances te font beaucoup de bien, poursuivit-elle, même ton père l'a remarqué. Mais ne compte pas sur lui pour l'avouer, bien entendu !

— Il faudrait qu'il ait bien changé pour se résoudre à ça, acquiesça Scarlett.

— Tu le connais aussi bien que moi, soupira Helen. Il a horreur de reconnaître qu'il a tort, mais laisse-moi te dire comme je suis contente de constater que tu as retrouvé tes belles couleurs.

Elle jeta un regard en direction de son mari qui était lancé dans une conversation animée avec son fils Michael Junior, le mari d'Alicia. Aucun des deux hommes ne prêtait attention à l'échange qui avait lieu entre les deux femmes.

— Le fait est que je me sens beaucoup mieux depuis que je me repose, reconnut Scarlett.

A son tour, elle regarda son père et son frère. Tous les deux arboraient le costume trois-pièces de l'homme d'affaires qui a réussi. Ils discutaient amicalement, mais on sentait un fond de rivalité animer leur dialogue. C'était à qui aurait le plus travaillé, gagné le plus d'argent… Le père de Scarlett avait les cheveux gris alors que ceux de Michael Junior étaient d'un noir de jais, mais, cela mis à part, ils étaient parfaitement identiques. Deux parfaits spécimens d'un monde qu'elle considérait comme disparu.

Comme s'il avait deviné ses pensées, Andy lui adressa un regard complice par-dessus la table et haussa légèrement les épaules. Oui, ils avaient tous les deux basculé dans un univers où la vie se déroulait selon d'autres valeurs, mais ces deux-là ne changeraient pas !

Le serveur apporta le champagne commandé et leur en servit une coupe à chacun. Autour de la table se trouvaient tous les adultes de la famille McKinley, y compris Claudia, l'amie d'Andy. La blonde Alicia et la brune Claudia étaient tout aussi élégantes l'une que l'autre. Alicia portait une robe noire et Claudia une robe d'un vert émeraude assorti à ses yeux. Helen arborait une jupe noire et un chemisier de soie mauve tandis qu'elle-même avait préféré enfiler un pantalon noir qu'elle portait avec de hauts talons et un caraco rouge cerise qui mettait en valeur son teint hâlé et ses yeux sombres.

Les enfants de Michael Junior et d'Alicia étaient restés au motel avec Maura, leur nounou qu'Alicia avait emmenée de New York pour le week-end. Maura s'occupait donc d'Abby et de Tyler, les enfants d'Alicia, mais aussi du petit Ben que Claudia avait finalement accepté de laisser après bien des hésitations. Bien entendu, elle consultait discrètement mais régulièrement ses textos au cas où… Andy avait beau lui dire qu'elle s'inquiétait beaucoup trop, elle ne pouvait pas s'en empêcher.

Ainsi donc, il n'y avait pas d'enfants. Et pas de Daniel non plus. Etant donné qu'elle ne savait pas comment leur relation allait évoluer, elle ne lui avait pas demandé de l'accompagner. Il avait pris la chose avec beaucoup de philosophie quand elle lui avait fait part de sa décision et avait même commenté :

— Je crois que ma présence dans un repas familial serait prématurée et mettrait tout le monde mal à l'aise.

Sur ce, il s'était installé dans le salon avec Percy, le petit cocker qu'ils étaient allés choisir la veille au chenil de Radford. Ils avaient passé l'après-midi à lui installer un panier pour dormir et à acheter une litière et de la nourriture. Daniel avait prévu de clôturer une partie du jardin et de lui ménager un accès au garage de manière à ce qu'il ait de l'espace aussi bien dehors que dedans.

De toute façon, même si elle avait du mal à ne pas penser à Daniel, elle était contente de participer à la soirée donnée en l'honneur de Claudia et d'Andy. Andy avait demandé à sa famille de venir de New York parce qu'il avait quelque chose à annoncer. Pas besoin d'être grand clerc pour deviner de quoi il s'agissait à voir le bonheur qui brillait dans ses yeux.

Michael père les avait tous invités dans ce restaurant réputé pour ses spécialités françaises et qui, de surcroît, présentait l'avantage de se trouver à proximité du motel où dormaient M.J. et Alicia. Et pour l'apéritif, il avait commandé du champagne !

Quand tout le monde eut sa coupe remplie, Andy se leva et prit la main de Claudia.

— Je pense que je ne surprendrai personne avec la nouvelle que je vais annoncer, mais j'espère que tout le monde en sera heureux. Voilà : Claudia et moi allons nous marier en octobre prochain.

Helen poussa un petit cri de joie et se leva pour embrasser Claudia. Michael Junior et Michael père se levèrent aussi et vinrent donner l'accolade à Andy. Là encore, Scarlett eut l'impression que c'était à celui des deux qui se montrerait le plus enthousiaste et le plus volubile.

A vrai dire, elle trouvait son frère Michael presque trop enthousiaste. Ses félicitations sonnaient faux. On aurait presque dit qu'il était jaloux. Mais jaloux de quoi, grands dieux ? Il menait la vie dont il avait toujours rêvé, sa carrière se déroulait brillamment, il était riche comme Crésus, vivait dans un luxueux appartement, avait un bel enfant de chaque sexe et une épouse d'une beauté éblouissante. Alors ?

C'était à ne rien comprendre.

— Alors, demanda-t-il, quel est ton projet, frangin ? Tu reviens à New York ?

— Non, je crois que j'aurais beaucoup de mal à me réadapter à la grande ville. C'est Claudia qui va venir s'installer ici. Elle s'est bien renseignée sur les besoins de la région et a décidé d'installer son cabinet d'expert-comptable à Radford. La garderie qui se trouve juste à côté de ma clinique jouit d'une excellente réputation, ce qui fait que nous devrions réussir à organiser notre vie de famille assez facilement.

Andy avait prononcé ces derniers mots d'un air détaché qui ne trompa personne. De toute évidence, il était fou de joie d'être devenu le père du petit Ben.

— Vous avez prévu de faire une fête en l'honneur de votre mariage ? demanda Alicia à Claudia.

— Oui, bien sûr. Nous voulons quelque chose d'élégant, mais nous n'avons pas l'intention d'inviter beaucoup de monde.

— Attention, prévint Alicia. Faites en sorte de ne pas avoir de regrets ensuite. C'est un grand jour qu'il faut fêter dignement !

Helen, toujours soucieuse des convenances, était en train de questionner Andy sur la façon dont il avait fait sa demande en mariage. Les mots que Scarlett réussit à capter au milieu du brouhaha des conversations ne durent guère rassurer la malheureuse car il était question de moto, de costume de clown et de montgolfière… Andy était probablement en train de plaisanter pour taquiner sa mère comme il adorait le faire.

Alicia poursuivait sur son idée :

— Michael Junior et moi nous sommes mariés à Las Vegas, sur un coup de tête, et je le regrette un peu. C'était trop rapide et trop simple. Il y a même des moments où j'ai l'impression de ne pas être vraiment mariée.

— Dans ce cas, regarde les photos ! conseilla Claudia.

— Justement. Elles sont plutôt moches. Je n'ose les montrer à personne.

— Alicia ! Tu es ravissante sur toutes celles que j'ai vues.

Scarlett s'arrêta, puis elle corrigea :

— Non, tu n'es pas ravissante, tu es absolument éblouissante !

C'était vrai. Alicia était la femme la plus éclatante qu'elle ait jamais rencontrée.

Mais Alicia n'était pas d'accord du tout.

— Tu plaisantes ! Je portais une robe achetée en vitesse au supermarché du coin deux ans plus tôt et je n'étais pas allée chez le coiffeur.

— C'est tellement grave ? demanda Scarlett, plus amusée que compatissante.

— Oui. Et en guise de fête, nous sommes seulement allés dîner au restaurant tous les deux. Franchement, j'aurais pu organiser tout cela un peu mieux.

Il y avait vraiment du regret dans sa voix. Scarlett se dit que c'était dommage de garder pareil souvenir d'une journée spéciale entre toutes. Dans le fond, elle réalisait qu'elle connaissait bien peu Alicia, même si elle et Michael étaient mariés depuis sept ans. C'est la dernière phrase qui la troublait. Pourquoi Alicia avait-elle dit : « *J'aurais pu organiser tout cela un peu mieux* » et non pas : « *Nous aurions…* » ?

Michael Junior qui avait entendu lui aussi fronça les sourcils, comme chaque fois qu'il considérait que quelqu'un venait de dire une bêtise ou une incorrection. Oui, Michael James McKinley, qui portait le même prénom que son père, avait bien le même caractère que lui ! Ni l'un ni l'autre ne toléraient le moindre dérapage.

Scarlett se demanda s'il était fâché contre Alicia. Est-ce que la beauté de son épouse avait perdu de son pouvoir ? Est-ce qu'il était heureux ? Et s'il ne l'était pas, quelle était la cause de cette regrettable évolution ? Leur mariage était un mystère.

Finalement, se dit Scarlett, le mariage n'est pas chose à prendre à la légère. Elle était bien placée pour le savoir, elle qui, à vingt-six ans avait déjà un divorce à son passif et un ex-mari qu'elle espérait bien ne jamais revoir.

Elle frissonna en songeant à Kyle. Il ne l'avait pas rappelée, mais elle s'attendait à ce qu'il recommence. Le connaissant comme elle le connaissait, elle était sûre que ce premier coup de fil n'était que le début d'une stratégie soigneusement étudiée et que cette première escarmouche aurait une suite. Depuis leur rencontre, elle avait l'impression de vivre avec une épée de Damoclès suspendue au-dessus de la tête.

Kyle était le type d'homme qui avait besoin du statut social qu'apporte le mariage sans avoir pour autant la capacité d'éprouver une passion véritable. Il choisissait toujours l'option la plus rationnelle. S'il estimait avoir une chance de remettre sur pied son premier mariage, c'est à cela qu'il s'emploierait avant de se lancer dans l'aventure compliquée de trouver une nouvelle fiancée.

Le mariage d'Andy et Claudia, par contre, paraissait

fait pour durer. Non seulement parce qu'ils étaient très amoureux l'un de l'autre, ce qui sautait aux yeux, mais encore parce qu'ils s'étaient appliqués à régler au mieux tous les problèmes pratiques. Ils avaient su attendre avant de prendre la décision de vivre ensemble, bien conscients qu'eux-mêmes étaient impliqués dans l'aventure, mais également que le bonheur du petit Ben lui aussi devait être pris en compte.

Ils avaient beaucoup en commun, même si Andy voyait les choses dans leur globalité alors que Claudia était plus attentive aux détails. Dans le fond, ces tendances opposées équilibraient leur couple, d'autant plus qu'ils étaient l'un et l'autre toujours prêts à faire des concessions.

Et mes parents ? se demanda Scarlett. *Qu'en est-il de leur couple ?*

Helen et Michael père étaient mariés depuis trente-huit ans, ce qui permettait de penser qu'il y avait du bon dans leur union, malgré certaines tensions, inévitables sans doute dans un couple. Helen souhaitait que son mari travaille moins, voire même qu'il prenne sa retraite. Elle aurait voulu passer plus de temps avec lui pour profiter de la vie puisqu'ils étaient tous les deux encore jeunes et en bonne santé. Hélas, son mari ne s'accordait que trois jours de repos de temps à autre alors qu'elle aurait aimé faire le tour de l'Europe ou visiter les grands parcs de l'Ouest. Et même, pourquoi pas ? partir découvrir la Chine ou l'Australie.

Scarlett porta sur ses parents un regard attendri. Son père avait visiblement bu un peu trop de champagne. Il parlait trop fort. Helen lui tapotait le bras dans l'espoir de le faire baisser d'un ton, mais, comme il dégageait sa main sans la regarder, elle renonça à le calmer et se plongea dans la lecture du menu, d'un air de dire : *Si tu ne veux pas partager avec moi le bonheur de cette soirée, j'en profiterai toute seule !*

Ce n'était pas la première fois que Scarlett était témoin de ce genre de scène. Loin de là…

Lorsque les hommes en eurent terminé avec leurs bruyantes congratulations, chacun regagna sa place. Avant de se rasseoir, Andy s'approcha de Scarlett.

— Est-ce que tu as dit à papa que tu n'étais pas ici seulement en vacances, mais que tu avais donné ta démission à l'hôpital ? demanda-t-il à voix basse.

— Non. Autant éviter une scène ! Il voudra connaître mes projets et, pour l'instant, je n'en ai aucun.

— Tu as sans doute raison…

— Tu comprends, même si j'y suis très heureuse, je ne pense pas travailler toute ma vie dans l'atelier d'Aaron Bailey.

— Oui, évidemment.

Puis, après un moment de silence :

— Tu aurais dû lui demander de t'accompagner ce soir.

Evidemment, Andy ne parlait pas d'Aaron.

Andy et Claudia savaient forcément qu'elle fréquentait Daniel puisque sa voiture restait souvent garée dans l'allée de leur maison toute la nuit ou qu'elle-même disparaissait le soir pour ne rentrer que le matin. Il aurait fallu être aveugle pour ne pas le remarquer.

— Non.

— Pourquoi ?

— Je n'avais pas envie de provoquer un esclandre.

— Tu crois que c'est ce qui se serait passé ?

— Franchement, Andy, tu n'imagines pas la scène ? Maman n'aurait pas manqué de me poser toutes les questions embarrassantes que tu peux imaginer, comme la date de notre mariage et l'endroit où j'allais m'installer…

Andy hocha la tête.

— Je préférerais que même Claudia et toi ne soyez pas au courant. Je voudrais que personne ne sache rien du tout !

— Pourquoi tant de mystères, Scarlett ? demanda Claudia qui écoutait la conversation. Tu n'as de comptes à rendre à personne. Vous êtes adultes tous les deux !

— C'est bien ce que Daniel m'a dit, mais il a tout de même préféré ne pas venir.

— Où est le problème ?

— Eh bien… je ne veux pas que la famille soit au courant de tous mes faits et gestes. Je ne veux pas qu'on commence à nous marier et à planifier nos bébés alors qu'entre Daniel et moi, il ne s'agit peut-être seulement que de… de…

— D'une aventure sans lendemain ? suggéra Claudia pour lui venir en aide.

— Oui, c'est ça.

— J'imagine que ta mère rêve de te voir mariée.

— Oui. Elle veut que je trouve un antidote à mon premier mari. Au point que chaque fois qu'elle rencontre un homme jeune et bien installé dans la vie, elle se demande s'il ne serait pas un parti possible pour moi.

— Donc, tu préfères ne pas lui présenter Daniel ?

— En tout cas, pas pour le moment.

Sur ce, pour la énième fois, Claudia jeta un coup d'œil sur le cadran de son téléphone.

— Ma chérie, dit Andy, tu as déjà regardé mille fois !

Claudia rougit.

— Oui, c'est vrai, excuse-moi. Je ne peux pas m'en empêcher.

Son visage se fit sérieux, comme si elle était sur le point de prendre une décision d'importance. Puis elle tendit son téléphone à Andy.

— Tiens, mets-le dans ta poche. Il vibrera s'il y a un appel, et au moins je n'aurai plus la tentation de le regarder.

— Tu sais, reprit Andy d'une voix rassurante, Maura a également mon numéro et celui d'Alicia et de mon frère.

Ça lui fait quatre moyens d'entrer en contact avec nous en un clin d'œil.

— C'est vrai… Je suis épouvantable !

— Mais non, mon amour, rétorqua Andy, juste un tout petit, petit, petit peu anxieuse !

Ce fut un soulagement pour Scarlett de voir leur attention détournée d'elle. A ce moment, sa mère éleva la voix.

— Je veux une date butoir, Michael, pas le genre de réponse évasive que tu me fais d'habitude, dans le style : « Encore un an ou deux et j'arrête. » Je ne veux pas visiter l'Europe dans un fauteuil roulant !

— Mais enfin, Helen, je n'ai pas besoin de prendre ma retraite pour visiter l'Europe ! Quantité d'agences compétentes organisent des voyages qui permettent de…

— … visiter la France entière en une demi-journée. Pas question de ça, Michael ! Ne crois pas que je vais me contenter de jeter un coup d'œil par le trou de la serrure à Versailles ou au palais de Buckingham.

Michael père éclata de rire. C'était bon de voir que même après tant d'années, il était toujours capable d'apprécier l'humour d'Helen. Ce sursaut de bonne humeur détendit Helen qui sourit à son tour. La discussion commencée sur le mode tendu prit un tour plus serein. Finalement, ils étaient bien complices à leur façon.

— Je te promets de faire un effort, Helen. Je vais regarder de près mon agenda.

Helen se redressa sur sa chaise.

— Je veux que tu fixes une date. Ici et maintenant, pendant que j'ai des témoins.

— Trois ans, ça te va ? demanda Michael.

— Trois ans… c'est un peu long, mais c'est raisonnable. Elle fit des yeux le tour de la table.

— Vous avez tous entendu, mes enfants ? Dans trois ans, les autres chirurgiens cardiologues de New York seront

enfin devenus capables de sauver deux ou trois patients !
Michael James McKinley père ne sera plus indispensable
et la cardiologie occidentale ne s'effondrera pas parce que
cet homme aura raccroché son stéthoscope.

Tout le monde éclata de rire. Helen se leva et annonça :

— Je vais donc acheter nos places pour dans trente-six
mois.

Sur ce, elle se rassit, satisfaite d'avoir accompli sa mission.

Le repas s'acheva deux heures plus tard dans la bonne
humeur générale. Alicia et son mari regagnèrent leur hôtel,
accompagnés par Andy et Claudia qui allaient récupérer
le petit Ben. Helen et Scarlett se retrouvèrent en tête à tête
pendant que Michael père allait régler la note.

Helen dévisagea sa fille avec attention.

— Au cas où nous n'aurions plus l'occasion de nous
parler tranquillement au cours du week-end, dis-moi
vraiment comment tu te sens, Scarlett.

— Je suis en super-forme, maman, comme tu peux
voir toi-même.

Elle hésita un instant, puis chuchota à l'oreille de sa mère :

— J'ai donné ma démission au City Children Hospital.

— Quoi ? Tu as démissionné ? s'écria Helen.

Bien entendu, Michael père choisit ce moment pour se
rapprocher d'elles.

— Qu'est-ce que tu viens de dire, Helen ?

Helen regarda l'un, puis l'autre, partagée entre son mari
et sa fille. Finalement, elle souffla :

— Scarlett a démissionné du City Children Hospital.

— Maman ! s'écria Scarlett qui se sentait trahie.

— Ma chérie, il faut bien que ton père le sache. Je
ne pouvais pas garder ce secret alors qu'il vient de me
promettre de partir en Europe.

— Tu aurais pu me laisser le lui annoncer moi-même !

— Tu es bien sûre que tu le lui aurais dit ? Ce soir ?

Michael avait retrouvé son visage sérieux d'éminent cardiologue et de père tout-puissant.

— Peu importe le moment, dit-il d'une voix tranchante.

Sa voix trahissait une profonde contrariété.

— Voyons, Scarlett, tu travaillais avec Jonas Tisch, un des meilleurs oncologues des Etats-Unis. C'est donc que tu as trouvé quelqu'un d'encore plus compétent. Est-ce Mark Alexander ? Vikram Patel ? Quelqu'un d'autre ?

— Papa… pour l'instant, je me repose. Je t'en prie, fais-moi confiance pour la suite.

— Scarlett, tu es la plus brillante de la famille !

— Je sais, papa. C'est ce que tu m'as toujours dit.

— Parce que c'est vrai ! Tu étais une enfant si éveillée, si curieuse de tout… Tes notes ont toujours été bien supérieures à celles de tes frères à tous les tests que tu as subis.

— Subis, oui ! C'est exactement le mot qui convient, répéta Scarlett.

— Qu'est-ce que je dois comprendre ?

— Que j'ai besoin d'avoir un peu de temps à moi, papa. C'est tout.

Elle sentait ses réserves de patience diminuer, mais elle fit un effort pour garder son calme.

— Il faut que je réfléchisse à ce que je veux faire de ma vie à part faire fonctionner ce cerveau si extraordinairement efficace. Je veux du temps pour décider si c'est vraiment ce qui est le plus important pour moi.

Michael la regardait, médusé. C'était bien la première fois qu'elle lui parlait sur ce ton.

— Scarlett !

— Excuse-moi, papa. Je sais que c'est ce que tu as toujours le plus valorisé chez moi, mais je n'ai pas forcément la même échelle de valeurs que toi.

Michael était devenu rouge de colère.

Helen posa une main hésitante sur le bras de son mari,

comme elle le faisait toujours dans les cas de tempête familiale.

— Michael…

Il se libéra d'un geste sec.

Cette scène était ridicule. Il n'y avait rien à ajouter, chacun camperait sur ses positions, c'était clair. Les trois protagonistes parurent le comprendre en même temps.

— Michael, reprit Helen, n'oublie pas que nous devons encore passer à la pharmacie acheter les antalgiques que tu as oubliés à la maison. Tu sais bien que sans eux, tu n'arriveras pas à dormir à cause de ton épaule.

Scarlett prit dans son sac les clés de sa voiture.

— A tout à l'heure chez Andy ! lança-t-elle.

Mais une fois au volant de sa voiture, elle revit la scène dans les moindres détails. Allait-elle une fois de plus se soumettre au joug de son père ? Accepter les tentatives de négociations avortées de sa mère ?

Non, non et non !

Aussi, au moment de tourner à droite pour se rendre chez Andy, elle préféra tourner à gauche, sur la route qui menait à la maison de Daniel. Elle ne désirait qu'une chose en ce moment, c'était de s'allonger contre le corps tiède et vigoureux de son amant.

10

En reconnaissant le bruit du moteur de la voiture de Scarlett dans l'allée, le sang de Daniel ne fit qu'un tour. Elle lui avait dit qu'elle ne viendrait pas le rejoindre ce soir après la soirée passée avec sa famille, et pourtant, elle était là ! Il se leva d'un bond et se dépêcha d'aller lui ouvrir la porte. Qu'allait-il lui dire ?

J'ai pensé à toi toute la soirée.

Viens au lit avec moi.

Epouse-moi !

C'étaient là les phrases qu'il n'avait cessé de tourner et de retourner dans sa tête.

Pourquoi ne pas les dire toutes les trois ?

Scarlett se tenait debout dans l'embrasure de la porte, absolument ravissante. Son caraco rouge cerise et le pantalon noir qui moulait ses formes contrastaient d'une manière spectaculaire avec les vêtements informes qu'elle mettait pour aller travailler chez Aaron. Daniel la trouva plus séduisante que jamais. Pourtant, elle paraissait soucieuse. Comme si elle doutait de l'accueil qu'il allait lui réserver. A moins que leur rencontre familiale ne se soit pas déroulée aussi bien qu'elle l'espérait ?

— Daniel, est-ce que je peux…

Elle s'interrompit, comme si elle espérait qu'il allait prononcer les mots à sa place.

Epouse-moi…

Non, ce n'était pas le moment !

— Entre, Scarlett.

C'était bref et un peu bourru, mais c'est tout ce qu'il réussit à dire alors qu'il avait tant d'autres mots sur le bout de la langue.

— Tu es sûr que je ne te dérange pas ?

Epouse-moi...

— Tu plaisantes ! Bien sûr que non. Percy aussi sera content de te voir. Tu lui as manqué, il a gémi plusieurs fois au cours de la soirée.

Il n'arrivait pas à deviner les raisons qui l'avaient amenée chez lui, mais ce n'était qu'une partie du problème. Pour lui, tout était clair, mais pour elle ?

Epouse-moi...

Non, elle n'était pas en état d'entendre une chose pareille, alors que lui-même était si sûr de ce qu'il éprouvait.

— C'est vrai que Percy m'a réclamée ?

— On peut dire les choses comme ça.

— Et toi, tu es sûr que tu veux bien que je reste chez toi ce soir alors que j'arrive à l'improviste ?

Elle s'était rapprochée de lui. Il l'attira dans ses bras et enfouit son visage dans les longs cheveux parfumés.

— Tu ne sens pas à quel point j'ai envie que tu restes ici ?

— Quel soulagement ! Tu me parlais seulement de Percy et je pensais que tu cherchais à détourner la conversation.

— Petite idiote ! dit-il en la serrant encore plus fort. Tu sais pourtant que je suis peu bavard.

— Tu as quelque chose à me dire maintenant ?

— Deux.

— Je t'écoute.

— Un : tu es belle. Deux : viens vite au lit avec moi.

Sur ce, ils s'arrêtèrent de parler, ce qui pour lui était un véritable bonheur. C'était tellement plus facile de laisser ses doigts le faire à sa place ! Leurs corps ne savaient pas mentir. Par contre, ils exprimaient parfaitement la force de ce qui les liait l'un à l'autre.

Le petit caraco était tout doux sous ses doigts et, de plus, il lui permettait de glisser ses doigts exactement où il le souhaitait. Il le fit passer par-dessus la tête de Scarlett et découvrit un fort joli soutien-gorge de la même couleur cerise. Mais apparemment, il n'était pas à la bonne taille car les seins de la jeune femme avaient l'air de vouloir s'en échapper.

— Je suis sûr que tu as toujours su que tu viendrais passer la nuit ici.

— Sans doute. Mais je ne voulais pas me l'avouer. Finalement, mon père m'a poussée dans mes derniers retranchements et j'ai craqué.

Elle retira ses chaussures d'un coup de pied, fit glisser son pantalon noir le long de ses jambes et se retrouva dans son petit ensemble en dentelle rouge.

Il commença à la caresser. De la tête aux pieds. Il explora le creux de ses cuisses, incroyablement sensible, le bout de ses seins, la saignée du coude…

— Déshabille-moi ! commanda-t-elle.

Il obéit de la meilleure grâce et elle se retrouva nue la première. Il se hâta de remédier à cette inégalité en retirant son jean et sa chemise en un temps record.

La pièce était plongée dans la pénombre, mais la présence obscure des meubles tout simples et des bibelots sans valeur le perturba tout de même un instant. Rien ne lui paraissait digne de Scarlett. Pourtant, elle ne lui avait jamais fait aucune remarque sur la différence entre cette maison et celle où elle avait grandi. Il avait toujours eu à cœur de la tenir propre et bien rangée, il y avait assez de désordre et de rouille dans le jardin ! Quand il était venu vivre ici trois ans plus tôt pour s'occuper de sa mère, la première chose qu'il avait faite avait été de changer la plupart des meubles.

Néanmoins, il ne doutait pas que le contraste entre leurs deux mondes devait être saisissant. Elle avait eu beau lui dire qu'elle aimait les patchworks et les photos, ce n'était pas suffisant pour le rassurer.

Doucement… Laisse-moi te caresser, te parler avec mon corps. Laisse-moi te faire brûler de désir.

Il commença à l'embrasser, sur les yeux, sur la bouche, derrière l'oreille, dans le cou, sur la bouche de nouveau. Là, il s'attarda longuement, émerveillé encore une fois de sentir les pointes de ses seins se durcir contre sa poitrine et fier de lui faire sentir son érection.

Ensuite, il embrassa le ventre si tendre, et les seins délicieux de douceur. Il était impatient de la pénétrer, de trouver avec elle le rythme qui les berçait de volupté. Il ne serait pas capable de résister encore bien longtemps. Scarlett non plus. A cette heure, ils ne savaient guère prendre leur temps comme ils le faisaient aux petites heures de la matinée, lorsqu'ils se réveillaient dans les bras l'un de l'autre et commençaient à s'embrasser dans un demi-sommeil.

Il s'allongea sur le canapé et attira Scarlett sur lui. Il s'amusa à essayer d'attraper la pointe des seins dans sa bouche, mais, très vite, la jouissance s'approcha d'eux, brûlante, humide. Elle se cramponna à lui et cria son prénom. Tous les deux s'envolèrent au milieu des étoiles. Longtemps. Longtemps.

Dimanche matin.

Scarlett adorait le dimanche matin maintenant que les questions angoissées de ses patients ne venaient plus la tirer de son sommeil quel que soit le jour de la semaine.

Elle se hâta de mettre de côté ce pénible souvenir. Pas question qu'il vienne gâcher les moments délicieux qu'elle était en train de vivre même si elle n'avait encore pris aucune décision à propos de son avenir. Pourquoi se presser alors qu'elle ne se sentait pas encore prête ? Et pourquoi se laisser bousculer encore une fois par les exigences de son père ? Si elle refusait de lui tenir tête, tout le bienfait qu'elle avait retiré de son séjour à Radford serait réduit à néant. Chaque fois qu'elle se mettait à penser à l'hôpital, à son métier de médecin et aux décisions qu'il lui fallait prendre, un triple tableau surgissait immanquablement devant elle : migraines abominables, perte d'appétit et nuits sans sommeil. Franchement, rien de bien séduisant…

Le meilleur moyen de se débarrasser de ce spectre ?

Elle l'avait trouvé. Il était là, allongé à côté d'elle dans le lit, le bras posé sur son corps, ses grandes jambes emmêlées aux siennes.

Le dimanche matin au lit avec Daniel, c'était le paradis. Tout simplement.

Elle s'étira un peu, puis se laissa aller contre les oreillers moelleux. Comme c'était bon ! Daniel dormait calmement, tout tiède et alangui contre elle. Elle n'avait pas envie de le réveiller, encore moins de sortir du lit. En fait, elle aurait pu rester là des heures entières. Jamais elle ne s'était sentie aussi en paix avec elle-même.

Ce n'était pas la peine de penser. Ni de s'inquiéter de quoi que ce soit. Se contenter d'exister, c'était suffisant.

Quand elle était près de lui, il lui semblait que rien de mauvais ne pouvait lui arriver. Ou en tout cas, qu'avec lui à ses côtés, elle serait capable de supporter le pire. Avec lui, c'était le présent qui comptait.

Elle finit tout de même par se rappeler que ses parents avaient passé la nuit chez Andy, dans la chambre d'amis, et qu'ils pensaient qu'elle dormait dans l'appartement voisin.

A cette idée, elle eut d'abord un mouvement de panique que très vite elle maîtrisa. Sa réaction n'avait pas lieu d'être. Ses parents n'étaient pas vieux jeu pour ce genre de choses.

Elle se rappelait que son frère Michael et Alicia, bien avant leur mariage, avaient partagé la même chambre au cours de vacances familiales à Noël sans encourir les foudres d'Helen et de Michael père.

Par contre, ces derniers avaient été réellement choqués lorsque, deux mois plus tard, les deux tourtereaux étaient revenus de Las Vegas, la bague au doigt. Helen avait fort mal supporté d'avoir été privée d'une fête de mariage, mais pas du tout offusquée que son fils et son amie partagent le même lit.

Alors ? Pourquoi est-ce que le merveilleux sentiment de paix et de sérénité qu'elle éprouvait ici disparaissait-il dès qu'elle pensait à sa famille ?

Daniel avait dû sentir la tension de son corps car il s'éveilla. Il lui adressa un sourire encore plein de sommeil.

— Tu es encore là ?

— Ça t'étonne ?

— Non, ça me rend heureux.

— En fait, je devrais déjà être partie chez Andy. Il a prévu un brunch pour réunir tout le monde.

— Il vous a invités à une heure précise ? Normalement, pour un brunch, chacun arrive quand il veut.

— Mes parents vont comprendre que je n'ai pas dormi chez moi.

— Et alors ? C'est important ? Tu crois que ton père va venir me chasser à coups de carabine ?

Elle sourit.

— Tu peux oublier la carabine…

Mais c'était bien son père qui posait problème.

— Il va penser que…

Elle cherchait les mots le mieux à même de traduire sa pensée.

— … que ce que je fais ici n'a pas à faire partie de ma thérapie.

Elle réalisa que si son père entendait ce mot, il monterait immédiatement sur ses grands chevaux. Selon lui, aucun de ses enfants, si intelligents, si maîtres d'eux-mêmes, ne sauraient avoir besoin d'une thérapie, quelle qu'elle soit.

Daniel n'était pas de cet avis.

— Au contraire, *c'est* ta thérapie ! Je suis ta thérapie.

Elle fut intriguée par cette réponse.

— Bizarre… Tu as une façon de le dire qui fait que cela ne me choque pas du tout.

Elle réfléchit un instant.

— De toute façon, je suis sûre que tu es la meilleure thérapie du monde. Et Percy, à un degré moindre bien sûr, fait partie du tableau.

— Tant mieux.

— Bon, cela dit, comment je me débrouille avec mon père ?

— Comme tu voudras. C'est ton problème.

Elle s'assit dans le lit.

— Très bien. Je décide que ce n'est pas un problème. Ni pour toi ni pour moi.

Elle repoussa les draps d'un geste décidé.

— Crois bien que je n'ai jamais eu l'intention de te considérer comme faisant partie de ma trousse à pharmacie de l'été, au même titre que le bon air du Vermont et de l'atelier d'Aaron. Tu me fais du bien, ce n'est pas la même chose.

— Je ne vois pas trop la différence.

— Eh bien, alors, considérons comme thérapie tout ce qui relève de l'amitié, de la camaraderie, de la relation parent-enfant, de l'affection fraternelle…

— Pourquoi pas ?

— Tu crois qu'on était en train de se disputer ? demanda-t-elle tout à coup avec anxiété.

— Non. En tout cas, plus maintenant.

— Bon.

— Tu aimes te disputer avec moi ?

— J'aime découvrir que finalement, nous sommes d'accord.

— Et ce brunch dans l'histoire ? Tu n'as pas peur d'y arriver en retard ?

— Tourne un peu le réveil vers moi, que je voie quelle heure il est.

Il s'exécuta.

— Il est 9 h 10, annonça-t-il.

— Je vais être en retard, c'est sûr, Andy nous a demandé d'arriver avant 9 h 30. Claudia a prévu de faire des muffins et des œufs brouillés pour tout le monde.

Il roula hors du lit.

— Je vais prendre une douche. Sauf si tu veux y aller la première ?

— J'ai une meilleure idée, suggéra-t-elle, d'une voix coquine. Si nous nous douchions ensemble ?

— Bizarre… Je n'ai pas envie de te contrarier.

Ele arriva effectivement en retard au brunch d'Andy.

Très en retard.

11

Andy accueillit Scarlett dès son arrivée.

— Ecoute, je ne sais pas si c'est une bonne idée, mais j'ai dit aux parents que tu étais allée dormir chez Judy Bailey. Le prétexte était qu'Aaron a dû s'absenter et que Judy t'a appelée pour lui tenir compagnie parce qu'elle a peur quand elle est seule la nuit.

— Waouh… dis donc ! Tu en as inventé une histoire !

— Oui, c'est peut-être un peu compliqué. Dans le fond, je ne sais pas pourquoi je suis allé raconter tout ça.

— Ça date de ce matin ?

— Non, d'hier soir. Quand les parents sont rentrés de la pharmacie, ils ont vu que ta voiture n'était pas garée devant la maison alors que tu aurais dû arriver avant eux, ils se sont inquiétés et je n'ai rien trouvé de mieux pour les rassurer.

— Désolée du retard, dit Scarlett. Daniel vient d'adopter un petit chien, un adorable petit cocker roux aux grandes oreilles tombantes, et je n'ai pas pu m'empêcher de jouer avec lui.

Evidemment, Percy n'avait rien à voir avec son retard, mais quelle bonne excuse !

— De toute façon, reprit Andy, tout va bien parce que nous sommes en retard nous aussi. Nous venons tout juste de prendre le jus d'orange et de manger quelques fruits.

— Parfait.

— Dis-moi tout de même, est-ce que j'ai bien fait de raconter ce mensonge ?

— Franchement, je n'en sais rien. Tu aurais été bien surpris si j'étais arrivée chez toi avec Daniel ?

— Tu as envisagé de le faire ?

— J'ai failli lui demander de m'accompagner, puis… Elle serra les lèvres.

— Puis tu as pensé à la tête que ferait papa, c'est ça ?

— Tu crois qu'il trouverait Daniel vraiment antipathique ?

— Tu connais la réponse aussi bien que moi. Il considérerait Daniel comme responsable de cette espèce de crise de folie qui t'amène à ficher en l'air ta brillante carrière.

— C'est ce que tu crois toi aussi ?

— Non. Je pense que cette crise est salutaire. Et que tu as besoin de Daniel.

— Comme faisant partie de ma thérapie ? Figure-toi que nous étions précisément en train de nous disputer à ce sujet.

— Oublie tout ça pour le moment et viens t'asseoir dans le jardin avec nous. Ta relation avec Daniel n'a pas besoin d'être disséquée juste maintenant.

— Tu veux dire que tu vas attendre que papa et maman soient partis pour me soumettre à la question ? Bravo, quel superbe cadeau !

— Si tu préfères, je peux te promettre de ne plus jamais prononcer le nom de cet homme, même sous la torture.

— Que c'est beau l'amour d'un grand frère ! ironisa-t-elle. Prêt à se laisser martyriser pour sa petite sœur…

— Allez, viens, conclut Andy en la prenant par la main. Les muffins aux framboises de Claudia sont un pur délice.

Et, plein d'énergie et de gaieté, il l'entraîna à sa suite vers le jardin. Il faisait plaisir à voir dans son bermuda à carreaux et sa chemisette bleu pâle. Malgré sa réussite et sa gentillesse, leur père le tenait en piètre estime, tout simplement parce qu'il n'était pas comme Michael Junior. Et si ce dernier plaisait tellement à leur père, c'est parce qu'il était son exacte réplique. Son clone parfait.

Tu te trompes, papa, avait-elle envie de lui dire. On peut apprécier des gens qui font des choix de vie différents des nôtres.

Mais leur père ne partageait pas cette opinion.

Elle n'était pas arrivée depuis trois minutes dans le jardin où Andy avait disposé des fauteuils et une table à l'ombre du grand chêne que la voix de son père monopolisait déjà l'attention de tout le monde.

— Elle a peur quand elle est seule ? Mais qu'elle prenne un chien de garde, que diable ! C'est un manque de caractère de dépendre des autres. Scarlett, tu n'aurais jamais dû accepter de lui rendre ce mauvais service.

Andy adressa à Scarlett un regard où elle pouvait lire qu'il était désolé. Elle se débrouilla pour changer très vite de sujet de conversation avant que le mensonge de son frère ne soit découvert.

Mais Michael père avait, hélas, de la suite dans les idées.

— Cette femme n'a pas de personnalité, Scarlett. C'est une faible et toi, Scarlett, tu n'as pas à entrer dans son jeu parce que tu l'entretiens dans cette attitude. Comment veux-tu qu'elle apprenne à réagir si tu cours chez elle dès qu'elle t'appelle ?

Il fit le tour de l'assemblée comme pour recueillir l'approbation de tous.

— C'est bien là le problème de nos jours, on trouve des excuses à tout le monde !

Puis son regard, terrible se fixa de nouveau sur sa fille, sa brillante petite Scarlett qui l'avait toujours comblé de fierté par ses succès universitaires et professionnels.

— Je t'avertis, Scarlett, je t'accorde deux semaines de vacances, mais après ce délai, je te promets d'aller faire un esclandre au City Children Hospital pour que le directeur déchire ta feuille de démission.

— Mais, papa, je n'ai pas envie que tu interviennes ! protesta-t-elle. Je suis très contente de la décision que j'ai prise.

Il la fusilla du regard.

— Et qu'est-ce que tu vas devenir après cet exploit ? Si tu gâches tout ce pour quoi tu as travaillé si durement, qu'est-ce que tu feras de ta vie ?

A cette question, elle perdit le peu de patience qui lui restait.

— Arrête de croire que je gaspille mes talents ! Je suis autre chose qu'un cerveau, papa. Je suis une personne, avec des sentiments, de l'imagination, des sensations ! Je respire, je mange, je dors. Tu as toujours été très fier de mes notes, tant mieux, mais essaie de trouver d'autres raisons de m'apprécier.

Michael père la regarda, désarçonné par cette inhabituelle avalanche de protestations.

— Je suis aussi capable de rire et de m'amuser, reprit-elle, devenue intarissable. Je n'ai pas envie de marcher sur tes traces. Si j'ai commis des erreurs, j'ai aussi beaucoup appris grâce à elles. Tu peux faire un effort pour me comprendre, non ?

Et zut, après tout !

Elle l'avait blessé, c'était évident. La meilleure preuve, c'est qu'il ne trouvait rien à répondre. Elle était sa petite fille, sa seule fille. Qu'il soit fier d'elle n'était pas mauvais en soi, mais il fallait qu'il lâche du lest.

Toute la famille paraissait mal à l'aise. Personne n'osait manger les œufs brouillés qui refroidissaient dans les assiettes.

Michael père jeta un regard vers Helen, comme pour demander son soutien.

— Ma fille, je te trouve très dure, finit-il par dire.

— Mais toi aussi, papa, tu as été dur avec moi. Je t'aime de tout mon cœur, mais j'ai besoin que tu me comprennes maintenant. J'ai besoin de ton soutien, pas de ta condamnation.

— Je t'ai toujours soutenu, protesta-t-il.

— Oui, mais à certaines conditions.

— Tu veux que j'approuve ta décision de ne pas reprendre ton travail à l'hôpital ?

— Oui.

— Mais qu'est-ce que tu vas faire si tu n'y retournes pas ?

— Je n'en sais rien, et j'ai besoin que tu acceptes le délai que je m'accorde avant de prendre une décision.

— Helen ? demanda Michael, cette fois complètement perdu.

— Chéri, puisque tu me demandes mon avis, je trouve que Scarlett a raison.

Michael se tourna vers sa fille.

— Je vais écouter le conseil de ta mère, déclara-t-il lentement. J'accepte ta remise en question bien que je ne l'approuve pas du tout. En fait, je ne la comprends pas, mais j'imagine que c'est à cause de ce qu'on appelle le fossé des générations, n'est-ce pas ? Je suis vieux et tu es jeune, voilà tout. Nous t'avons élevée de notre mieux et nous te faisons confiance.

— Merci, papa, souffla Scarlett, soulagée.

Elle jeta un regard circulaire aux autres membres de la famille. Andy et Claudia, auréolés de leur amour tout neuf, puis Alicia et Michael Junior, qui essayaient de dissimuler leur malaise en s'occupant de leurs enfants.

— Bon, et si nous mangions toutes ces bonnes choses maintenant ? suggéra Andy.

Scarlett porta un muffin à sa bouche. Avait-elle bien fait

de dire tout ce qu'elle avait sur le cœur ? Est-ce que son père la comprendrait jamais ?

Peu importait. Elle décida de considérer que la situation entre lui et elle était dans la bonne voie.

— C'est dur…, dit Paula en considérant le carton de vêtements qu'elle venait d'ouvrir.

— Oui, c'est vrai, répondit Daniel. Pourtant, je pensais que ce serait plus facile à deux.

Le frère et la sœur se trouvaient dans le garage de la maison familiale ce vendredi matin, occupés à trier les affaires laissées par leur mère. Paula était arrivée la veille au soir et devait rester jusqu'au mardi suivant.

— Bien sûr que c'est plus facile, Daniel ! Pour rien au monde je ne t'aurais laissé faire ça tout seul.

Elle avait les yeux rouges, son jean était plein de poussière, une toile d'araignée était accrochée dans ses cheveux. Ils avaient passé la journée à vider des boîtes, souvent gagnés par l'émotion au fur et à mesure qu'ils découvraient des souvenirs de moments heureux et d'autres, beaucoup moins agréables. A chaque instant, il leur fallait prendre une décision, importante ou futile.

Daniel avait envie d'exprimer sa reconnaissance à sa sœur, mais, comme d'habitude, il avait du mal à trouver ses mots.

— Je suis content que tu sois ici, Paula. J'espère que ton mari le sait lui aussi.

— Bien sûr !

Elle lui sourit.

— C'est dommage que Jordan n'ait pas pu se joindre à nous, mais avec tout le travail qu'il abat, je ne vois pas comment il aurait pu faire.

Elle passa la main dans ses cheveux. Ses doigts rencontrèrent la toile d'araignée qu'elle retira avec une petite grimace de dégoût.

— Beurk !

— Il m'a envoyé un mail pour qu'on mette de côté quelques jouets qu'il aimait bien.

Paula jeta un coup d'œil sur les piles de cartons.

— Nous allons les trouver là-dedans.

— Si nous faisions une pause café ? suggéra Daniel.

— D'accord pour le café, mais pas pour une pause trop longue. Je préfère continuer à avancer. Histoire d'avoir pu verser toutes mes larmes d'ici dimanche soir…

— Ça doit être possible. En tout cas pour ce qui se trouve ici. Quant à ce qui est dans le jardin…

Paula se redressa.

— Si nous appelions un ferrailleur ? Il emporterait tout ça à la décharge et nous en serions enfin débarrassés. C'est bien ce que tu avais proposé ?

— Oui. Mais… je ne sais plus si je veux encore. Quelqu'un de ma connaissance aime bien ces vieilles voitures.

Bien sûr, il pensait à Scarlett qui devait arriver d'un moment à l'autre. Il lui avait assuré qu'il n'avait pas besoin de son aide, et même qu'il ne la souhaitait pas. Pourtant, tout en comprenant qu'il avait envie de passer ces moments difficiles en tête à tête avec sa sœur, elle avait insisté en proposant de porter à la décharge ce qu'ils auraient décidé de jeter afin de leur faire gagner du temps.

Paula revint aux voitures.

— Tu crois qu'il a envie de les acheter ?

Ils étaient sortis du garage pour aller prendre leur café dans la cuisine et, en passant sur la terrasse, Paula jeta un coup d'œil sur les épaves.

— Elle… corrigea Daniel. C'est une amie. Elle m'a fait comprendre que j'avais tort de les détester comme je le faisais, que ce n'était pas le meilleur moyen de régler mes comptes avec mon père.

— Elle a sans doute raison.

— Si nous séparions les carcasses sans valeur de celles qui valent encore quelque chose, nous pourrions sans doute en tirer une certaine somme d'argent que nous donnerions à une bonne œuvre.

— A la ligue anti-alcoolique, par exemple ?

— Oui.

Paula hocha la tête.

— Je trouve cette idée super. Vraiment super !

Elle essuya une larme qui roulait sur sa joue.

— Ça nous permettrait de faire quelque chose de bien à partir d'une triste histoire.

A ce moment-là, la voiture de Scarlett apparut derrière les arbres de la rue.

— Tiens, voilà la copine en question.

— J'ai hâte de la connaître. Elle t'a vraiment fait une bonne suggestion.

Scarlett gara sa voiture et s'avança vers eux.

— Scarlett, je te présente ma sœur, Paula.

Il s'apprêtait à embrasser Scarlett, mais il se ravisa. Peut-être n'avait-elle pas envie d'étaler leur intimité ? Comme il n'en savait trop rien, il préféra s'abstenir.

— Nous étions justement en train de parler des voitures et de convenir que nous donnerions l'argent de leur vente à une œuvre de bienfaisance. J'expliquais à Paula que c'est toi qui m'as mis sur cette piste.

— Tu exagères ! Je n'ai jamais parlé d'un don.

— J'aurais *payé* pour en être débarrassé, jusqu'au moment où nous avons regardé cette vieille Dodge, tu t'en souviens ?

— Parfaitement. C'était il y a deux semaines.

Deux semaines ! Il avait du mal à croire que Scarlett

avait déjà passé trois de ses quatre semaines prévues dans le Vermont. Plus qu'une semaine et elle retournerait en ville…

En fait, ils n'avaient jamais abordé le sujet. Avait-elle déjà pris une décision ?

En tout cas, il ne demanderait rien. Absolument rien. Il avait bien trop peur de la réponse.

— Depuis, j'ai commencé à me promener dans ce cimetière d'épaves et j'en ai trouvé quelques-unes en assez bon état pour être retapées. Il me reste encore à aller voir dans les hangars où mon père avait dû garer les plus jolies.

— Tu pourrais peut-être attendre le départ de Paula pour t'occuper des voitures ? demanda Scarlett.

— Oui, bien sûr. Nous étions juste en train d'aller boire une tasse de café. Tu nous accompagnes ?

— Non, merci. Tu sais bien que je viens uniquement aider au débarras, je ne veux pas vous déranger.

— Viens avec nous un moment, insista-t-il. Vous avez à peine eu le temps de vous dire bonjour toutes les deux.

Paula avait tendu l'oreille. Elle connaissait bien la réserve de Daniel, son application quasi féroce à préserver sa vie privée. S'il insistait pour qu'elle fasse mieux connaissance avec la nouvelle venue, cette jeune femme devait compter dans sa vie.

— Reste, insista Paula. Nous sommes debout depuis 6 heures du matin, une petite récréation nous fera le plus grand bien.

Ils se retrouvèrent donc tous les trois à prendre le café en discutant de choses et d'autres, sans aborder aucun sujet personnel.

Ensuite, ils chargèrent la voiture de Scarlett de divers cartons emplis de vêtements qu'elle irait porter à une œuvre de bienfaisance.

— Tu es toujours d'accord pour que je revienne vers

17 heures pour un autre chargement ? demanda-t-elle en se mettant au volant.

— Ce serait parfait ! assura Paula.

Une fois Scarlett partie, Daniel demanda :

— Alors ?

— Eh bien, nous retournons dans le garage.

— Paula, tu ne vas pas t'en tirer comme ça ! Tu sais très bien ce que je veux dire. Comment tu la trouves ?

— Je suis prête à lui trouver toutes les qualités si elle te plaît.

— Arrête de te moquer de moi !

— Daniel, tu manques cruellement d'humour. Je ne sais pas comment elle peut te supporter.

Il regarda sa sœur, l'œil moqueur.

— Moi non plus !

12

La veille du départ de Paula, ils allèrent tous les trois dîner au restaurant du quartier, qui servait une cuisine familiale et surtout de somptueuses portions de dessert. Le frère et la sœur avaient fini de trier les affaires de leur mère, séché leurs larmes et Paula s'apprêtait à rentrer à Boston retrouver son mari, Rob.

Scarlett avait beaucoup apprécié Paula qui, en plus menue, ressemblait énormément à son frère : même visage bien dessiné, même sourire, même gentillesse. Le franc-parler dont ils usaient entre eux l'avait parfois un peu surprise car ses relations avec ses frères, Michael Junior en particulier, étaient loin d'être aussi spontanées et naturelles. En fait, elle avait pu constater combien Paula et Daniel étaient très proches l'un de l'autre, et n'hésitaient pas à se brusquer ni à se dire leurs quatre vérités.

Cette grande complicité trouvait certainement sa source dans les années difficiles qu'ils avaient traversées ensemble, chargées de soucis et d'inquiétudes trop lourds pour leurs épaules d'adolescents. Ils avaient dû affronter les déficiences de leur père, puis sa mort et la maladie de leur mère devenue veuve avec très peu de ressources financières. Leur brillant jeune frère, Jordan, leur avait aussi à sa façon donné du fil à retordre puisqu'ils avaient décidé de le soutenir dans ses longues études de médecine. Tout cela avait tissé des liens très forts entre eux.

Le fait de se rencontrer à l'occasion de leur activité de

rangement plutôt que devant une tasse de thé avait gran-
dement facilité le contact entre les deux jeunes femmes.
Ensemble, elles avaient transporté de gros cartons que
seules, ni l'une ni l'autre n'aurait pu déplacer, chacune se
souciant du confort de l'autre. Les mots d'entraide et de
soutien leur étaient venus naturellement aux lèvres.

Ce repas était la première occasion qui leur était offerte
de passer un moment ensemble sans être distraites par
des tâches matérielles, mais elles avaient désormais
suffisamment de connivence pour être à l'aise l'une avec
l'autre. Chacune avait en tête une question d'importance.
Pour Scarlett, c'était : « Est-ce que Paula approuve notre
relation ? » et pour Paula : « Est-ce que Scarlett est une
femme qui convient à mon frère ? »

— Nous avons été très efficaces, n'est-ce pas, Scarlett ?
demanda Paula.

Scarlett approuva d'un hochement de tête on ne peut
plus expressif.

— Est-ce que tu penses pouvoir terminer tout seul,
Daniel ? poursuivit-elle en se tournant vers son frère. Si tu
as de nouveau besoin de moi, je m'organiserai pour venir
passer un autre week-end avec toi.

— Non, ça ira, je te remercie. Je vais essayer de louer
un petit bulldozer pour dégager les épaves qui ne valent
plus rien et les amener chez un ferrailleur. J'en profiterai
pour mettre de côté celles qui peuvent être remises en
l'état. La DeSoto est déjà vendue. C'est allé à toute vitesse !

— Excellente nouvelle.

— D'autant plus que la somme d'argent versée par
l'acheteur est plus que coquette. J'ai aussi reçu plusieurs
appels pour d'autres modèles. Finalement, l'affaire est en
bonne voie.

— Scarlett, merci encore d'avoir montré à Daniel que

ce cimetière de voitures pouvait être regardé comme un petit trésor, déclara Paula.

— Au fait, poursuivit Daniel, j'ai ouvert un compte en banque spécial pour déposer cet argent en attendant que nous le versions à une œuvre de bienfaisance.

Paula s'agita un peu sur sa chaise, puis reprit la parole.

— C'est plus facile pour moi, Daniel, si tu n'as pas besoin que je revienne...

Il tendit l'oreille, un peu surpris. Paula n'était pas le genre de femme à refuser son aide à qui que ce soit, et encore moins à lui.

— Je vais commencer un traitement de fertilité, avoua-t-elle. Ma disponibilité va être réduite.

— Oh... c'est une bonne nouvelle, dit-il. Finalement, Rob et toi avez pris la décision d'intervenir ?

— Oui. Le médecin pense que nous avons besoin d'un coup de pouce mais que ça devrait marcher. Je n'ai pas encore trente ans, c'est un bon point !

Elle eut un petit rire forcé.

— Quoi qu'il en soit, tu as eu la chance de faire ma connaissance avant, Scarlett, parce qu'il paraît que les injections d'hormones provoquent des sautes d'humeur incontrôlables. Dans un mois, je serai sûrement insupportable !

Scarlett se mit à rire.

— Je suis sûre que même dans ces conditions, j'aurais été très heureuse de faire ta connaissance.

Il n'avait pas la tête à plaisanter et ajouta :

— Vous paraissiez tellement préoccupés, Rob et toi, que je suis content que vous ayez pris cette décision, même si elle implique des moments un peu pénibles.

— Le traitement n'est pas une partie de plaisir, on nous a bien prévenus.

— Vous êtes mariés depuis cinq ans, vous devriez être capables de supporter l'épreuve sans trop d'avanies.

— C'est ce que nous pensons aussi, conclut Paula. Et maintenant, changeons de sujet !

Elle se tourna vers Scarlett.

— Quand est-ce que tu as l'intention de retourner à New York ?

— D'après mes plans initiaux, je dois regagner mon appartement la semaine prochaine, expliqua Scarlett, beaucoup moins à l'aise sur ce sujet que sur les précédents. Mais comme il est vide et que je suis libre, je peux revenir ici quand j'en aurai envie ou carrément prolonger mon séjour quelque temps, je ne sais pas encore.

— Tu crois que tu vas le faire ?

— Je n'en sais rien. Il faut que je prenne des décisions pour ma carrière…

Et pour Daniel…

Et pour ce que j'attends de la vie…

— Je reprendrai peut-être des études.

— Reprendre des études ? Alors que tu es cancérologue en pédiatrie ! s'écria Daniel. Ça me paraît de la folie.

— Je pourrais faire une autre spécialité. Choisir une branche qui n'implique pas autant de stress ou en tout cas qui me permette d'avoir des horaires moins lourds. Ou encore, décider de travailler dans un hôpital plus petit.

— A Manhattan ?

— N'importe où.

— Tu as une idée ?

— Non. Je réfléchis.

— Ne réfléchis pas trop… dit Paula.

Conseil codé ou trop lucide ?

Heureusement, l'arrivée du serveur avec les desserts mit fin à un interrogatoire qui commençait à devenir angoissant pour Scarlett. Elle comprenait que Paula lui avait posé ces questions par intérêt réel et amical. Il y avait même un peu du souci de la grande sœur de voir sa cadette se lancer dans une voie sans issue, mais, pour l'instant, elle n'avait pas de réponse, ce qui l'inquiétait de plus en plus au fur et à mesure que les jours passaient.

Elle en était arrivée au point de se demander si son père n'avait pas raison de lui reprocher une coupure aussi longue. Qui sait si elle ne rendait pas ses choix encore plus difficiles ? Qui sait si elle n'était pas en train de gâcher ce qu'elle avait le mieux réussi dans sa vie ?

Difficile de répondre à toutes ces questions…

Depuis qu'elle était à Radford, elle n'avait plus eu de migraine. Chaque matin, elle s'éveillait avec le sentiment grisant d'être en parfaite santé. Elle avait un peu grossi. Elle adorait travailler chez Aaron. Bref, elle était *heureuse*.

Jusque-là, elle avait cru que le bonheur viendrait quand elle verrait clairement quelle direction donner à sa vie. Mais elle se rendait compte que ce n'était pas vrai.

Et voilà que tout ce qu'elle avait trouvé pour dissimuler son malaise et ses doutes à la sœur de Daniel, c'était de plonger sa fourchette dans une énorme tranche de tarte à la pêche, noyée sous un iceberg de glace à la vanille recouvert de chantilly.

Daniel, lui aussi, la regardait comme s'il attendait qu'elle dévoile enfin un jeu qu'elle avait décidé de tenir encore caché.

Encore une fois, elle eut la certitude que le seul endroit où ils se livraient complètement l'un et l'autre, c'était quand ils faisaient l'amour.

Ce soir-là, elle rentra toute seule chez elle. Le corps de Daniel allongé à côté du sien lui manqua aussi cruellement que le manque d'eau fraîche au voyageur assoiffé. Sans lui, elle se sentait incomplète, pleine de doutes et franchement malheureuse.

Le mardi soir, après le départ de Paula, elle retourna dormir chez lui et retrouva avec délices sa place dans le grand lit, pendant que Percy ronflait tranquillement dans son panier à côté d'eux, comme un petit chien heureux et bien élevé.

Contrairement à ce qui avait été prévu au départ, ils avaient pris l'habitude de dormir tous les trois dans la même pièce, que ce soit chez Daniel ou chez elle. Mais le samedi matin, moins d'une semaine avant la date prévue pour son retour à New York, elle fut réveillée par un poids tiède posé sur ses pieds. Percy avait découvert qu'il pouvait sauter dans leur lit !

Daniel s'éveilla à son tour et, mécontent, fit la même constatation.

— Voilà qui ne fait pas partie du plan ! maugréa-t-il.

— C'est vrai, dit-elle. Chez toi, il devait dormir dans le garage, et chez moi, dans la buanderie.

— Eh bien, il va tout de suite découvrir le garage, décida-t-il en s'asseyant au bord du lit.

Elle le retint par le bras.

— Il est encore tout petit, Daniel. Il vient tout juste d'arrêter de gémir la nuit.

— Il n'est pas si petit que ça puisqu'il arrive à sauter sur le lit ! Tu es fâchée ?

— En fait, je suis fâchée contre moi-même parce que je le trouve tellement mignon que même les poils qu'il laisse sur le couvre-lit me laissent indifférente alors que c'est celui de mon frère.

— Dans le fond, je suis bien d'accord avec toi, reprit-il. Il faudrait avoir un cœur de pierre pour le condamner déjà au garage…

Ils regardèrent tous les deux le petit chien, enroulé au pied du lit comme une boule de fourrure rousse, parfaitement satisfait de son exploit et des bénéfices qu'il en retirait.

— Qu'est-ce que tu vas faire de lui quand il aura grossi ? demanda-t-elle.

Son cœur se serra quand elle s'entendit poser cette question. Serait-elle encore là pour voir Percy grandir ? Il fallait qu'elle fasse des choix. Et vite.

Allait-elle sous-louer son appartement ?

Combien de temps allait-elle rester sans gagner d'argent ?

Et Daniel… Quelle place occupait-il dans sa vie ?

Que de décisions à prendre…

En tout cas, ce n'était pas le moment.

— Je verrai au fur et à mesure.

— Tu vas le promener dans ta voiture, assis à côté de toi, la truffe au vent, comme un personnage d'importance ?

— Oui, bien sûr ! répondit-il en riant.

— Il te mènera par le bout du nez !

— Peut-être, mais en attendant…

Il se leva, attrapa Percy par la peau du cou, le déposa dans son panier et transporta le tout dans le couloir. Cela fait, il referma la porte de la chambre derrière lui et revint s'allonger contre elle.

— Je connais quelqu'un qui a réellement le pouvoir de me faire perdre toute volonté !

Scarlett ne chercha pas à le contrarier.

Lorsque Daniel et Scarlett s'éveillèrent le lendemain matin, leur estomac leur signifia clairement qu'ils avaient sauté le petit déjeuner. Percy grattait à la porte de leur chambre et Daniel se rappela alors que la litière était restée dans l'arrière-cuisine.

Il se dépêcha d'ouvrir.

Aucune flaque n'était en vue, aucune mauvaise odeur ne flottait dans le couloir.

— Quel brave petit toutou ! s'exclama-t-il.

Il se dépêcha de transporter Percy dans sa caisse. En

passant devant la fenêtre de la cuisine, il aperçut dans la rue l'éclat d'un pare-brise, puis il vit une voiture rouge tourner dans l'allée.

Scarlett était sous la douche.

— Tu as de la visite !

— C'est sûrement pour Andy, répondit-elle.

— Non, parce que la voiture arrive de ton côté.

Il entendit Scarlett couper l'eau, puis tirer le rideau de la douche. De son côté, il alla enfiler le jean qu'il portait la veille et un polo gris.

La sonnette se fit entendre et il se hâta d'aller répondre, persuadé qu'il s'agissait de quelque distributeur de tracts.

Mais pas du tout.

Il se trouva nez à nez avec un bel homme à peu près de son âge, vêtu de façon décontractée mais néanmoins soignée, l'air parfaitement sûr de lui. A la main, il tenait un énorme bouquet de fleurs. Le sourire aux lèvres, il demanda à voir Scarlett.

Qui donc…

Daniel eut tôt fait de comprendre.

Kyle. L'ex-mari de Scarlett.

Elle ne tarda pas à faire son apparition. En découvrant le visiteur, son visage se figea.

— Oh ! non… murmura-t-elle.

Puis, à haute et intelligible voix, elle ajouta :

— Tu aurais pu téléphoner pour t'annoncer, Kyle.

— Je t'ai envoyé un mail.

Il lui tendit le bouquet.

— C'est pour toi.

Machinalement, elle tendit la main, mais elle ne fit pas cas des fleurs.

— Je n'ai pas consulté ma boîte depuis avant-hier.

— Oui, je comprends, riposta Kyle dont le regard alla de la jeune femme à Daniel. Tu étais très occupée…

— Effectivement, j'ai été très occupée, répliqua-t-elle.

Elle s'interrompit un instant, comme pour surmonter sa contrariété.

— Je te présente Daniel Porter, un ami.

Elle déposa les fleurs sur la table de l'entrée. Malgré tous ses efforts pour se ressaisir, elle avait du mal à retrouver son calme.

— Je ne sais pas ce que tu viens faire ici. En tout cas, tu n'as pas le droit d'être en colère parce que je n'ai pas lu l'information qui m'annonçait ton arrivée.

— Je ne suis pas en colère, objecta Kyle.

Daniel, qui l'observait attentivement, n'était pas du tout de cet avis. L'homme paraissait bouillir intérieurement mais il savait cacher son mécontentement sous un vernis de bonne éducation.

C'était assez réussi.

Soigneusement refoulé.

Mais la contrariété était bel et bien là.

Daniel avisa que cette hypocrisie commençait à lui taper sérieusement sur les nerfs. L'homme avait belle allure. Il était athlétique. Soigné. Riche. Il le renvoyait cruellement à tout ce qui lui manquait.

De l'argent, pour commencer.

Une carrière remarquable.

Des études supérieures.

Même s'il était méprisable, Kyle était parfaitement conscient de disposer de tous ces atouts.

— Je suis en vacances, reprit-elle. Je ne consulte pas mon courrier tous les jours. Tu avais d'autres moyens d'entrer en contact avec moi. Tu n'as même pas fait allusion à ta visite l'autre jour quand tu m'as parlé au téléphone.

— Scarlett, je te répète que je ne suis pas en colère.

— Moi, par contre, je le suis ! coupa Daniel.

Comment aurait-il pu ne pas l'être, devant cet homme qui avait tout ce que lui n'avait pas ?

Kyle lui jeta un regard irrité, qu'il dissimula de son mieux sous un sourire poli.

— Scarlett et moi avons un certain nombre de choses à discuter ensemble. Au fait, ajouta-t-il en tendant la main à Daniel, je me présente : je suis Kyle, l'ex-mari de Scarlett. Pourriez-vous nous laisser quelques instants en tête à tête, s'il vous plaît ?

Daniel sentit ses oreilles bourdonner face à cette politesse froide et distante, aussi désagréablement que des ongles crissant sur un tableau noir. Kyle s'adressait à lui exactement comme il devait s'adresser à son portier ou à son garagiste.

— Kyle, dit Scarlett, je n'ai rien à examiner avec toi, et surtout pas en privé. Tu n'aurais jamais dû venir.

Il en aurait fallu davantage pour faire perdre son assurance au beau Kyle.

— J'ai pensé que tu serais peut-être intéressée d'apprendre que Julie et moi avons divorcé. Je ne pense pas l'avoir mentionné l'autre jour.

Il parlait toujours sur ce ton faussement détaché, en souriant comme s'il venait lui annoncer qu'il avait gagné le gros lot au Loto et que cela allait tout changer entre eux, mais Daniel comprenait bien qu'il était furieux de ne pas trouver Scarlett seule.

C'était sans doute bien la seule circonstance où un homme aussi brillant que lui, Kyle, pouvait être déstabilisé par la présence de quelqu'un comme Daniel.

— Non, effectivement, tu ne m'en as pas parlé, mais je l'avais appris par une amie. Je suis désolée…

— C'est inutile, coupa Kyle. Ce mariage était voué à l'échec. En fait, j'ai épousé Julie pour me venger de toi, mais j'ai eu tort. Cette erreur m'a beaucoup appris.

— Tant mieux. Mais je ne vois pas ce que cela a à voir avec moi.

— Bien sûr que si. Tu es bien trop intelligente pour ne pas comprendre. Je suis sûr que nous avons maintenant tous les atouts en main pour reconstruire notre relation. En étant très attentifs, évidemment. Mais…

Il jeta un regard de biais sur Daniel.

— Mais c'est difficile de parler en présence de…

… *de ce crétin* ! compléta mentalement Daniel.

Des taches rouges venaient d'apparaître sur les joues de Scarlett. Elle était sous pression, Daniel le sentait.

— Kyle, prudents ou pas, il n'y a absolument aucune possibilité que nous vivions ensemble de nouveau. Jamais. Je veux que ce soit bien clair dès maintenant.

— Comment peux-tu dire une chose pareille tant que nous n'avons pas discuté ?

— Parce que j'en suis sûre, point final.

— Il faut que tu prennes le temps de réfléchir, de nous accorder une chance.

— Les mots définitifs ont été prononcés il y a six ans. Je ne vois pas pourquoi nous reviendrions là-dessus.

— Scarlett, nous avions l'habitude de parler tous les deux, pourquoi ne pas le faire encore une fois ?

— Des mots, des mots… rien que des mots vides, désincarnés, abstraits, voilà ce qui circulait entre nous !

Daniel était assez stupéfait de cet échange. Deux personnes pouvaient se disputer pour une question de mots ?

— Je veux que tu m'écoutes, dit Scarlett en s'efforçant manifestement de contenir sa nervosité.

Percy fit remarquer sa présence en déboulant de la cuisine. Le sol était glissant, ce qui ne lui plaisait pas du tout. Il se jucha donc sur les sandales de la jeune femme et commença à griffer ses jambes de la même manière qu'il grattait la porte de la chambre plus tôt. Comme Scarlett portait un short, ses griffes laissèrent de longues traces claires sur la peau bronzée.

— Non, Percy, pas ça ! protesta-t-elle.

Daniel trouva au contraire cette intervention tout à fait opportune.

— Prends-le dans tes bras, Scarlett. Il est en train de te faire mal aux jambes parce qu'il a besoin de manger et de faire un tour dans le jardin. Va t'occuper de lui. Kyle et moi pouvons très bien tirer la situation au clair.

Daniel préférait de beaucoup que Scarlett les laisse en tête à tête. Si elle restait là, elle allait se lancer dans des justifications alambiquées et tout compliquer au lieu de purement et simplement claquer la porte au nez de ce mufle. Sa sincérité ne faisait pas de doute. Elle essayait réellement de se défaire de Kyle, mais elle ne savait pas s'y prendre.

En tout cas, la façon que Kyle avait de la regarder et de lui parler, ses phrases ampoulées à propos de leur mariage, de leur divorce et de leur possible réunion le mettaient hors de lui. Il avait envie de dire sa façon de penser à cet intrus.

Quelque chose pourtant le contrariait. Est-ce que Scarlett souhaitait réellement qu'il intervienne, comme s'il était son protecteur attitré ? Peu importait. La présence de Kyle lui était tout simplement insupportable.

— Va t'occuper de Percy, répéta-t-il. Je m'occupe de dire à Kyle ce qui convient. La question sera vite réglée.

— J'ai mon avis sur la question, déclara Kyle.

— Je n'en doute pas, rétorqua Daniel sèchement.

Scarlett se baissa pour attraper Percy.

— Tu as raison, Daniel. Percy a besoin de sortir.

Daniel était stupéfait. Il découvrait qu'en présence de Kyle, Scarlett se montrait une tout autre personne : effacée, repliée sur elle-même, gelée. Oui, elle était une femme gelée, sans aucune spontanéité.

Il comprit qu'elle avait accepté de sortir avec Percy

parce qu'elle se sentait incapable d'affronter la situation. Elle faisait des efforts pour rester correcte et tolérante, mais cela l'exténuait.

En tout cas, à ses yeux, ni la correction ni la tolérance n'étaient de mise pour l'heure.

13

Les deux hommes avaient haussé le ton. Depuis le jardin, Scarlett entendait leurs voix et jusqu'à certains mots de leurs reparties cinglantes.

Etranger à toute cette agitation et frétillant de la queue, Percy découvrait avec ivresse les fabuleuses odeurs du gazon et des buissons de clôture. Elle le suivait pas à pas, attentive à ne pas le laisser se glisser chez le voisin ou filer dans la rue. Lorsqu'il arriva au petit portail situé juste au coin de la maison, elle avisa que Daniel et Kyle se tenaient sous le porche de l'entrée. Elle ne les voyait pas, mais leurs voix lui parvenaient plus distinctement.

Daniel accusait Kyle de harceler son ex-femme, Kyle répondait en traitant Daniel de péquenot, de plouc, de bouseux…

Quelle horreur ! Elle aurait peut-être dû rester avec eux pour calmer leurs esprits.

Elle décida que non. Le simple fait de revoir Kyle l'avait fait replonger dans ses vieux réflexes d'épouse soumise, exactement comme si elle n'avait pas changé du tout depuis leur séparation. Aujourd'hui, elle voyait clairement que si Kyle avait apprécié chez elle son intelligence, il avait encore plus valorisé sa docilité. En effet, elle l'avait toujours suivi dans ses choix, elle lui avait laissé prendre toutes les initiatives, bref, tout en menant une brillante carrière à l'hôpital, elle avait sans cesse adopté dans leur vie de couple le comportement effacé et obéissant qu'il attendait d'elle, exactement comme son père autrefois. Paradoxalement, c'est sans doute ce trait de caractère qui l'avait attirée chez cet homme. Avec lui, elle se sentait en terrain connu, elle était rassurée.

Mais elle avait bien changé depuis leur divorce ! Elle avait osé tenir tête à son père, elle avait expérimenté un nouveau style de vie, elle s'était découvert un talent inattendu et avait appris à apprécier chez les autres, en particulier chez Daniel, des qualités auxquelles elle ne prêtait pas attention autrefois.

— Tu te comportes comme si tu avais quelque chose à lui offrir, Porter, disait la voix de Kyle, mais tu te trompes complètement. Qu'est-ce que vous avez en commun, Scarlett et toi ? Ni le niveau d'éducation ni les perspectives d'avenir ! Ton monde n'est pas le sien. Tu y as réfléchi ?

— Evidemment, répondit la voix calme de Daniel.

— A ta façon, bien sûr. Mais tu n'es pas capable de penser avec ton cerveau, mon vieux, tu penses avec tes...

Scarlett n'avait pas entendu le dernier mot, mais elle le devina aisément.

— Et cette petite garce ne vaut pas mieux, insista Kyle.

Elle sursauta. Il la traitait de garce ?

Elle entendit un pas rapide faire craquer les planches du porche, un bruit sourd, une respiration haletante. Puis des pas sur le gravier de l'allée, une portière de voiture qui claque. Bon... Kyle n'était pas évanoui, mais elle devait aller voir ce qui s'était passé.

Percy dans les bras, elle ouvrit le portillon juste à temps pour apercevoir Kyle qui s'asseyait dans sa voiture. Il avait les traits tirés et luttait visiblement pour retrouver le calme et le détachement qu'il affichait en société.

Il leva les yeux et découvrit sa présence devant la maison. Elle eut tôt fait de comprendre qu'il ne fallait pas lui laisser imaginer une seule seconde qu'elle était venue là pour capituler. Non, tout devait être clair, et bien clair entre eux. Pour ne pas laisser place à la moindre incertitude, elle lui adressa la parole avec autant de détermination que si elle avait tiré des coups de mitraillette.

— C'est fini entre nous, Kyle, tu entends ? Je n'ai pas envie de reprendre la vie commune. Ni aujourd'hui, ni demain, ni jamais. C'est clair ?

— Parfait. J'ai bien entendu. Permets-moi seulement de te dire que tu te conduis comme une gamine écervelée alors que j'essaie de raisonner et de penser à ton avenir, ce que ton étalon décérébré est bien incapable de faire. Mais tu peux être tranquille, je ne reviendrai pas.

Il faisait reculer sa voiture lorsque Daniel, les poings serrés, apparut à son tour pour le regarder partir.

Elle s'avança vers lui, les jambes en coton.

— Qu'est-ce que tu lui as fait ?

— Je ne l'ai pas frappé, je te le promets.

Il fixait du regard la voiture de Kyle qui s'éloignait. Dans son regard, elle lut un mélange de colère et de satisfaction. Plus encore autre chose qu'elle n'arriva pas à nommer.

— C'est sûr ?

— Oui. J'en avais pourtant bien envie… mais je l'ai juste plaqué contre le mur. Il a essayé de se défendre, ce qui est tout à son honneur.

— Ça ne m'étonne pas, il fréquente assidûment une salle de sport.

Elle ne mentionna pas l'importance que Kyle attachait à son physique ni le temps qu'il passait à se torturer avec les appareils les plus invraisemblables pour muscler son corps d'homme de la ville.

— Il a eu vite compris qu'il n'aurait pas le dessus, ajouta Daniel.

En plus de sa carrure athlétique, Daniel pratiquait régulièrement la course à pied et la natation, mais, dans la vie courante, il n'avait jamais recours à la violence.

Il serra son poing droit dans sa main gauche.

— Franchement, j'aurais bien aimé lui mettre mon poing dans la figure. D'ailleurs, j'aurais peut-être dû…

Elle sentit Percy s'agiter dans ses bras. Il était tout doux et tendre. En comprenant qu'ils se dirigeaient vers la maison, il se mit à remuer la queue de contentement. Après sa petite promenade, on allait lui donner de bonnes choses à manger et un panier bien douillet pour faire sa sieste du matin. Ah, comme la vie était simple !

Elle lui jeta un regard attendri. Quel contraste avec ce qu'ils étaient en train de vivre !

— Mais non, tu n'aurais pas dû. C'est bien mieux comme ça. Et de toute façon, il est parti, c'est bien ce que nous voulions, n'est-ce pas ?

Il n'était pas calmé pour autant.

— Tu trouves correct qu'un homme qui vient te demander de reprendre la vie commune te traite de tous les noms d'oiseaux ?

Il jeta un regard mauvais en direction de la route.

— Franchement, je regrette de ne pas l'avoir assommé !

Elle se mit à rire.

— Tu es bien le premier à te battre pour mes beaux yeux…, dit-elle d'un ton enjoué.

— C'est vrai ?

— Oui. Tu as des réactions spontanées… Tu n'es pas comme les autres.

— Je trouve que c'est souvent plus simple.

— Oui.

— Scarlett, je n'ai pas envie de m'excuser pour ce que je viens de faire. Ni pour un tas d'autres choses.

Il tourna le regard vers la maison, ou plus exactement vers quelque chose qui n'était pas là matériellement et qu'il était le seul à voir. Ses épaules étaient encore ramassées comme s'il s'apprêtait à lutter, les sourcils froncés, les lèvres serrées.

Elle ne put s'empêcher de se sentir exclue. Elle aurait aimé se jeter dans ses bras pour retrouver leur complicité, mais ce n'était pas le moment. Mieux valait attendre.

— Tu veux venir manger ? demanda-t-elle.

— Non, c'est trop tard maintenant. Il faut que je m'occupe du bulldozer que j'ai réservé pour aujourd'hui.

— C'est vrai.

— Au fait, Paula a téléphoné à Jordan qui approuve tout à fait notre projet. Nous sommes d'accord tous les trois, aussi je préfère en finir sans attendre. Plus tôt je me serai débarrassé de ces vieilles carcasses, mieux je me porterai. J'en ai déjà vendu quelques-unes, mais il en reste largement de quoi m'occuper toute la journée.

— Dans ce cas, je viendrai plus tard avec le dîner.

— Pas la peine…

Elle recula d'un pas.

Pourquoi est-ce que Daniel ne lui disait pas ce qu'il avait sur le cœur ?

— Mais… ça me ferait plaisir !

— Si tu y tiens vraiment.

Il la regardait comme si ses émotions le tenaient à des kilomètres d'elle.

Où était-il parti ? Elle n'arrivait pas à le rejoindre. Il s'était muré en un lieu inaccessible. Pourquoi ? Où était passée la simplicité dont ils parlaient tout à l'heure ? La sincérité qui avait toujours régné entre eux ?

Même l'attirance physique qu'ils éprouvaient l'un pour l'autre paraissait avoir disparu.

Maintenant qu'elle venait d'éviter les pièges du passé que Kyle était venu lui tendre une nouvelle fois, elle se sentait plus spontanée que jamais. Si Daniel lui avait offert la moindre chance, elle se serait jetée dans ses bras, elle l'aurait suivi au lit. Elle l'y aurait entraîné… Elle lui aurait dit qu'elle l'aimait.

Qu'elle l'aimait ?

C'était vrai ?

Elle ressentit le besoin urgent de le lui dire, tout de suite. Et pourtant, à cause de cette distance étrange et inattendue qu'il venait de mettre entre eux, elle ne s'en sentit pas le courage. On aurait dit qu'il la repoussait. Même l'histoire du bulldozer était une manière de l'éloigner, elle n'était pas dupe.

Elle l'aimait, et lui, il préférait aller retrouver son bulldozer… Il venait de la sauver de Kyle, mais la récompense qu'il méritait ne l'intéressait pas.

— J'aimerais bien t'aider, mais j'ai l'impression que tu n'en as pas envie, reprit-elle. Qu'est-ce qui se passe ?

— Arrête, Scarlett. N'insiste pas.

Il lui adressa un regard sombre.

— Je t'appellerai ce soir, d'accord ? Pour l'instant, je ne suis pas de bonne compagnie.

— Comme tu préfères.

Sur ce, il attrapa Percy et s'éloigna. Sans un mot. En la laissant plantée là, incapable de comprendre ce qui l'avait perturbé.

Bon, c'était peut-être idiot de se laisser impressionner par ce que lui avait dit cette espèce de bouffon de Kyle, mais Daniel ne pouvait pas s'en empêcher. Tout bouffon qu'il était, Kyle avait vu juste. Il avait dit tout haut une vérité que Daniel connaissait depuis toujours, même s'il avait voulu se la cacher.

« Tu te comportes comme si tu avais quelque chose à lui offrir, Porter, disait la voix de Kyle, mais tu te trompes complètement. Qu'est-ce que vous avez en commun,

Scarlett et toi ? Ni le niveau d'éducation ni les perspectives d'avenir ! Ton monde n'est pas le sien. Tu y as réfléchi ? »

Scarlett elle-même le lui avait dit à sa façon quand elle lui avait affirmé qu'il n'était pas comme les autres. Comment était-il, lui ?

Simple. Spontané. Rustre.

Oui, c'était ça.

Et en face, l'autre était riche. Sophistiqué. Intelligent.

Cette fois, ses yeux s'étaient dessillés. La vérité venait de lui éclater à la figure avec la violence d'une bombe à retardement.

Scarlett méritait mieux que lui. Il y avait bien d'autres hommes du niveau intellectuel de Kyle qui n'étaient pas pour autant des pitres imbus d'eux-mêmes.

Une fois revenu dans la cuisine, il avala un bol de céréales et une banane, puis il enfila son casque de moto et fila chercher son engin. Le paysage avait bien changé depuis le début des travaux le jeudi précédent, mais il y avait encore beaucoup à faire. Le sol était creusé par les chenilles du bulldozer et le tas de carcasses destinées à la ferraille avait considérablement augmenté.

Tout à coup, pour la première fois de sa vie, il réalisa que le terrain jusque-là encombré de toutes ces épaves faisait un bel espace qui ne demandait qu'à être mis en valeur. Il était tout près de la ville, mais avait déjà des allures de campagne. Le terrain qui ondulait agréablement permettait de découvrir les montagnes qui se profilaient au loin. Oui, cette propriété avait beaucoup de potentiel. Une fois les voitures parties, il suffirait de planter quelques arbres pour la rendre très agréable. Celui qui l'achèterait ferait une bonne affaire.

Dommage qu'il ne puisse pas la conserver. Hélas, il n'en avait pas les moyens. S'il avait voulu continuer à y vivre, il aurait dû racheter la part de Jordan et Paula dont la vie était ailleurs, mais il n'avait pas l'argent pour le faire. Ses économies avaient fondu avec la maladie de sa mère, et par les temps qui courent, il y avait peu de chances que la banque lui accorde un crédit.

« Tu te comportes comme si tu avais quelque chose à lui offrir, Porter, mais tu te trompes complètement. »

Les mots continuaient à tambouriner dans sa tête. Kyle avait dit des choses bien pires, mais les insultes l'affectaient moins parce qu'elles avaient été prononcées uniquement pour le blesser.

Par contre, il y avait tout le reste…

Scarlett avait des diplômes à ne savoir qu'en faire, lui n'était allé que deux ans à l'université.

Scarlett avait eu une enfance privilégiée avec deux parents pour la soutenir alors qu'il n'avait connu que la pauvreté, l'alcoolisme de son père et la maladie de sa mère.

Scarlett exerçait une profession de haut niveau, pleine de perspectives exaltantes. Il pouvait tout au plus exercer la sienne avec le maximum de compétence et d'honnêteté.

Kyle avait raison. Scarlett méritait mieux.

Et pourtant, chaque fois qu'il était avec elle, les mêmes mots venaient tourner dans sa tête comme deux éblouissants papillons obstinés : *Epouse-moi !*

Maintenant, il avait envie de se moquer de lui quand il y pensait. Il avait osé imaginer ça alors qu'il avait si peu à proposer ? C'était stupide. Complètement naïf. Idiot. La simplicité, la spontanéité, c'était parfait pendant quelques jours. Quelques semaines peut-être, mais ça ne pouvait pas mener bien loin.

Cet amour qu'il éprouvait pour Scarlett lui apparaissait maintenant comme une maladie qui le rongeait, mais il allait réagir ! Il ne se laisserait pas détruire. Par contre, il ne restait rien du soulagement qu'il avait d'abord éprouvé en se débarrassant des vieilles voitures, ni de la griserie qu'il avait ressentie en se disant qu'il avait commencé à écrire un nouveau chapitre de son existence.

Avec Scarlett, il aurait fait l'impossible, il aurait décroché la Lune. Mais maintenant, il se rendait compte qu'il n'avait pas le droit de se lier à elle.

Parce qu'il n'avait rien à lui offrir, exactement comme Kyle l'avait dit tout à l'heure.

Un peu plus tard, il s'était mis à travailler sur le bull-dozer. Le bruit et les vibrations de l'engin lui procuraient une sorte de soulagement. La poussière qu'il respirait, le crissement du métal qui rencontrait le métal, le déblayage progressif du terrain, c'était la réalité. Le reste n'était qu'un rêve en train de s'envoler.

Il y avait sans doute des heures qu'il était sur son chantier. Le moment était certainement venu d'aller boire et manger quelque chose, mais il continuait à travailler, inlassablement, parce que cette occupation lui permettait de faire passer au second plan les deux petits mots qu'il n'arrivait pas à chasser de sa tête : *Epouse-moi...*

Un rire amer le secoua. Il était fatigué, son dos secoué depuis le matin par les vibrations de l'engin lui faisait mal, la transpiration coulait dans ses yeux, troublait sa vue, mais cela n'avait aucune espèce d'importance.

Mon vieux Daniel, qu'est-ce que tu avais dans la tête ?

Soulever cette voiture rouillée.

Tu te prenais pour qui ?

La mener là-bas, vers le tas de ferraille.

Qu'est-ce que tu as essayé de faire croire à Paula ? Tu croyais qu'il y avait un futur pour toi dans cette histoire ?

L'écraser, la pousser près des autres.

Maintenant, il va falloir lui dire que tu t'étais trompé.

Le bulldozer avait parfois des ratés, comme s'il était fatigué lui aussi, comme s'il lui en demandait trop. C'était le cas, mais, puisqu'il s'en demandait trop à lui-même, il n'allait tout de même pas épargner une machine ! Tant que la fatigue ne le clouerait pas sur son siège, incapable de penser, il ne s'arrêterait pas. Ce moment n'était pas encore arrivé puisqu'il pensait encore. Et trop. Beaucoup trop.

Allez ! Fais ton boulot de bulldozer ! Et toi, Daniel, continue ton boulot de pauvre type !

Pour ne pas faiblir, il parlait à sa machine comme il aurait parlé à un cheval ou à un bœuf de labour. Encore une fois, il s'avança dans la poussière, heurta un monticule de ferraille. L'engin se trouva déséquilibré, il sentit une chenille se soulever. Au même moment, un éclair bleu métallique brilla dans la rue, entre les arbres. C'était la voiture de Scarlett qui arrivait.

Qu'est-ce qu'elle venait faire chez lui alors qu'il lui avait dit qu'il ne voulait pas la voir ? Il n'avait pas envie de lui parler, il n'avait pas envie de dîner avec elle, point final. Elle n'avait donc pas compris ? Pour une fois que les mots lui étaient venus spontanément à la bouche, elle n'avait pas compris... ou elle n'avait pas voulu comprendre ? Il était furieux.

Cet instant de distraction lui fit faire une fausse manœuvre. Il se trompa en passant les vitesses et précipita l'engin en avant au lieu de le faire reculer. Le bulldozer se souleva.

Ses pensées étaient entièrement focalisées sur Scarlett lorsqu'il sentit la machine lui échapper. Il ne la voyait plus, mais elle devait être en train d'entrer chez lui, cachée par un tas d'épaves. Voyons, le bull...

Ce n'était pas la faute du bulldozer, c'était la sienne, entièrement, mais le résultat fut le même.

L'engin, hors de contrôle, se renversa sur le tas de ferraille.

Le moteur s'arrêta avec un gémissement. Le casque de protection qu'il avait négligé d'attacher s'envola de sa tête. Il lui sembla entendre un cri de femme, le cri poussé par Scarlett, juste avant que la douleur ne lui paralyse la jambe. Puis sa tête heurta le sol et il perdit connaissance.

Scarlett avait poussé un cri d'horreur et demeurait figée sur place. Le bulldozer s'était renversé. Daniel gisait à côté. Avant de se précipiter vers lui, elle eut la présence d'esprit de sortir son téléphone de son sac et d'appeler les urgences. Puis, tout en expliquant la situation au médecin de garde, elle courut vers Daniel.

— La scène vient de se dérouler sous mes yeux, à l'instant. Si je n'étais pas venue, personne n'aurait…

Tout en parlant, elle se rendait compte cependant que si elle n'était pas venue, l'accident n'aurait pas eu lieu. Il s'était produit précisément *parce qu'elle* était venue. Toute la journée, elle s'était usé les nerfs à revivre la scène du matin, à évoquer la froideur avec laquelle Daniel l'avait congédiée sans lui donner d'explication. Finalement, elle avait décidé de prendre le taureau par les cornes et de venir lui demander ce qui avait provoqué son changement d'attitude. Elle voulait comprendre. Quoi de plus normal ?

Et pourtant… Il l'avait aperçue et voilà ce qui venait d'arriver. Un instant de distraction, et il avait perdu le contrôle de sa machine. Si seulement elle l'avait écouté ! Pourquoi n'était-elle pas restée chez elle comme il le lui avait demandé ?

Elle donna l'adresse de Daniel, puis supplia son interlocuteur :

— Je vous en prie, restez en ligne ! Je suis médecin, mais il s'agit d'un ami, j'ai perdu tous mes moyens !

Enfin, elle arriva près de Daniel qui n'avait toujours pas bougé. Elle s'agenouilla près de lui dans la terre. Sa chemise était couverte de sang. En même temps, sa poitrine se soulevait. Il respirait. Il était vivant ! Inconscient, mais vivant, grâce au ciel.

Sa tête avait heurté un morceau de métal heureusement arrondi, ce qui lui avait fait perdre connaissance Dans le fond, c'était une bonne chose car il ne sentait pas la douleur de sa jambe. A voir l'angle bizarre qu'elle formait à côté de lui, il était clair qu'elle était cassée.

— L'accidenté perd du sang à cause d'une blessure à la tête, précisa-t-elle. Sa jambe paraît brisée en deux endroits, au-dessus et au-dessous du genou. Il respire, mais il est inconscient.

— L'ambulance devrait arriver d'ici une quinzaine de minutes, répondit son correspondant.

— Je vous remercie, je reste sur place en vous attendant.

Ses yeux ne quittaient pas le corps de Daniel, ce corps qu'elle aimait tant. Si elle avait pu prendre sa place, elle l'aurait fait, tout de suite et sans hésiter. Hélas…

Elle était médecin. Il fallait qu'elle fasse quelque chose !

Mais elle était incapable de réagir professionnellement. Elle n'était qu'une femme amoureuse, épouvantée par le spectacle du corps de son amant qui gisait sous ses yeux, désarticulé, le T-shirt déchiré, le jean couvert de terre, une plaie au front.

Tu es médecin, Scarlett, réagis !

Elle se rapprocha de l'oreille de Daniel.

— Je vais m'occuper de la blessure de ton front… L'ambulance est en route, ne t'inquiète pas, je reste près de toi.

Elle sortit de son sac la petite bouteille de lotion désinfectante qu'elle avait toujours avec elle et commença à nettoyer la plaie avec son mouchoir. La blessure paraissait assez superficielle, même si elle saignait beaucoup. Quelques points de suture devraient suffire à la résorber. Cela fait, elle se sentit totalement inefficace.

Qui sait ? Les mots n'étaient peut-être pas inutiles ?

— Réveille-toi, Daniel, je suis à côté de toi. Parle-moi !

Finalement, il émit un grognement et entrouvrit les yeux sur un regard terne, alourdi par la souffrance.

Elle laissa échapper un sanglot de soulagement.

Sans doute étourdi par la violence de sa douleur, il referma les yeux, mais le peu de temps où elle avait entrevu son regard lui permit de mieux supporter les minutes qui suivirent.

Elle s'assit par terre à côté de lui, sa cuisse plaquée contre celle de Daniel. Elle lui prit la main et se mit à lui parler doucement.

Daniel, tu viens d'avoir un accident. Tu es allongé par terre et je suis près de toi. Je serai toujours près de toi si tu veux. Ici, ailleurs, où tu voudras. Tu entends, Daniel ? Je ne veux pas te quitter...

Elle tenait sa main inerte entre les siennes, il s'était de nouveau évanoui. Son visage était paisible maintenant. Elle le buvait des yeux. Ces paupières, ces longs cils, les coins relevés de la bouche, ce nez très droit... Il ne pouvait pas la repousser en ce moment. Elle se sentait si proche de lui qu'il lui semblait qu'ils ne faisaient qu'un.

Comment était-ce possible ?

Elle avait l'impression d'être capable de tout pour cet homme. Elle pourrait aussi bien se couper un bras que rester assise à côté de lui jusqu'à la fin du monde. Cette certitude était bien au-delà des mots et de la logique. Au-delà du sexe. C'était une certitude dont elle était pétrie jusqu'au plus profond de son cœur et de ses os.

Si Daniel ne le ressentait pas, c'est que vraiment elle ne comprenait rien à la vie.

Le corps de Daniel lui était infiniment précieux parce qu'il était ce à travers quoi ils pouvaient exprimer leurs émotions les plus profondes et les plus intimes. Elle ne voulait plus jamais vivre seulement de relations intellectuelles, vides de passion. Le corps de Daniel et ses sentiments ne faisaient qu'un. Voilà pourquoi elle voulait l'aimer toute sa vie.

S'il le voulait bien.

Et si jamais il ne voulait pas ?

Seigneur ! Etait-ce pour cette raison qu'il lui avait demandé de partir ?

Tout à coup, elle se rappela les paroles de Kyle : « Tu n'as rien à lui offrir, Porter ! »

Daniel l'avait cru. Et pas seulement parce que Kyle le lui avait dit, mais parce que depuis le début de leur relation, il en était intimement persuadé. Six ans plus tôt, il le pensait déjà. Et maintenant encore. Les mots de Kyle n'avaient fait que réveiller cette idée familière qu'il avait décidé de ne plus ignorer.

Une sirène mugit au loin, se rapprocha. L'ambulance arrivait enfin. Le médecin de service examina Daniel avant de le faire transporter.

— Ne vous inquiétez pas, il va s'en sortir. Nous allons tout de suite lui administrer un antalgique et mettre une attelle à sa jambe.

— Merci ! Merci infiniment, balbutia-t-elle.

Elle ne répéta pas qu'elle était médecin, à quoi bon ? C'était parfaitement secondaire.

Les infirmiers l'enveloppèrent dans une couverture, comme si elle aussi avait besoin de soins. C'était peut-être le cas, d'ailleurs, tant elle était bouleversée. En fait, elle tremblait de tous ses membres, mais ne s'en était pas rendu compte. Ils la firent asseoir à l'arrière du véhicule, et là, au calme et rassurée, elle commença à retrouver peu à peu ses esprits.

Si elle s'était tenue à l'écart de Daniel toute la journée, c'est parce qu'elle avait senti qu'il avait besoin de respirer. Elle n'avait pas voulu s'imposer, mais elle s'était torturée en pensant à la façon dont ils s'étaient séparés le matin, si différente des autres jours. Sur le coup de 16 heures, elle n'avait plus pu résister à l'envie de le retrouver. Aussi, pour éviter qu'il l'éconduise au téléphone, elle était venue directement chez lui. Et puis… l'accident était arrivé.

Maintenant, elle voyait les choses clairement.

Elle avait compris que s'ils étaient si bien ensemble, ce n'était pas juste pour quelques semaines de vacances, mais pour la vie entière.

J'ai changé, Daniel. Je ne suis pas la même qu'il y a six ans. Cette fois-ci, je te jure que je ne vais pas laisser le bonheur nous échapper !

14

Elle était là. Scarlett était là.

Même sans regarder, Daniel sentait sa présence. Quand, avec beaucoup de peine, il soulevait les paupières, quelques images floues et vaporeuses passaient devant ses yeux. Le monde lui apparaissait trouble et vacillant, sans doute à cause de sa blessure à la tête qui l'empêchait de maintenir cet effort très longtemps. Mais dès qu'il les refermait, Scarlett lui apparaissait dans ses souvenirs et, là, tout était clair et lumineux.

La voix de la jeune femme lui parvint, un peu étouffée, comme à travers un rideau de coton.

— Aaron et Judy gardent Percy pendant que je suis avec toi… J'ai vu le chirurgien qui s'est occupé de ta jambe. Il a promis que tu marcherais comme avant. Il te faut juste un peu de patience pour que tout se soude comme il faut… Tu dors, Daniel ?

Il ouvrit les paupières et les referma très vite.

— Non ? Alors tu m'entends ?

Il fit un nouvel effort pour participer à la conversation dans la mesure de ses moyens.

— Tu es dans un bon hôpital et tu es bien soigné. Repose-toi de ton mieux. Normalement, tu auras l'autorisation de rentrer chez toi après-demain.

Il avait l'impression que sa jambe pesait une tonne et elle lui faisait horriblement mal. Sa tête aussi. Il se rappelait plus ou moins ce qui lui était arrivé. Ce foutu bulldozer s'était renversé. En fait, c'était sa faute. Il était trop fatigué, il avait faim, il s'était laissé distraire. Et Scarlett… Scarlett, si belle, si intelligente, qui n'était pas de son monde… C'est ce qu'avait dit Kyle, mais il le savait depuis longtemps. Cette idée le rongeait. Après sa dispute avec Kyle, il n'avait pas arrêté d'y penser tout en s'occupant de ses voitures. Au diable cette jambe qui lui faisait si mal ! L'infirmière lui avait demandé de presser sur la pompe à morphine quand il souffrait, mais il se retenait de le faire parce qu'il voulait rester conscient. Dès qu'il en aurait la force, il voulait parler à Scarlett.

Mais là… c'était une autre sorte de blessure qui le faisait souffrir.

Bien plus douloureuse.

Il voulait être suffisamment conscient et lucide pour lui dire ce qui lui tenait à cœur.

Un moment plus tard, il avait retrouvé suffisamment de forces pour le faire.

— Scarlett, tu n'as pas besoin de rester à l'hôpital avec moi. Mes voisins s'occuperont de Percy et de moi-même lorsque je serai de retour à la maison. Tu n'es pas responsable de moi. Ce n'est pas ton problème.

Hélas, *elle*, elle était son problème à *lui*…

En fait, il était si heureux qu'elle s'occupe de lui ! Il aimait chacun de ses gestes, appréciait le moindre mot qui sortait de sa bouche. Il voulait demeurer lucide pour profiter de sa présence. Mais ce n'était pas bien. A certains moments, il ne savait plus pourquoi, mais il le savait tout de même.

Même quand elle lui tenait la main et que c'était si bon, il sentait qu'il aurait dû se dégager. Même quand elle lui parlait de sa voix douce qui lui faisait l'effet d'un baume bienfaisant, il aurait dû lui dire de partir. Au fur et à mesure que l'effet des calmants s'estompait, il saisissait la situation de façon de plus en plus claire. Bientôt, il n'aurait plus d'excuse pour taire ce qu'il avait essayé de lui dire quand il était à demi inconscient.

Ça ne peut pas marcher entre nous, Scarlett.

— Rentre chez toi…, murmura-t-il.

L'infirmière lui avait dit que c'était sa seconde nuit à l'hôpital et qu'il pourrait sortir le lendemain, mais il lui semblait être allongé dans ce lit tout blanc depuis bien plus longtemps. Ou alors, depuis cinq minutes, il ne savait plus. Il avait perdu la conscience du temps.

Et pendant qu'il essayait de se raccrocher à la réalité, elle restait assise à côté de lui en lui tenant la main.

— Non, répondit-elle simplement.

— Pourquoi est-ce que tu ne m'écoutes pas ?

— Et toi, pourquoi est-ce que tu ne m'écoutes pas ?

— Ne t'amuse pas avec moi !

— Je suis très sérieuse, Daniel.

Epuisé, il ferma les yeux, mais elle ne s'en laissa pas conter et poursuivit :

— Demain, je te ramène chez toi.

— Et après ?

— Après ? Je reste avec toi, bien entendu.

— Non.

— Si.

— Je n'ai pas la force de discuter, Scarlett.

— Tant mieux.

Le jour suivant, il se sentait nettement mieux. Scarlett était encore là et s'occupait de tous les papiers nécessaires à sa sortie. Elle avait ramené ses cheveux sur le sommet de la tête en un chignon très strict, revêtu un chemisier gris pâle rentré dans une jupe droite gris foncé et portait des chaussures à hauts talons qu'il ne lui avait jamais vues. Il comprit qu'il était réellement sur la voie de la guérison quand il se surprit à se demander ce qu'elle pouvait bien porter par-dessous ce joli chemisier en voile.

— Je suis allée chercher les béquilles, dit-elle à l'infirmière sur un ton très professionnel.

— Au début, il ne pourra pas s'en servir, précisa cette dernière.

— C'est vrai, mais j'ai aussi loué un fauteuil roulant en attendant qu'il soit suffisamment bien pour marcher.

— Vous saurez l'aider à s'en servir ?

— Pas de problème. Mes patients ont eux aussi parfois recours à ces appareils, je sais comment les manipuler.

— Parfait. Vous me facilitez le travail !

— Je vais chercher le fauteuil dans ma voiture.

Il retrouvait la jeune femme qu'il avait connue six ans plus tôt, précise, efficace, professionnelle, mais avec ce regard chaleureux qui lui avait donné envie de la saluer avant de voir s'ils pouvaient sortir ensemble.

Assis sur sa chaise d'hôpital, il attendait qu'elle revienne avec le fauteuil. Comme tout lui paraissait facile ! Il aurait voulu que cette tranquillité dure toujours, même s'il savait que ce mot n'était pas celui qui convenait. Mais pourquoi chercher plus loin ? Ils en avaient discuté tant de fois pour arriver à la conclusion que l'essentiel était dans ce qu'ils éprouvaient et non pas dans ce qu'ils pouvaient nommer.

Scarlett, épouse-moi…

Stop ! Kyle avait raison. C'était impossible parce *qu'ils n'avaient rien en commun*. Tout le monde serait d'accord avec Kyle. Les parents de Scarlett pour commencer, mais aussi ses collègues de travail, ses amis, ses frères…

Un bruit de roues en caoutchouc sur le linoléum lui annonça l'arrivée de son fauteuil.

— Désolée, dit Scarlett, il m'a fallu plus de temps que prévu pour le sortir du coffre de la voiture.

Les mains sur les hanches, elle le regardait.

— Tu en fais une tête ! Tu vas rester comme ça pendant toutes les semaines où tu seras plâtré ?

— Quelle importance puisque tu rentres à New York dans les prochains jours ?

— Non, je ne rentre pas à New York. Ni dans les prochains jours ni plus tard.

— Tu plaisantes ?

— Pas du tout. Je vais postuler pour un emploi au Spring Ridge Memorial Hospital qui se trouve à une heure de voiture de Radford. On est en train d'y créer un poste de pédiatre. Si jamais ça ne marche pas, j'attendrai une autre opportunité.

— Et si je veux que tu partes ?

— Il faudra me le dire aussi clairement que ce que tu as dit à Kyle.

— Retourne à New York !

Elle secoua la tête et se mit à rire.

— Désolée ! Le ton manque complètement de conviction.

Elle rapprocha le fauteuil et l'aida à se mettre debout.

Il se redressa, traversé aussitôt par une douleur aiguë.

— Retourne à New York…, insista-t-il, tout en grimaçant de douleur.

Sa requête était encore plus faible et moins convaincante que précédemment.

— Mieux que ça, Daniel. Tu manques totalement de persuasion !

Elle le prit par le bras. Elle se tenait si proche de lui qu'il sentait sa cuisse tiède contre sa hanche. Leurs visages étaient tout près l'un de l'autre. Du bout des doigts, elle lui caressa la joue, laissa sa main remonter dans ses cheveux qu'elle lissa en arrière d'un geste tendre.

Il sentit son crâne picoter. Puis la sensation descendit le long de son dos, dans ses membres, dans son ventre.

Elle avait approché sa bouche de la sienne et le provoquait de son regard noisette pailleté d'or.

Impossible de résister !

Il posa sa bouche sur ses lèvres pulpeuses, retrouva avec ivresse leur saveur et leur douceur, mais elle s'écarta, comme pour le laisser volontairement palpiter de désir. Il en aurait presque crié de déception.

Il se laissa brutalement tomber dans le fauteuil roulant. La douleur de sa jambe se réveilla, lancinante et profonde, mais à côté du reste, elle lui parut bien peu de chose.

— Allez, on y va ! lança-t-elle.

Elle était toute souriante et arborait une expression plus déterminée que jamais.

Qu'elle était belle !

Une fois Daniel installé chez lui, Scarlett se rendit chez Aaron et Judy Bailey récupérer Percy.

— C'était un régal d'avoir cette petite bête à la maison, tu ne veux pas nous le laisser encore un peu puisque tu rentres à New York ? demanda Judy.

— Je ne rentre pas à New York, répondit-elle. Si Aaron veut bien encore de moi quelque temps, je reviendrai avec plaisir travailler avec lui.

— Il sera ravi, et moi aussi, mais je croyais que tu étais attendue là-bas.

— J'ai changé mes plans. Il faut que je prenne certaines décisions.

— Des décisions qui ne concernent pas que toi, c'est ça ?

— Oui.

— Daniel Porter est impliqué lui aussi, n'est-ce pas ?

— Comment est-ce que…

— Tu sais, j'ai souvent vu ta voiture garée devant chez lui quand je passe devant sa maison !

— J'oublie tout le temps que nous sommes à la campagne, dans le Vermont, et pas en plein New York…

— Daniel est un homme très bien, toujours prêt à rendre service.

— Oui, je sais. Le problème, c'est qu'il pense qu'il n'est pas assez bien pour moi.

— A cause de son père ? C'est vrai qu'il était un peu… disons, bizarre…

— Daniel ne comprend pas que ça m'est complètement égal.

— Et tu ne sais pas comment le persuader.

— Non. Actuellement, mon plan est de rester collée à lui comme son ombre jusqu'à ce qu'il comprenne qu'il ne peut pas se débarrasser de moi.

Judy se mit à rire.

— Et si tu essayais de faire le contraire ? De l'obliger à venir te chercher ? Les hommes adorent ça !

Scarlett réfléchit.

Qui sait ?

Privé de toute autonomie, Daniel laissa Scarlett prendre complètement la direction des opérations. Elle l'allongea sur le canapé avec une pile de coussins pour soutenir sa jambe et une autre pile sous sa tête. Elle lui apporta un bol de bouillon de légumes et un gros sandwich au poulet suivi d'une glace à la vanille.

Une fois Percy de retour, elle le lui amena près du canapé avec son panier pour qu'il fasse une sieste en bonne compagnie. Plongé dans une douce somnolence, maintenant que sa jambe ne le faisait presque plus souffrir, il entendit Scarlett ranger la cuisine et passer un coup de fil à Paula et Jordan pour leur donner de ses nouvelles.

Plus tard, en fin d'après-midi, elle vint lui demander ce qu'il aimerait pour le dîner.

Il réfléchit avant de répondre d'un air sérieux :

— Une purée de pommes de terre maison avec une tranche de saumon grillée à l'aneth, une salade Caesar et un gâteau au chocolat. Maison lui aussi, bien entendu.

Il la regarda du coin de l'œil, guettant sa réaction, mais elle ne sourcilla pas en l'entendant décliner ce menu quelque peu exigeant. Finalement, ce fut lui qui reprit la parole :

— Scarlett, je sais très bien ce que tu es en train de faire…

— Et qu'est-ce que je fais, d'après toi ?

— Tu fais ton possible pour me remercier d'avoir pris soin de toi au début de tes vacances.

— Un petit peu, admit-elle. Un tout petit peu.

— Et le reste ?

— Le reste, ça fait partie des choses qu'on fait normalement dans une situation comme la nôtre.

— Scarlett, je n'étais pas sérieux à propos du menu.

— Dommage ! Moi, si, et je vais de ce pas acheter du saumon et des pommes de terre. Mais pour le gâteau au chocolat, désolée, il viendra de chez le pâtissier. Que veux-tu ? Le niveau baisse…

Elle jeta un regard sur la jambe plâtrée, puis sur la bande blanche qui enrubannait la tête de Daniel.

— De toute façon, tu n'es pas en état de discuter.

Il aurait bien aimé le faire, mais elle avait raison. Il était hors d'état de lui tenir tête. On l'avait bien prévenu qu'il allait se sentir épuisé pendant plusieurs jours et c'est exactement ce qu'il ressentait. Il avait juste assez de force pour la regarder aller et venir et, finalement, ce n'était pas la plus mauvaise part.

Un peu plus tard, il sentit une délicieuse odeur de saumon grillé s'échapper de la cuisine. Têtue comme elle l'était, elle devait être en train de préparer tout ce qu'il lui avait demandé !

— Tu as décidé de faire l'intéressante en exhibant tes talents de cuisinière, c'est ça ? demanda-t-il quand elle apporta le repas sur un plateau et le déposa sur la table basse devant le canapé.

Le fauteuil roulant était tout près ainsi que les béquilles. En fait, dans un espace aussi réduit, le fauteuil était inutile et il avait hâte de se servir des béquilles. S'il continuait à rester immobile, il allait devenir fou !

— Je voudrais bien savoir pourquoi j'aurais besoin de t'épater ! répondit-elle.

Depuis qu'ils étaient de retour chez lui, elle arborait une expression qu'il ne lui connaissait pas. On aurait dit qu'elle avait décidé quelque chose qu'elle ne voulait pas lui dire en attendant qu'il le devine.

Ils mangèrent en silence le saumon et la purée. Puis il n'y tint plus.

— Qu'est-ce qui se passe, Scarlett ?

— Il se passe que nous en sommes exactement au même point qu'il y a six ans. La différence, c'est que cette fois-ci, je ne te laisserai pas gagner.

— Parce que tu crois que j'avais gagné ?

Elle rassembla les assiettes qu'elle rapporta dans la cuisine d'où elle revint avec une grosse portion de gâteau au chocolat, placée sur une seule assiette.

— Tu as raison. Personne n'avait gagné, ni toi ni moi. Nous avions perdu tous les deux, mais cette fois-ci, ce sera différent.

— Pourquoi ?

— Je veux savoir ce que Kyle t'a dit.

Aucun des deux ne touchait le gâteau.

— Tu l'as dit toi-même, Scarlett. Nous venons de milieux opposés. Nous sommes complètement différents l'un de l'autre.

— Et alors ? Est-ce que les gens doivent être des clones l'un de l'autre pour s'entendre ? Moi, je pense que c'est plutôt le présent qui compte et les projets qu'on peut faire ensemble.

Sur ce, elle prit une grande cuillerée de gâteau au chocolat et la lui présenta. Il sentit ses doigts frôler son menton pas très bien rasé tandis que les yeux noisette suivaient le mouvement de ses lèvres. Il ouvrit la bouche, savoura le chocolat, moelleux, la crème légère comme un nuage et la pâte croustillante qui craqua sous ses dents.

— Je peux manger tout seul !

— Alors, dis-le-moi mieux que ça. De toute façon, c'est mon tour maintenant.

Elle porta la cuillère à sa bouche et ferma les yeux de plaisir en savourant la friandise. Fasciné, il n'arrivait pas à détourner les yeux. Elle incarnait le plaisir des sens avec un naturel qui le stupéfiait.

— A toi, cette fois.

De nouveau, avec les mêmes gestes attentionnés, elle lui présenta la cuillère garnie. Il sentait la cuisse de la jeune femme appuyée contre sa jambe valide.

— Je sais ce que tu cherches à faire… reprit-il.

— Explique !

Elle posa l'assiette sur la table et, le menton relevé d'un air provocant, elle le défia. Ses yeux brillaient comme chaque fois qu'elle avait envie de lui, et pourtant, il lui sembla déceler une ombre d'inquiétude.

C'est cela qui le fit craquer.

C'était si bon de faire l'amour avec elle ! Ils s'entendaient si bien au lit !

Qu'est-ce qu'elle était en train de chercher à lui prouver ? Il le pressentait et il en avait peur lui aussi. Il ne fallait pas la laisser s'inquiéter. Cet instinct le fit réagir. Puis un autre, d'une sorte bien différente, mais tout aussi violent et impératif se manifesta.

— Scarlett…

— Oui ?

— J'ai une idée…

— C'est-à-dire ?

Moqueuse, elle le provoquait. Mais en même temps, elle s'était rapprochée de lui.

Il posa sa bouche sur les lèvres qu'elle lui tendait et ils plongèrent tous les deux dans un délicieux baiser parfumé au chocolat.

15

Ils s'embrassèrent à en perdre le souffle. Puis Daniel se redressa et commença à défaire un à un les boutons du chemisier que Scarlett portait depuis le matin. Il laissa ses mains frôler le bout de ses seins, suivit du bout du doigt la ligne du soutien-gorge en dentelle noire.

— Retire-le ! commanda-t-il.

Devançant son désir, elle avait déjà commencé à défaire la fermeture. Les bretelles glissèrent sur ses épaules. Elle laissa tomber le vêtement à terre.

Les yeux clos, elle le laissa prendre ses seins dans ses mains.

— Enlève ta jupe ! Ensuite, tu m'aideras à me débarrasser de mon jean.

Une jambe du jean avait été coupée au-dessus du genou pour laisser le passage au plâtre volumineux.

Elle obéit avec joie, même si elle avait le cœur serré à l'idée que c'était peut-être la dernière fois qu'ils faisaient l'amour et que tout à l'heure, Daniel la repousserait. Elle aurait voulu suivre le conseil que Judy lui avait donné tout à l'heure, mais elle ne savait comment s'y prendre.

Peut-être s'était-il préparé à la rejeter de sa vie ? Peut-être croyait-il que leur liaison n'avait pas d'autre dénouement possible ? Comment convaincre un homme que vous l'aimez pour la vie s'il ne croit pas à un avenir commun ?

Elle fit glisser sa jupe le long de ses hanches et s'aperçut que le regard de Daniel avait changé. Elle n'y lisait plus l'impatience de tout à l'heure. Il paraissait avoir retrouvé son calme et la maîtrise de lui-même.

Non, Daniel, pense ce que tu veux, mais je t'interdis de t'arrêter en si bon chemin!

Toute nue maintenant, elle se hâta de s'installer sur lui. La jambe qui était du côté de la jambe blessée frottait contre la bordure du plâtre, mais elle n'en avait cure.

Pour l'instant, c'est elle qui menait le jeu. Il grogna mais ne la repoussa pas.

— C'est comme ça que nous nous sommes quittés, il y a six ans, tu te rappelles ? demanda-t-il.

— Cette fois, c'est différent.

— Oui, j'ai une jambe dans le plâtre et un pansement autour de la tête !

— Il n'y a pas que ça.

Il enfouit le visage entre ses seins, respira le parfum de violette qui y était niché.

— C'est vrai. Cette fois, tu me résistes.

— Nous voulons la même chose, mais tu ne veux pas le reconnaître.

— Comment sais-tu cela ?

— Parce que l'accident est arrivé à cause de ça. Je t'aime, et tu le sais très bien.

— Tu m'aimes ?

— Oui. C'est comme ça qu'on appelle ce que je ressens pour toi. Je t'aime et c'est pour la vie entière.

— Prouve-le !

— C'est fait. Pourquoi crois-tu que je suis restée à côté de toi, assise dans la terre à attendre les secours ou à te tenir la main pendant que tu étais à l'hôpital ?

Il enfouit de nouveau le visage entre ses seins.

— Je t'aime, Scarlett, dit-il dans un soupir. Il y a des

semaines que je veux te le dire. Je voulais te demander de m'épouser et…

— La réponse est « oui » ! Je t'épouse tout de suite !

— Et tu le regretteras dans trois mois…

— Pas du tout.

— Comment peux-tu le savoir ? Tu t'es posé les vraies questions ?

— Bien sûr ! Mais je veux y revenir avec toi.

— Alors, allons-y. Où est-ce que nous vivrions ?

— Ici. J'ai assez d'argent de côté pour acheter la part de Paula et de Jordan.

— Et qu'est-ce que tu feras de toi, ici, à Radford ?

— Je te l'ai déjà dit. Je travaillerai à Spring Ridge Hospital et je passerai mon temps libre chez Aaron.

— Tu as pensé à ce que va dire ta famille ?

— Je m'en fiche !

— Comment peux-tu savoir que nous ne nous lasserons pas l'un de l'autre au bout de quelque temps ?

— Notre histoire est ancienne, tu l'as oublié ? Il y a déjà six ans que nous aimons faire l'amour ensemble.

— Je… assez de mots… Je veux juste te tenir contre moi.

Elle se serra davantage contre lui, défit la fermeture Eclair du jean. Il se souleva pour l'aider à l'en débarrasser, puis se laissa glisser sur le canapé. Le plâtre de sa jambe ralentissait les choses, mais l'attente exacerbait leur désir à tous les deux. Les préliminaires cette fois furent inexistants. Le plâtre de Daniel rendait les choses compliquées, et surtout, ils étaient trop pressés l'un et l'autre de retrouver les extraordinaires sensations de leur complicité physique. Lorsque Daniel la pénétra, elle gémit de plaisir, puis tout alla très vite.

Daniel, je t'aime… Pourquoi est-ce que tu ne veux pas accepter mon amour ?

Elle jouit, et dans son orgasme la jouissance et la colère se mélangeaient.

Tu ne comprends pas qu'il y a bien plus entre nous que cette entente de nos deux corps ?

Ils étaient maintenant tous les deux haletants, collés l'un contre l'autre sur le canapé trop étroit. Elle attendait d'entendre les mots qui lui prouveraient qu'il avait enfin compris la vraie nature de leur relation. Mais il demeurait muet.

Il allait la laisser partir, c'était sûr…

Elle se rhabilla en silence pendant qu'il restait allongé, les yeux fermés.

Elle éprouvait l'étrange sensation que ce n'était pas elle qui agissait. On aurait dit qu'elle regardait d'en haut son corps faire les mouvements qui convenaient pour rattacher son soutien-gorge, enfiler sa jupe, ses chaussures, mais rien de tout cela ne la concernait, elle.

Il demeurait silencieux. C'était la fin de leur histoire.

Elle n'avait plus qu'à rassembler les quelques affaires qu'elle avait apportées chez lui et retourner chez Andy. Daniel trouverait une infirmière pour renouveler le pansement qu'il avait encore sur la tête. De son côté, elle commencerait à vivre le début de sa nouvelle vie. Sans lui.

Sans lui, parce qu'il ne faisait rien pour la retenir. Il allait la laisser partir.

Le téléphone sonna. Comme il était posé trop loin de Daniel, elle prit la communication. C'était quelqu'un intéressé par des pièces de la Chevy.

— Je suis à un quart d'heure de chez vous, demanda l'éventuel acheteur. Est-ce que je peux passer vous voir ?

— Je vous passe le propriétaire, répondit-elle.

Il prit la communication et commença à décrire les modèles qu'il avait à sa disposition.

Elle éprouva un sentiment de reconnaissance envers

l'inconnu. Grâce à lui, ils évitaient le moment horrible des adieux.

Bien sûr, Daniel et elle auraient encore l'occasion de se revoir, ne serait-ce que dans la rue ou au supermarché. Mais pour ce qui comptait réellement, c'était fini, et bien fini.

16

Scarlett venait juste de sortir de la maison quand Daniel raccrocha. Il avait la gorge serrée et se sentait horriblement mal. L'acheteur de la Chevy allait arriver d'un moment à l'autre, apparemment pressé de conclure son affaire.

Comment est-ce que je vais me débrouiller pour lui faire faire le tour du jardin ? se demanda-t-il en jetant un regard inquiet vers le fauteuil roulant, puis vers les béquilles posées à côté du canapé.

Il se mit debout et s'empara de celles-ci. La douleur de sa jambe se réveilla, aiguë et inattendue, mais il serra les dents. Non, il n'allait pas se laisser abattre !

La portière de la voiture de Scarlett claqua, mais aucun bruit de moteur n'arriva à ses oreilles. Pourquoi est-ce qu'elle ne démarrait pas ? Il secoua la tête. Pas question de tendre l'oreille pour savoir ce qu'elle faisait. Cela ne le regardait plus. Ils s'étaient tout dit. Tout était fini entre eux.

Avec des gestes maladroits, il se débrouilla pour se rhabiller, puis, appuyé sur ses béquilles, il sautilla gauchement jusque sur le perron. Il y avait deux Chevy sous un hangar et une autre dans une rangée qui était demeurée intacte parce que presque tous les véhicules qui s'y trouvaient avaient une certaine valeur.

La voiture de Scarlett était toujours dans la rue. Il l'apercevait très bien alors que, de là où elle se trouvait, elle ne le voyait certainement pas. Heureusement, car elle serait très mécontente de voir qu'il commençait si mal sa

convalescence. Un peu comme s'il avait voulu courir avant
de savoir marcher.

Il contempla les carcasses des voitures qui encombraient
encore le jardin. Elles avaient représenté tant de choses
à ses yeux au cours des années passées. Après avoir été
le lien privilégié avec son père, elles étaient devenues le
symbole d'un rêve détruit, d'une ambition avortée. Puis un
spectacle lamentable. Plus tard, elles s'étaient changées en
trésor… La vie était bizarre, avec des allures de montagnes
russes. Un jour bien, un jour mal. Un jour merveilleuse, un
jour abominable. Il fallait la prendre comme elle venait.
On n'y pouvait rien…

Vraiment?

Il eut un sursaut. Son père avait fait des choix. Il n'avait
pas fait les bons, voilà tout.

*Je suis ton fils, mais je ne suis pas toi! Tu aurais pu
choisir de te battre pour réaliser ton rêve, mais tu ne l'as
pas fait. Tu n'as jamais voulu lutter.*

Il serra ses béquilles contre lui.

Et moi? Moi, je ne suis pas comme toi.

Je ne suis pas toi.

Scarlett aussi a su dire « non » à son père…

La voiture de la jeune femme était toujours dans la rue,
le moteur arrêté. Elle était juste assise à l'intérieur. Elle
attendait. Quoi? Qui?

Il contourna l'angle de la maison pour mieux y voir.
Il aperçut la petite silhouette installée derrière le volant
qu'elle agrippait, la tête posée sur ses mains. Exactement
dans la même position que celle où il l'avait découverte
sur l'autoroute sans savoir qui elle était.

Elle ne savait pas qu'il était sorti et qu'il la regardait.

Il sentit son cœur faire un bond dans sa poitrine. Il ne
supportait pas de la voir souffrir comme ça. Ce n'était
pas la peine. Une fois au moins dans sa vie, en fait, pour

le restant de sa vie si elle avait été sincère, il allait faire confiance à l'espoir. Il allait parier sur l'avenir, faire son possible pour réaliser son rêve.

Il se cogna contre la rambarde, descendit les marches en sautillant maladroitement. Il serra les dents de douleur. Scarlett avait dû l'apercevoir parce que la portière de sa voiture s'ouvrit. Elle en sortit et le regarda. Puis elle s'avança vers lui lentement. Elle ne comprenait sans doute pas…

Mais lui, il comprenait. Il fallait qu'il le lui dise.

Quand elle fut suffisamment proche pour entendre sa voix, il se racla la gorge.

— Scarlett, j'ai envie d'essayer…

Il vit son visage s'éclairer.

— Tu peux répéter ce que tu viens de dire ?

Au lieu de continuer à avancer, elle s'était arrêtée. Elle voulait le forcer à faire les derniers pas. Eh bien, si c'est cela qu'elle voulait, il les ferait, malgré la torture de sa jambe et ces béquilles qui refusaient de lui obéir.

— Oui, Scarlett, je ne veux pas que tu partes. Je veux… je veux t'épouser.

Il sautilla encore un peu vers elle.

— Tiens ! Ce n'est pas ce que tu me disais tout à l'heure.

— J'ai réfléchi.

— Tu réfléchis vite.

— C'est mon cœur qui a réfléchi, pas mon cerveau.

— Bravo, je préfère ça !

— Scarlett, je veux vivre avec toi. Rire avec toi, faire des plans d'avenir.

Il souriait maintenant.

— Je veux croire à ce qui nous arrive. Je veux être fier de toi et que tu sois fière de moi.

— Si tu savais comme je le suis ! J'avais tellement peur que tu me laisses partir.

— Je serais venu te chercher. C'est arrivé un peu plus vite parce que je suis sorti regarder les voitures.

— Et alors ?

— Je me suis rendu compte qu'il y avait deux manières de les voir. Soit comme un tas de ferraille particulièrement déprimant, soit comme un univers plein de possibilités.

— J'aime ce que tu es en train de dire.

— Je t'aime, Scarlett. Est-ce que tu veux bien m'épouser ?

Au diable ces béquilles ! Au diable cette jambe qui l'empêchait d'avancer vers son amour !

Elle avait deviné son intention. Un instant, elle regarda la silhouette hésitante de Daniel, puis elle se précipita dans ses bras.

Il avait l'impression qu'il allait éclater de bonheur. Un bonheur qui n'en finissait pas de se profiler devant ses yeux émerveillés.

Quant à elle, elle était rayonnante.

— Oui, Daniel, je veux bien t'épouser !

— Même avec mes béquilles ?

— Oui.

— Et avec mon gros pansement ?

— Oui. Béquille, pansement et Percy compris. Et tu as bien raison de m'épouser parce que, de toute façon, j'avais décidé de ne plus jamais te quitter !

Le 1er août

Passions n°412

Un diamant à Wild River - Charlene Sands

Série : «Les secrets de Waverly's»

Alors qu'elle tente d'échapper à une horde de paparazzis, Macy, l'héritière de la richissime famille Tarlington, est secourue par un homme qui lui est inconnu – ou presque. En effet, celui-ci n'est autre que le sublime cow-boy qui, quelques heures plus tôt, a fait l'acquisition d'un des diamants Tarlington, lors d'une vente aux enchères. Bouleversée par les émotions qu'il suscite en elle, et désireuse de fuir la pression qu'elle subit à New York, Macy accepte bientôt la folle proposition que lui fait Carter McCay : l'accompagner chez lui, pour quelques jours seulement, à Wild River...

Le secret d'un été - Karen Templeton

Parce qu'elle vient d'hériter de la propriété où elle a passé de si merveilleux étés, Melanie est de retour à St Mary Cove. Et immédiatement, elle est assaillie par les souvenirs – ainsi que par le doute. Que va-t-elle faire de cette maison aujourd'hui en ruines ? Comment, surtout, réagira-t-elle lorsqu'elle reverra Ryder Caldwell, dont elle était éperdument amoureuse autrefois, avant qu'il ne lui brise le cœur, dix ans plus tôt ? Ryder, à qui elle n'a jamais révélé son précieux secret...

Passions n°413

Un prince pour ennemi - Michelle Celmer

Si Vanessa se rend sur la splendide île de Varieo avec sa fille, c'est parce que le roi lui-même les y a invitées. Seulement voilà, arrivée sur place, Vanessa découvre que le roi est absent, et qu'il l'a confiée aux soins de son fils, le prince Marcus Salvatora. Hélas, celui-ci se montre immédiatement des plus hostiles à son égard. De toute évidence, il la prend pour une intrigante et, malgré les regards chargés de désir qu'il lui adresse, pour son ennemie personnelle...

Un héritier sous le charme - Helen R. Myers

De retour à Oak Grove, la petite ville de son enfance, Mack Graves n'a qu'une envie : repartir au plus tôt. Mais sa rencontre avec Alana Anders, qui le captive par sa beauté impétueuse, vient bientôt à bout de ses réticences. Elle est sa nouvelle voisine, lui apprend-t-elle, car elle habite tout près de Last Call Ranch, le domaine dont il vient d'hériter. Et s'il doit la côtoyer chaque jour, son séjour forcé sera sans doute plus plaisant qu'il ne l'avait imaginé... Hélas, Mack est bien vite détrompé par la cruelle vérité : Alana, si elle a le pouvoir de le troubler, a également celui de réclamer une part de son héritage...

Le serment d'un Dante - Day Leclaire

Si elle veut pouvoir se réconcilier avec sa famille, Kat n'a pas le choix : elle doit se marier, et vite. Hélas, le seul homme avec lequel elle pourrait convoler n'est autre Gabriel Moretti, le fils illégitime des Dante – et son ennemi juré. Aussi, c'est le cœur serré qu'elle lui propose ce marché inimaginable : s'il accepte de la prendre pour femme, elle lui offrira le bijou d'exception qu'elle a toujours refusé de lui vendre. D'abord réticent, Gabriel finit par accepter son offre, mais à une condition : leur union, bien que de façade, devra être consommée...

Souvenirs troublants - RaeAnne Thayne

Lorsque Taft, chef de la brigade des pompiers de Pine Gulch, sauve la vie de Laura et de ses deux enfants, il est plus ému que jamais. Alors qu'il a tout fait pour oublier celle qu'il était sur le point d'épouser, dix ans plus tôt, la jeune femme a gardé le pouvoir de le faire chavirer d'un seul regard. Malheureusement, s'il est tenté de la reconquérir, Laura ne semble pas prête à lui laisser une seconde chance. Particulièrement glaciale à son égard, la femme de ses rêves n'a visiblement pas oublié ce passé qui les a séparés...

Une promesse entre nous - Brenda Harlen
Série : «Passions dans le Montana»

Sublime. C'est le mot qui vient à l'esprit de Clayton Traub lorsqu'il aperçoit la jeune femme qui tient la maison d'hôtes dans laquelle il va loger. Bien sûr, il n'est que de passage à Thunder Canyon, mais rien ne l'empêche de savourer son séjour – de toutes les manières possibles... Seulement voilà, à peine cette beauté se lève-t-elle pour lui montrer sa chambre que Clayton comprend pourquoi il n'est pas question pour lui de la séduire. La douce, la délicieuse Antonia est enceinte...

Rebelle attirance - Abigail Strom

Sur la liste de toutes les personnes dont Holly aurait été ravie de ne plus jamais entendre parler, Alex McKenna occupe sans conteste la première place. Aussi est-elle désemparée lorsqu'elle découvre qu'il est le nouvel entraîneur de football de son fils. Bien qu'ayant gagné en respectabilité, le mauvais garçon d'autrefois est toujours aussi sexy, sulfureux, inquiétant. Et il a gardé le pouvoir de l'agacer – et de la troubler – d'un seul regard. Pourtant, Holly le sait, elle doit garder ses distances avec lui. Car hier comme aujourd'hui, Alex McKenna n'est pas un homme pour elle...

Le sourire d'une enfant - Sara Orwig

Lorsque William Delaney lui demande de devenir la préceptrice de sa nièce dont il est soudain devenu le tuteur, Ava n'a pas le cœur de refuser. La petite Caroline, qui s'est repliée sur elle-même depuis la disparition de ses parents, a de toute évidence besoin d'elle pour retrouver le sourire. Mais à peine est-elle installée à Dallas qu'Ava regrette sa décision. Vivre sous le même toit que Will, cet homme puissant qui semble déterminé à la mettre dans son lit, s'avère en effet une épreuve pour elle. Une épreuve d'autant plus délicate qu'Ava n'est pas insensible à la séduction de son nouveau patron...

L'amant impossible - Beth Kery

Elle le désirait. Son regard envoûtant, sa virilité, tout en lui la grisait. Qu'était-il pour elle ? Un objet de fantasme ? Un homme qu'elle haïssait et qui, curieusement, l'attirait à la mesure du ressentiment qu'elle lui portait ? Un séducteur à qui elle brûlait d'appartenir ? Soudain, Colleen Kavanaugh s'arrache à la rêverie à laquelle elle a eu la faiblesse de s'abandonner, sur la plage de Harbor Town. Quelles que soient les raisons pour lesquelles Eric Reyes la fait vibrer, jamais elle ne devra céder à l'attirance qu'il exerce sur elle. Car depuis que le destin a frappé leurs familles respectives, Eric est son ennemi...

Un été très sexy...

Brûlant week-end - Kate Hoffmann

Coincée dans un chalet avec un apollon pour seul compagnie, Greta devrait être aux anges. Bien sûr, l'apollon n'est autre qu'Alex, son meilleur ami, le seul homme qui lui soit interdit. Mais, comment résister à cette chance qui lui est offerte d'explorer, enfin, les sensations aussi délicieuses qu'explosives qu'il éveille en elle ?

Un désir infini - Janelle Denison

Will n'a qu'une seule raison d'aller à cette réunion des anciens du lycée : revoir Ali et se faire pardonner la façon dont il l'a abandonnée dix ans plus tôt. Une occasion, aussi, d'assouvir tous les fantasmes qu'elle fait naître en lui depuis si longtemps...

Objectif fantasme - Cindi Myers

Photographier des hommes nus pour un calendrier ? Pourquoi pas. Il en faut beaucoup plus pour effaroucher Samantha, surtout si c'est pour la bonne cause. Sauf que « M. Juillet » éveille en elle un feu irrésistible...

3 mois sans sexe...ou pas ? - Thea Devine

Pour Lo, c'est la rupture de trop ! Finies les histoires d'un soir avec des hommes qui ne pensent qu'à entrer dans son lit : elle se met au « régime sans homme ». C'est compter sans son patron, aussi séduisant que déterminé à la faire céder. Car il semble convaincu que, entre eux, l'attraction provoquera des étincelles inoubliables...

De sulfureuses vacances - Samantha Hunter

Pour fêter ses trente ans, Edie s'est offert des vacances de rêve : villa en bord de mer, plage et aventures sulfureuses. Aussi, lorsqu'elle découvre que ladite villa est occupée par son propriétaire, elle décide de tout faire pour ne pas laisser ses vacances lui échapper. Et même de tenter de séduire cet homme particulièrement troublant...

Best-Sellers n°568 • *suspense*

La peur sans mémoire - Lori Foster

Intense et bouleversante. La nuit qu'Alani vient de passer avec Jackson Savor résonne en elle comme une révélation. Après son enlèvement à Tijuana, deux ans plus tôt, et les cauchemars qui l'assaillent depuis, jamais elle ne se serait crue capable de s'abandonner ainsi dans les bras d'un homme. Et pourtant, Jackson, ce redoutable mercenaire qui n'a de limites que celles fixées par l'honneur, a su trouver le chemin de son cœur. Hélas, cette parenthèse amoureuse est de courte durée. Au petit matin, à peine sortie de la torpeur du plaisir, Alani comprend qu'il y a un problème : son amant, si empressé un peu plus tôt, a tout oublié de leurs ébats torrides. Pas de doute possible : il a été drogué. Mais par qui ? Et comment ? Le coupable est-il lié aux odieux trafiquants sur lesquels Jackson enquête ? Ces questions sans réponse, ce sentiment d'impuissance, Alani les supporte d'autant plus mal qu'elle y a déjà été confrontée. Mais au côté de Jackson, et pour donner une chance à leur histoire, elle est prête à affronter le danger, et ses peurs…

Best-Sellers n°569 • *suspense*

Le mystère de Home Valley - Karen Harper

Mille fois, Hannah a imaginé son retour à Home Valley, la communauté amish où elle a grandi et avec laquelle elle a rompu trois ans plus tôt. Mille fois, elle a imaginé ses retrouvailles avec Seth, l'homme qu'elle aurait épousé s'il ne l'avait cruellement trahie. Mais pas un seul instant elle n'aurait pensé que cela se ferait dans des circonstances aussi dramatiques. Car dès son retour, alors qu'elle a décidé sur un coup de tête de se rendre de nuit dans le cimetière de la Home Valley, elle est prise pour cible par un homme armé, qui heureusement ne parvient qu'à la blesser. Pourquoi cet homme a-t-il voulu la tuer ? Va-t-il s'arrêter là ? Pour répondre à ces angoissantes questions, Hannah décide d'apporter toute son aide au ténébreux Linc Armstrong, l'agent du FBI chargé de l'enquête, et qui suscite la méfiance chez les autres membres de la communauté amish — et surtout chez Seth. Ecartelée entre deux mondes, entre deux hommes, Hannah va bientôt être submergée par ses sentiments – des sentiments aussi angoissants que les allées du cimetière plongées dans l'obscurité…

Best-Sellers n°570 • *thriller*

Piège de neige - Lisa Jackson

Prisonnière du criminel pervers qu'elle traque depuis des semaines dans l'hiver glacial du Montana, l'inspecteur Regan Pescoli n'a plus qu'une obsession : s'échapper coûte que coûte. Aussi essaie-t-elle, dans le cachot obscur et froid où elle est enfermée, de dominer la terreur grandissante qui menace de la paralyser. Car ce n'est pas seulement sa vie qui est en jeu, mais également celle d'autres captives, piégées comme elles et promises à la mort. Pour les sauver, autant que pour retrouver ses enfants et Nate Santana, l'homme qu'elle aime, Regan est déterminée à découvrir le point faible du tueur. Pour cela, il lui faudra aller au bout de son courage, de sa résistance physique… Et vaincre définitivement ce maniaque, avant qu'il ne soit trop tard.

BestSellers

Best-Sellers n°571 • suspense
Les disparues du bayou - Brenda Novak

Depuis l'enlèvement de sa petite sœur Kimberly, seize ans plus tôt, Jasmine Stratford a enfoui ses souffrances au plus profond d'elle-même et s'est dévouée corps et âme à son métier de profileur. Mais son passé ressurgit brutalement lorsqu'elle reçoit un colis anonyme contenant le bracelet qu'elle avait offert à Kimberly pour ses huit ans. Bouleversée, elle se lance alors dans une enquête qui la conduit à La Nouvelle-Orléans. Là, elle ne tarde pas à découvrir un lien effrayant entre le meurtre récent de la fille d'un certain Romain Fornier et le kidnapping de sa petite sœur. Prête à tout pour découvrir la vérité, Jasmine prend contact avec Romain Fornier, seul capable de l'aider à démasquer le criminel. Elle se heurte alors à un homme mystérieux, muré dans le chagrin et vivant dans le bayou comme un ermite. Un homme qu'elle va devoir convaincre de l'aider à affronter le défi que leur a lancé le tueur : *« Arrêtez-moi »*.

Best-Sellers n°572 • roman
L'écho des silences - Heather Gudenkauf

Allison. Brynn. Charm. Claire. Quatre femmes prisonnières d'un secret qui pourrait les détruire… et dont un petit garçon est la clé. Allison garde depuis cinq ans le silence sur le triste drame qu'elle a vécu adolescente et qui l'a conduite en prison pour infanticide. Brynn sait tout ce qui s'est passé cette nuit-là, mais elle s'est murée dans l'oubli pour ne pas sombrer dans la folie. Charm a fait ce qu'elle a pu, bien sûr, pourtant elle a dû renoncer à son rêve et se taire. Alors elle veille en secret sur son petit ange. Claire vit loin du passé pour tenter de bâtir son avenir avec ceux qui comptent pour elle. Et elle gardera tous les secrets pour protéger le petit être qu'elle aime plus que tout au monde. Quatre femmes réfugiées dans le silence, détenant chacune la pièce d'un sombre puzzle.

Best-Sellers n°573 • roman
Un jardin pour l'été - Sherryl Woods

Son cœur qui bat plus vite lorsqu'elle consulte sa messagerie, son imagination qui s'emballe lorsqu'elle revoit en pensée le visage aux traits virils de celui dont elle est tombée amoureuse… Moira doit se rendre à l'évidence : elle ne peut oublier Luke O'Brien. Il faut dire qu'avec ses cheveux bruns en bataille, son regard parfois grave mais pétillant de vie, son sourire irrésistible, cet Américain venu passer ses vacances en Irlande n'a guère eu de mal à la séduire. Sauf qu'après le mois idyllique qu'ils ont passé ensemble, Luke est reparti aux Etats-Unis reprendre le cours de sa vie, et peut-être même retrouver une autre femme. Alors que Moira tente de se persuader que tout est ainsi pour le mieux, son grand-père lui demande de l'accompagner à Chasepeake Shores, la petite ville de la côte Est des Etats-Unis où vit Luke. Moira n'hésite que quelques secondes avant d'accepter. Même si, dès lors, une question l'obsède : saura-t-elle convaincre Luke qu'il y a une place pour elle dans sa vie ?

Best-Sellers n°574 • historique
La maîtresse de l'Irlandais - Nicola Cornick

Londres, 1813.

Autrefois reine de la haute société londonienne, Charlotte Cummings a vu son existence voler en éclats lorsque son époux – las de ses frasques – a mis fin à leur mariage du jour au lendemain. Brusquement exclue des soirées mondaines, ruinée et endettée, Charlotte n'a eu d'autre choix que de renoncer à son honneur en vendant ses charmes chez la cruelle Mme Tong. Jusqu'à ce qu'un jour un troublant gentleman ne lui redonne espoir en lui proposant un pacte aussi tentant que surprenant. Si elle accepte de devenir sa maîtresse, elle retrouvera son statut de lady et les privilèges qui vont avec. D'abord hésitante, Charlotte finit par se soumettre à ce scandaleux marché, même si elle pressent que cet homme mystérieux lui cache quelque chose...

Best-Sellers n°575 • historique
Un secret aux Caraïbes - Shannon Drake

Mer des Caraïbes, 1716.

Roberta Cuthbert ne vit que pour se venger du cruel pirate qui a tué ses parents et anéanti le village de ses ancêtres, en Irlande. Pour cela, elle a tout abandonné, allant jusqu'à se faire passer pour un homme et entrer dans la piraterie, afin de parcourir les mers à la recherche de son ennemi. Pourtant, le jour où elle fait prisonnier le capitaine Logan Haggerty, elle comprend que son déguisement ne sera d'aucune protection contre les sentiments troublants que cet homme éveille en elle. Comment pourrait-elle maintenir son image de pirate impitoyable quand elle ne s'est jamais sentie aussi féminine que sous son regard doré ? Bouleversée, Roberta n'en est pas moins déterminée à ignorer la tentation, coûte que coûte. Jusqu'à ce que le capitaine la sauve de la noyade lors d'une violente tempête, et qu'ils ne s'échouent tous deux sur une île déserte...

Best-Sellers n°576 • érotique
L'éducation de Jane - Charlotte Featherstone

Jane le sait : lord Matthew peut être dur. Cassant. Impitoyable avec ceux qu'il pense faibles. Pourtant, lorsqu'elle l'a trouvé, affreusement blessé, dans l'hôpital où elle travaille, et qu'elle l'a veillé jour et nuit, c'est lui qui, les yeux protégés par un bandage, se trouvait à sa merci. Lui, l'homme à la réputation sulfureuse, qui la suppliait de le laisser toucher son visage, sa peau, ses lèvres, son corps tout entier, comme si ces gestes troublants avaient le pouvoir de le ramener à la vie. Alors aujourd'hui, même s'il a recouvré la vue et risque de la trouver laide, comparée à ses nombreuses maîtresses, même s'il est redevenu l'aristocrate arrogant dont les frasques libertines défrayent la chronique mondaine, Jane est décidée à se livrer à lui, corps et âme. Un choix insensé qui pourrait la détruire, mais devant lequel elle ne reculera pas. Car à l'instant où Matthew a posé les mains sur elle, elle a su qu'elle avait trouvé son maître...

www.harlequin.fr

OFFRE DE BIENVENUE

2 romans Passions et 2 cadeaux surprise !

Vous êtes fan de la collection Passions ? Pour prolonger le plaisir, recevez gratuitement **2 romans Passions** (réunis en 1 volume) **et 2 cadeaux surprise !**

Une fois votre colis de bienvenue reçu, si vous souhaitez continuer à recevoir nos romans Passions, cela se fera automatiquement. Vous recevrez alors chaque mois 3 volumes doubles inédits de cette collection au prix avantageux de 6,84€ le volume (au lieu de 7,20€) auxquels viendront s'ajouter 2,95€* de participation aux frais d'envoi.

*5,00€ pour la Belgique

▶ **Vous n'avez aucune obligation d'achat et cette offre est sans engagement de durée !**

Les bonnes raisons de s'abonner :

- Aucun engagement de durée ni de minimum d'achat.
- Vos romans en avant-première.
- - 5% de réduction systématique sur vos romans.
- La livraison à domicile.

Et aussi des avantages exclusifs :

- Des cadeaux tout au long de l'année qui récompensent votre fidélité.
- Des réductions sur vos romans par le biais de nombreuses promotions.
- Des romans exclusivement réédités pour nos abonné(e)s notamment des sagas à succès.
- L'abonnement systématique à notre magazine d'actu ROMANCE.
- Des points cadeaux pouvant être échangés contre des livres ou des cadeaux.

Rejoignez-nous vite en complétant et en nous renvoyant le bulletin !

N° d'abonnée (si vous en avez un) ⊔⊔⊔⊔.⊔⊔⊔⊔⊔

RZ3F09
RZ3FB1

Nom : .... Prénom : ....

Adresse : ....

CP : ⊔⊔⊔⊔⊔⊔ Ville : ....

Pays : .... Téléphone : ⊔⊔⊔⊔⊔⊔⊔⊔⊔⊔

E-mail : ....

☐ Oui, je souhaite être tenue informée par e-mail de l'actualité des éditions Harlequin.

☐ Oui, je souhaite bénéficier par e-mail des offres promotionnelles des partenaires des éditions Harlequin.

Renvoyez cette page à : Service Lectrices Harlequin – BP 20008 – 59718 Lille Cedex 9 - France

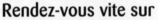

OFFRE DÉCOUVERTE !
2 ROMANS GRATUITS et 2 CADEAUX surprise !

Vous souhaitez découvrir nos collections ? Recevez gratuitement **2 romans et 2 cadeaux surprise !**

Une fois votre colis de bienvenue reçu, si vous souhaitez continuer à recevoir nos romans, cela se fera automatiquement. Vous recevrez alors chaque mois vos romans inédits en avant première.

Vous n'avez aucune obligation d'achat et cette offre est sans engagement de durée !

☛ COCHEZ la collection choisie et renvoyez cette page au
Service Lectrices Harlequin – BP 20008 – 59718 Lille Cedex 9 – France

- ❏ **AZUR** .... ZZ3F56/ZZ3FB2 ....6 romans par mois 23,10€*
- ❏ **HORIZON** .... OZ3F52/OZ3FB2 ......2 volumes doubles par mois 12,54€*
- ❏ **BLANCHE** .... BZ3F53/BZ3FB2 ......3 volumes doubles par mois 18,81€*
- ❏ **LES HISTORIQUES** .... HZ3F52/HZ3FB2 ....2 romans par mois 12,82€*
- ❏ **BEST SELLERS** .... EZ3F54/EZ3FB2 .... 4 romans tous les deux mois 27,00€*
- ❏ **NOCTURNE** .... TZ3F54/TZ3FB2 .... 4 romans tous les deux mois 25,64€*
- ❏ **MAXI** .... CZ3F54/CZ3FB2 .... 4 volumes triples tous les deux mois 26,36€*
- ❏ **PRÉLUD'** .... AZ3F54/AZ3FB2 ....4 romans par mois 23,20€*
- ❏ **PASSIONS** .... RZ3F53/RZ3FB2 .... 3 volumes doubles par mois 20,52€*
- ❏ **PASSIONS EXTRÊMES** ..... GZ3F52/GZ3FB2 .... 2 volumes doubles tous les deux mois 13,68€*
- ❏ **BLACK ROSE** .... IZ3F53/IZ3FB2 .... 3 volumes doubles par mois 20,52€*

*+2,95€ de frais d'envoi pour la France / +5,00€ de frais d'envoi pour la Belgique

---

N° d'abonnée Harlequin (si vous en avez un) ⊔⊔⊔⊔⊔⊔⊔

Mme ❏ Mlle ❏   Nom : _____

Prénom : _____   Adresse : _____

_____

Code Postal : ⊔⊔⊔⊔⊔   Ville : _____

Pays : _____   Tél. : ⊔⊔⊔⊔⊔⊔⊔⊔⊔⊔

E-mail : _____

- ❏ Oui, je souhaite recevoir par e-mail les offres promotionnelles des éditions Harlequin.
- ❏ Oui, je souhaite recevoir par e-mail les offres promotionnelles des partenaires des éditions Harlequin.

Date limite : 31 décembre 2013. Vous recevrez votre colis environ 20 jours après réception de ce bon. Offre soumise à acceptation et réservée aux personnes majeures, résidant en France métropolitaine et Belgique, dans la limite des stocks disponibles. Offre limitée à 2 collections par foyer. Prix susceptibles de modification en cours d'année. Conformément à la loi Informatique et libertés du 6 janvier 1978, vous disposez d'un droit d'accès et de rectification aux données personnelles vous concernant. Par notre intermédiaire, vous pouvez être amenée à recevoir des propositions d'autres entreprises. Si vous ne le souhaitez pas, il vous suffit de nous écrire en nous indiquant vos nom, prénom et adresse à : Service Lectrices Harlequin BP 20008 59718 LILLE Cedex 9.

Harlequin® est une marque déposée du groupe Harlequin. Harlequin SA – 83/85, Bd Vincent Auriol – 75646 Paris cedex 13. SA au capital de 1 120 000€ – R.C. Paris. Siret 318671591000069/APE5811Z

Composé et édité par les

éditions ✛ **HARLEQUIN**

Achevé d'imprimer en France (Malesherbes)
par Maury-Imprimeur
en juin 2013

Dépôt légal en juillet 2013
N° d'imprimeur : 181966